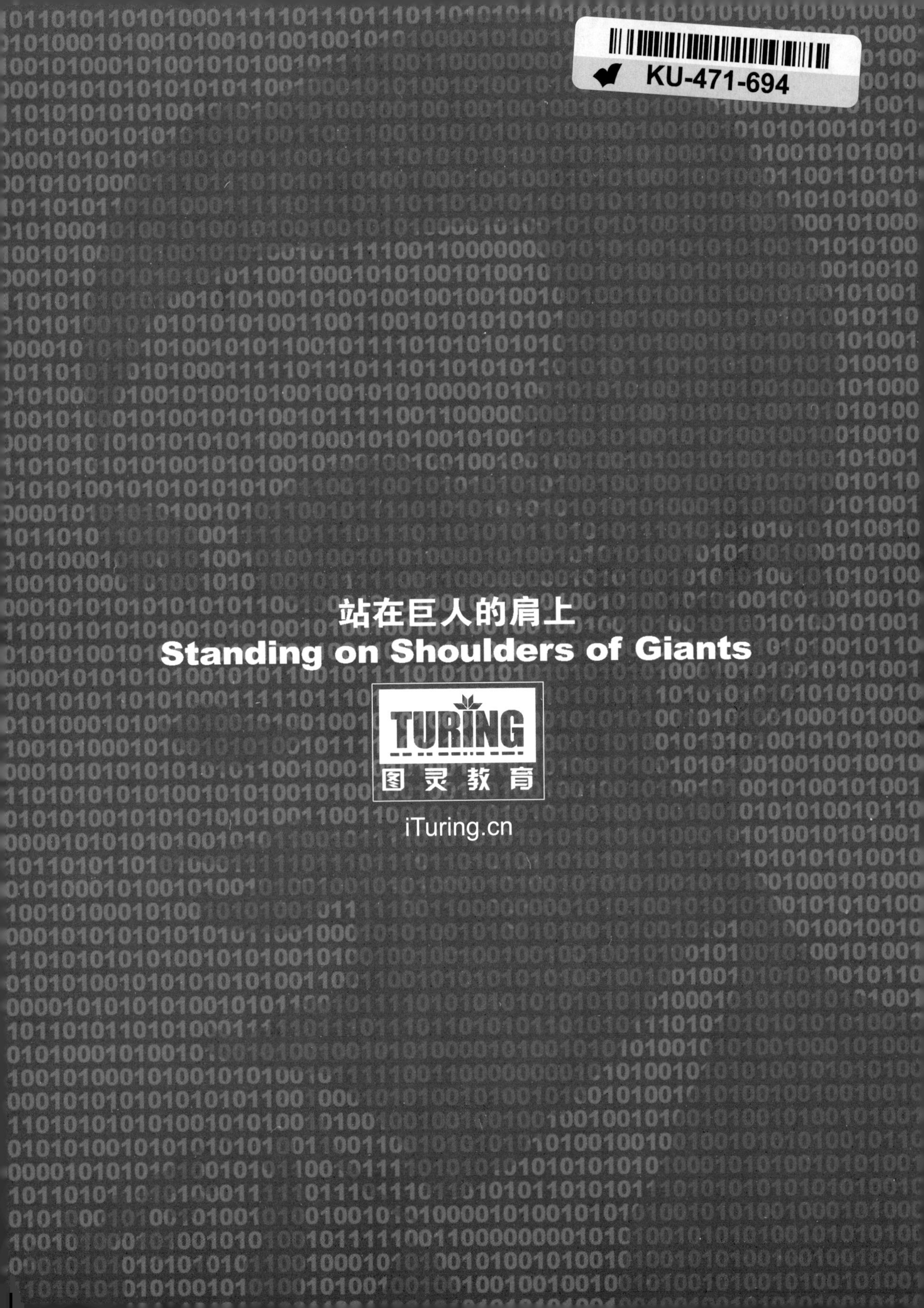

站在巨人的肩上
Standing on Shoulders of Giants
TURING
图灵教育
iTuring.cn

站在巨人的肩上

Standing on Shoulders of Giants

TURING

图灵教育

iTuring.cn

TURING 图灵程序设计丛书

# Spark快速大数据分析

## Learning Spark
## Lightning-Fast Data Analysis

[美] Holden Karau [美] Andy Konwinski
[美] Patrick Wendell [加] Matei Zaharia 著
王道远 译
英特尔大数据技术中心 审校

*Beijing • Cambridge • Farnham • Köln • Sebastopol • Tokyo*
O'Reilly Media, Inc.授权人民邮电出版社出版

人民邮电出版社
北 京

图书在版编目（CIP）数据

Spark快速大数据分析 / (美) 卡劳 (Karau,H.) 等著 ; 王道远译. -- 北京 : 人民邮电出版社, 2015.9 (2017.5重印)
(图灵程序设计丛书)
ISBN 978-7-115-40309-4

Ⅰ. ①S… Ⅱ. ①卡… ②王… Ⅲ. ①数据处理软件 Ⅳ. ①TP274

中国版本图书馆CIP数据核字(2015)第201200号

## 内容提要

本书由Spark开发者及核心成员共同打造，讲解了网络大数据时代应运而生的、能高效迅捷地分析处理数据的工具——Spark，它带领读者快速掌握用Spark收集、计算、简化和保存海量数据的方法，学会交互、迭代和增量式分析，解决分区、数据本地化和自定义序列化等问题。

本书适合大数据时代所有需要进行数据分析的人员阅读。

◆ 著　[美] Holden Karau　Andy Konwinski
Patrick Wendell
[加] Matei Zaharia
译　王道远
审　校　英特尔大数据技术中心
责任编辑　岳新欣
执行编辑　张　曼
责任印制　杨林杰

◆ 人民邮电出版社出版发行　北京市丰台区成寿寺路11号
邮编　100164　电子邮件　315@ptpress.com.cn
网址　http://www.ptpress.com.cn
北京市昌平百善印刷厂印刷

◆ 开本：800×1000　1/16
印张：14.5
字数：343千字　2015年9月第1版
印数：25 001 – 28 000册　2017年5月北京第9次印刷
著作权合同登记号　图字：01-2015-3678号

定价：59.00元
**读者服务热线：(010)51095186转600　印装质量热线：(010)81055316**
**反盗版热线：(010)81055315**
广告经营许可证：京东工商广登字20170147号

# 版权声明

# O'Reilly Media, Inc.介绍

O'Reilly Media 通过图书、杂志、在线服务、调查研究和会议等方式传播创新知识。自 1978 年开始，O'Reilly 一直都是前沿发展的见证者和推动者。超级极客们正在开创着未来，而我们关注真正重要的技术趋势——通过放大那些“细微的信号”来刺激社会对新科技的应用。作为技术社区中活跃的参与者，O'Reilly 的发展充满了对创新的倡导、创造和发扬光大。

O'Reilly 为软件开发人员带来革命性的“动物书”；创建第一个商业网站（GNN）；组织了影响深远的开放源代码峰会，以至于开源软件运动以此命名；创立了 Make 杂志，从而成为 DIY 革命的主要先锋；公司一如既往地通过多种形式缔结信息与人的纽带。O'Reilly 的会议和峰会集聚了众多超级极客和高瞻远瞩的商业领袖，共同描绘出开创新产业的革命性思想。作为技术人士获取信息的选择，O'Reilly 现在还将先锋专家的知识传递给普通的计算机用户。无论是通过书籍出版、在线服务或者面授课程，每一项 O'Reilly 的产品都反映了公司不可动摇的理念——信息是激发创新的力量。

## 业界评论

“O'Reilly Radar 博客有口皆碑。”

——*Wired*

“O'Reilly 凭借一系列（真希望当初我也想到了）非凡想法建立了数百万美元的业务。”

——*Business 2.0*

“O'Reilly Conference 是聚集关键思想领袖的绝对典范。”

——*CRN*

“一本 O'Reilly 的书就代表一个有用、有前途、需要学习的主题。”

——*Irish Times*

“Tim 是位特立独行的商人，他不光放眼于最长远、最广阔的视野，并且切实地按照 Yogi Berra 的建议去做了：‘如果你在路上遇到岔路口，走小路（岔路）。’回顾过去，Tim 似乎每一次都选择了小路，而且有几次都是一闪即逝的机会，尽管大路也不错。”

——*Linux Journal*

# 目录

# 推荐序

近年来大数据逐渐升温，经常有人问起大数据为何重要。我们处在一个数据爆炸的时代，大量涌现的智能手机、平板、可穿戴设备及物联网设备每时每刻都在产生新的数据。当今世界，有 90% 的数据是在过去短短两年内产生的。到 2020 年，将有 500 多亿台的互联设备产生 Zeta 字节级的数据。带来革命性改变的并非海量数据本身，而是我们如何利用这些数据。大数据解决方案的强大在于它们可以快速处理大规模、复杂的数据集，可以比传统方法更快、更好地生成洞见。

一套大数据解决方案通常包含多个重要组件，从存储、计算和网络等硬件层，到数据处理引擎，再到利用改良的统计和计算算法、数据可视化来获得商业洞见的分析层。这中间，数据处理引擎起到了十分重要的作用。毫不夸张地说，数据处理引擎之于大数据就像 CPU 之于计算机，或大脑之于人类。

早在 2009 年，Matei Zaharia 在加州大学伯克利分校的 AMPLab 进行博士研究时创立了 Spark 大数据处理和计算框架。不同于传统的数据处理框架，Spark 基于内存的基本类型（primitive）为一些应用程序带来了 100 倍的性能提升。Spark 允许用户程序将数据加载到集群内存中用于反复查询，非常适用于大数据和机器学习，日益成为最广泛采用的大数据模块之一。包括 Cloudera 和 MapR 在内的大数据发行版也在发布时添加了 Spark。

目前，Spark 正在促使 Hadoop 和大数据生态系统发生演变，以更好地支持端到端的大数据分析需求，例如：Spark 已经超越 Spark 核心，发展到了 Spark streaming、SQL、MLlib、GraphX、SparkR 等模块。学习 Spark 和它的各个内部构件不仅有助于改善大数据处理速度，还能帮助开发者和数据科学家更轻松地创建分析应用。从企业、医疗、交通到零售业，Spark 这样的大数据解决方案正以前所未见的力量推进着商业洞见的形成，带来更多更好的洞见以加速决策制定。

在过去几年中，我的部门有机会与本书的作者合作，向 Apache Spark 社区贡献成果，并在英特尔架构上优化各种大数据和 Spark 应用。《Spark 快速大数据分析》的出版为开发者和数据科学家提供了丰富的Spark知识。更重要的是，这本书不是简单地教开发者如何使用Spark，而是更深入介绍了Spark的内部构成，并通过各种实例展示了如何优化大数据应用。我向大家推荐这本书，或更具体点，推荐这本书里提倡的优化方法和思路，相信它们能帮助你创建出更好的大数据应用。

英特尔软件服务事业部全球大数据技术中心总经理 马子雅
2015年7月于加州圣克拉拉

Big data is getting hot in recent years. Quite often, folks ask why big data is a big deal. We are in the era of data explosion, with the emergence of smart phones, tablets, wearables, IoT devices, etc. Ninety percent of the data in the world today was generated in just the past two years. By 2020, we will see >50B devices connected and Zeta byte data created. It is not the quantity of the data that is revolutionary. It is that we can now do something with it that's revolutionary. The power of big data solutions is they can process large and complex data sets very fast, generate better and faster insights than conventional methods.

A big data solution suite can consist of several critical components, from the hardware layer like storage, compute and network, to data processing engine, to analytics layer where business insights are generated using improved statistical & computational algorithms and data visualization. Among all, the data processing engine is one most critical player. It is not overstating that the data processing engine for big data is like CPU for a computer or brain for a human being.

Spark was initially started for the purpose of creating a big data processing and computing framework, when Matei Zaharia was doing his Ph.D. research at UC Berkeley AMPLab in 2009. Different from the traditional data processing framework, Spark's in-memory primitives provide performance up to 100 times faster for certain applications. By allowing user programs to load data into a cluster's memory and query it repeatedly, Spark is well-suited for big data and machine learning use cases. Spark is becoming one best adopted among all big data modules. Big Data Distributions like Cloudera, MapR now all include Spark into their distributions.

Spark is now evolving the Hadoop and big data ecosystem to better support the end-to-end big data analytics needs, e.g. Spark grew beyond Spark core to Spark streaming, SQL, MLlib, GraphX, SparkR, etc. Learning Spark and its internals will not just help improve the processing speed for big data, but also help developers and data scientists create analytics applications with more ease. With big data solutions like Spark, we expect to see significant improvement with business insights which will help expedite the decision making—like we've never seen before, from enterprise, healthcare, transportation, and retail.

Over the years, my organization had the opportunities to work with authors of this book, contribute to Apache Spark, and optimize various Big Data and Spark application on Intel Architecture. The publication of Learning Spark offers developers and data scientists' extensive knowledge on Spark. Moreover, Learning Spark does not simply try to tell the developers how to use Spark, it also addresses the internals and shows various examples of how to improve your big data applications. I recommend Learning Spark—that this book, and, more specifically, the method it espouses, will change your big data application for the better.

Ziya Ma, General Manager of the global Big Data Technologies organization,
SSG STO, Intel Corp.
Santa Clara, California, July 2015

# 译者序

大数据是近几年广受关注的一个概念。今天，互联网不断发展，逐渐深入我们生活的各个层面，随之而来的是数据量的指数级增长。很久以前，人类就学会了通过分析数据获取有价值的结论。有时，影响结论的因素过多，采样的数据无法有效保留所有因素的影响，得出的结论就不够有效。如果不使用采样，而原始数据规模巨大，我们就需要改进数据处理的手段。从人工统计到利用一些传统的计算机软件进行分析，再到 MapReduce 模型，随着数据规模不断增长，我们处理数据的方式也在不断升级。如今，硬件产业的不断发展使得内存计算成为了可能，Spark 由此出现，并且像它的名字一样，以星火之势，迅速赢得了工业界的青睐。

《Spark 快速大数据分析》是一本为 Spark 初学者准备的书，它没有过多深入实现细节，而是更多关注上层用户的具体用法。不过，本书绝不仅仅限于 Spark 的用法，它对 Spark 的核心概念和基本原理也有较为全面的介绍，让读者能够知其然且知其所以然。

Spark 只是一个通用计算框架，利用 Spark 实现的应用才是其真正价值所在。我们很欣慰地看到，国内的许多知名互联网公司已经利用 Spark 创造出了难以估量的价值。本书的读者不妨也尝试把 Spark 应用到实践中，去探寻数据海洋里的无尽瑰宝。

本书得以完成，离不开各方支持。感谢人民邮电出版社图灵公司的李松峰老师、岳新欣老师、张曼老师，他们为本译稿的出版提供了大力支持。感谢本人所在的英特尔亚太研发有限公司大数据团队，其中程浩、孙锐、俞育才、张李晔分别负责了本书各部分的审校工作，黄洁、邵赛赛、史鸣飞也为本书的翻译工作提供了帮助。感谢 Databricks 的连城学长，他促成了我与出版社的合作。在翻译的过程中，来自家人与朋友的理解和支持也让我深深感动。

如本书所述，Spark 是一个大一统的软件栈，涉及方方面面的知识，为本书的翻译增加了不少难度。尽管译者一直努力保证翻译的准确性，由于学识有限，难免会有疏忽之处。而大数据作为一门新兴学科，许多术语尚未有约定俗成的译法。Spark 也在不断发展中，本书英文稿是根据 Spark 1.2 编纂，而译者也尽量标注了直至 Spark 1.4 为止（翻译时的最新版本）引入的一些变化。如果读者发现了本书中的不足或错误之处，恳请批评指正。我的电子邮箱是：me@daoyuan.wang。

王道远<br>2015 年夏

# 序

Spark 作为下一代大数据处理引擎，在非常短的时间里崭露头角，并且以燎原之势席卷业界。Spark 对曾经引爆大数据产业革命的 Hadoop MapReduce 的改进主要体现在这几个方面：首先，Spark 速度更快；其次，Spark 丰富的 API 带来了更强大的易用性；最后，Spark 不单单支持传统批处理应用，更支持交互式查询、流式计算、机器学习、图计算等各种应用，满足各种不同应用场景下的需求。

我很荣幸能够一直密切地参与到 Spark 的开发中，伴随 Spark 一路走来，看着 Spark 从草稿纸上的原型成长为当下最活跃的大数据开源项目。如今，Spark 已经成为 Apache 基金会下最为活跃的项目之一。不仅如此，我也为结识 Spark 项目创始人 Matei Zaharia 以及其他几位 Spark 长期开发者 Patrick Wendell、Andy Konwinski 和 Holden Karau 感到由衷高兴。正是他们四位完成了本书的著作工作。

随着 Spark 的迅速流行，相关优秀参考资料匮乏的问题顿时突显出来。本书共有 11 章，包含许多专为渴望学习 Spark 的数据科学家、学生、开发者们设计的具体实例，大大缓解了 Spark 缺少优秀参考资料的问题。即使是没有大数据方面背景知识的读者，也可以把本书作为入门大数据领域的明智之选。我真挚地希望这本书能引领你和其他读者走进大数据这个令人激动的新领域，在多年之后依然令你回味无穷。

——Databricks 公司首席执行官，加州大学伯克利分校 AMPlab 联合主任 Ion Stoica

# 前言

随着并行数据分析变得越来越流行，各行各业的工作者都迫切需要更好的数据分析工具。Spark 应运而生，并且迅速火了起来。作为 MapReduce 的继承者，Spark 主要有三个优点。首先，Spark 非常好用。由于高级 API 剥离了对集群本身的关注，你可以专注于你所要做的计算本身，只需在自己的笔记本电脑上就可以开发 Spark 应用。其次，Spark 很快，支持交互式使用和复杂算法。最后，Spark 是一个通用引擎，可用它来完成各种各样的运算，包括 SQL 查询、文本处理、机器学习等，而在 Spark 出现之前，我们一般需要学习各种各样的引擎来分别处理这些需求。这三大优点也使得 Spark 可以作为学习大数据的一个很好的起点。

本书主要介绍 Spark，让读者能够轻松入门并玩转 Spark。你能从本书中学到如何让 Spark 在你的电脑上运行起来，并且通过交互式操作来学习 Spark 的 API。我们也会讲解一些用 Spark 作数据操作和分布式执行时的细节。最后，本书会带你畅游 Spark 上一些高级的程序库，包括机器学习、流处理、图计算和 SQL 查询。我们希望本书能够让你了解 Spark。不论你只有一台电脑还是有一个庞大的集群，Spark 都能成为令你运筹帷幄的数据分析工具。

## 读者对象

本书的目标读者是数据科学家和工程师。我们选择这两个群体的原因，在于他们能够利用 Spark 去解决一些可能会遇到但是没有办法解决的问题。Spark 提供了功能丰富的数据操作库（例如 MLlib），可以帮助数据科学家利用他们自己的统计学背景知识，研究数据集大小超过单机所能处理极限的数据问题。与此同时，工程师们则可以从本书中学习和利用 Spark 编写通用的分布式程序并运维这些应用。工程师和数据科学家都不仅能从本书中学到各自需要的具体技能，而且还能够在各自领域中利用 Spark 解决大型分布式问题。

数据科学家关注如何从数据中发现关联以及建立模型。数据科学家通常有着统计学或者数学背景，他们中的大多数也熟悉 Python 语言、R 语言、SQL 等传统数据分析工具。在本书中，我们不仅会讲到 Spark 中一些机器学习和高级数据分析的程序库，也会把一些 Python 或者 SQL 的应用作为 Spark 使用示例进行展示。如果你是一位数据科学家，我们希望你读完本书之后，能够在获得更快速度和更大数据规模支持的同时，使用早已熟悉的方式来解决问题。

本书的第二类目标读者是软件工程师。对于工程师，不管你擅长的是 Java 还是 Python，抑或是别的编程语言，我们希望这本书能够教会你如何搭建一个 Spark 集群，如何使用 Spark shell，以及如何编写 Spark 应用程序来解决需要并行处理的问题。如果你熟悉 Hadoop，你就已经在如何与 HDFS 进行交互以及如何管理集群的领域中领先了一小步。即使你没有 Hadoop 经验也不用担心，我们会在本书中讲解一些基本的分布式执行的概念。

不论你是数据分析师还是工程师，如果想读透这本书，就应当对 Python、Java、Scala 或者一门类似的编程语言有一些基本了解。另外，我们假设你已经有了关于数据存储的解决方案，所以不会讲到如何搭建一个数据存储系统，不过我们会介绍如何在常见的数据存储系统上读取和保存数据。即使你没用过这些编程语言也不必担心，有很多优秀的学习资源可以帮助你理解这些语言，我们在下文的相关书籍中列举了一些。

# 本书结构

本书结构清晰，章节是按照从前到后依次阅读的顺序组织的。在每一章的开头，我们会说明本章中的哪些小节对于数据科学家们更重要，而哪些小节则对于工程师们更为有用。话虽如此，我们还是希望书中的所有内容对两类读者都能有一定的帮助。

前两章将会带你入门，让你在自己的电脑上搭好一个基础的 Spark，并且让你对于用 Spark 能做什么有一个基本的概念。等我们弄明白了 Spark 的目标和 Spark 的安装之后，就会着重介绍 Spark shell。Spark shell 是开发 Spark 应用原型时非常有用的工具。后续几章则会详细介绍 Spark API、如何将 Spark 应用运行在集群上，以及 Spark 所提供的更高层的程序库支持，例如 SQL（数据库支持）和 MLlib（机器学习库）。

# 相关书籍

如果你是一个没有太多 Python 经验的数据科学家，那么我们向你推荐 *Learning Python*（O'Reilly）和 *Head First Python*（O'Reilly）。如果你已经有了一定的 Python 经验，那么 *Dive Into Python*（http://www.diveintopython.net/）可以进一步加深你对 Python 的理解。

如果你是个工程师，读完本书之后还希望提高自己的数据分析技能，O'Reilly 出版的 *Machine Learning for Hackers* 和 *Doing Data Science* 是不错的参考书。

本书主要为初学者而写，但我们也正在计划为那些渴望全面理解 Spark 内部原理的人写一本更加深入的书。

# 排版约定

本书使用了下列排版约定。

- 楷体

  表示新术语。

- 等宽字体（`Constant width`）

  表示程序片段，以及正文中出现的变量、函数名、数据库、数据类型、环境变量、语句和关键字等。

- 加粗等宽字体（**`Constant width bold`**）

  表示应该由用户输入的命令或其他文本。

该图标表示提示或建议。

该图标表示警告或警示。

# 使用代码示例

本书中所有的示例代码都可以在 GitHub 上找到。你可以从 https://github.com/databricks/learning-spark 中查看和检出这些代码。示例代码包含 Java、Scala 和 Python 的版本。

Java 版本的示例代码兼容 Java 6 以及更高版本。Java 8 引入了支持 lambda 的新语法，可以更方便地编写内联函数而简化 Spark 代码。由于许多机构还没有开始使用 Java 8，我们决定在我们的大多数示例中不使用这一新语法。如果你对 Java 8 的语法很感兴趣，可以查阅 Databricks 关于 Java 8 语法的博文（http://databricks.com/blog/2014/04/14/spark-with-java-8.html）。有一些示例程序也会移植到 Java 8 上，并且发布在本书的 GitHub 代码仓库中。

本书是要帮你完成工作的。一般来说，如果本书提供了示例代码，你可以把它用在你的程序或文档中。除非你使用了很大一部分代码，否则无需联系我们获得许可。比如，用本书的几个代码片段写一个程序就无需获得许可，销售或分发 O'Reilly 图书的示例光盘则需要获得许可；引用本书中的示例代码回答问题无需获得许可，将书中大量的代码放到你的产品文档中则需要获得许可。

我们很希望但并不强制要求你在引用本书内容时加上引用说明。引用说明一般包括书名、作者、出版社和 ISBN。比如："*Web Development with Node and Express* by Ethan Brown (O'Reilly). Copyright 2014 Ethan Brown, 978-1-491-94930-6."

如果你觉得自己对示例代码的用法超出了上述许可的范围，欢迎你通过 permissions@oreilly.com 与我们联系。

## Safari® Books Online

Safari Books Online（http://www.safaribooksonline.com）是应运而生的数字图书馆。它同时以图书和视频的形式出版世界顶级技术和商务作家的专业作品。技术专家、软件开发人员、Web设计师、商务人士和创意专家等，在开展调研、解决问题、学习和认证培训时，都将 Safari Books Online 视作获取资料的首选渠道。

对于组织团体、政府机构和个人，Safari Books Online 提供各种产品组合和灵活的定价策略。用户可通过一个功能完备的数据库检索系统访问 O'Reilly Media、Prentice Hall Professional、Addison-Wesley Professional、Microsoft Press、Sams、Que、Peachpit Press、Focal Press、Cisco Press、John Wiley & Sons、Syngress、Morgan Kaufmann、IBM Redbooks、Packt、Adobe Press、FT Press、Apress、Manning、New Riders、McGraw-Hill、Jones & Bartlett、Course Technology 以及其他几十家出版社的上千种图书、培训视频和正式出版之前的书稿。要了解 Safari Books Online 的更多信息，我们网上见。

## 联系我们

请把对本书的评价和问题发给出版社。

美国：

O'Reilly Media, Inc.
1005 Gravenstein Highway North
Sebastopol, CA 95472

中国：

北京市西城区西直门南大街 2 号成铭大厦 C 座 807 室（100035）

奥莱利技术咨询（北京）有限公司

O'Reilly 的每一本书都有专属网页，你可以在那儿找到本书的相关信息，包括勘误表、示例代码以及其他信息。本书的网站地址是：

http://bit.ly/web_dev_node_express

对于本书的评论和技术性问题，请发送电子邮件到：bookquestions@oreilly.com。

要了解更多 O'Reilly 图书、培训课程、会议和新闻的信息，请访问以下网站：

http://www.oreilly.com

我们在 Facebook 的地址如下：http://facebook.com/oreilly

请关注我们的 Twitter 动态：http://twitter.com/oreillymedia

我们的 YouTube 视频地址如下：http://www.youtube.com/oreillymedia

# 致谢

感谢 Joseph Bradley、Dave Bridgeland、Chaz Chandler、Mick Davies、Sam DeHority、Vida Ha、Andrew Gal、Michael Gregson、Jan Joeppen、Stephan Jou、Jeff Martinez、Josh Mahonin、Andrew Or、Mike Patterson、Josh Rosen、Bruce Szalwinski、Xiangrui Meng、Reza Zadeh 等审阅者，他们为本书的写作提出了宝贵的意见。

特别感谢 David Andrzejewski、David Buttler、Juliet Hougland、Marek Kolodziej、Taka Shinagawa、Deborah Siegel、Normen Müller 博士、Ali Ghodsi、Sameer Farooqui 等人，他们为大部分章节提供了详细的反馈，并且帮助指出了许多至关重要的改进之处。

我们还要感谢参与编辑和编写部分章节的主题专家。第 10 章是在我们与 Tathagata Das 的紧密合作下共同完成的。Tathagata 给了我们巨大的帮助，他的工作包括且不限于阐明示例、回答疑问、改进排版以及相关技术的贡献。Michael Armbrust 帮助我们审校了 Spark SQL 相关章节。在第 11 章中，Joseph Bradley 为 MLlib 模块提供了介绍性示例。Reza Zadeh 为关于降维的部分提供了图文描述和代码示例。Xiangrui Meng、Joseph Bradley 和 Reza Zadeh 也为 MLlib 章节提供了编审和关于技术细节的反馈。

# 第1章

# Spark数据分析导论

本章会从宏观角度介绍 Spark 到底是什么。如果你已经对 Spark 和相关组件有一定了解，你可以选择直接从第 2 章开始读。

## 1.1 Spark是什么

Spark 是一个用来实现快速而通用的集群计算的平台。

在速度方面，Spark 扩展了广泛使用的 MapReduce 计算模型，而且高效地支持更多计算模式，包括交互式查询和流处理。在处理大规模数据集时，速度是非常重要的。速度快就意味着我们可以进行交互式的数据操作，否则我们每次操作就需要等待数分钟甚至数小时。Spark 的一个主要特点就是能够在内存中进行计算，因而更快。不过即使是必须在磁盘上进行的复杂计算，Spark 依然比 MapReduce 更加高效。

总的来说，Spark 适用于各种各样原先需要多种不同的分布式平台的场景，包括批处理、迭代算法、交互式查询、流处理。通过在一个统一的框架下支持这些不同的计算，Spark 使我们可以简单而低耗地把各种处理流程整合在一起。而这样的组合，在实际的数据分析过程中是很有意义的。不仅如此，Spark 的这种特性还大大减轻了原先需要对各种平台分别管理的负担。

Spark 所提供的接口非常丰富。除了提供基于 Python、Java、Scala 和 SQL 的简单易用的 API 以及内建的丰富的程序库以外，Spark 还能和其他大数据工具密切配合使用。例如，Spark 可以运行在 Hadoop 集群上，访问包括 Cassandra 在内的任意 Hadoop 数据源。

## 1.2 一个大一统的软件栈

Spark 项目包含多个紧密集成的组件。Spark 的核心是一个对由很多计算任务组成的、运行在多个工作机器或者是一个计算集群上的应用进行调度、分发以及监控的计算引擎。由于 Spark 的核心引擎有着速度快和通用的特点，因此 Spark 还支持为各种不同应用场景专门设计的高级组件，比如 SQL 和机器学习等。这些组件关系密切并且可以相互调用，这样你就可以像在平常软件项目中使用程序库那样，组合使用这些的组件。

各组件间密切结合的设计原理有这样几个优点。首先，软件栈中所有的程序库和高级组件都可以从下层的改进中获益。比如，当 Spark 的核心引擎新引入了一个优化时，SQL 和机器学习程序库也都能自动获得性能提升。其次，运行整个软件栈的代价变小了。不需要运行 5 到 10 套独立的软件系统了，一个机构只需要运行一套软件系统即可。这些代价包括系统的部署、维护、测试、支持等。这也意味着 Spark 软件栈中每增加一个新的组件，使用 Spark 的机构都能马上试用新加入的组件。这就把原先尝试一种新的数据分析系统所需要的下载、部署并学习一个新的软件项目的代价简化成了只需要升级 Spark。

最后，密切结合的原理的一大优点就是，我们能够构建出无缝整合不同处理模型的应用。例如，利用 Spark，你可以在一个应用中实现将数据流中的数据使用机器学习算法进行实时分类。与此同时，数据分析师也可以通过 SQL 实时查询结果数据，比如将数据与非结构化的日志文件进行连接操作。不仅如此，有经验的数据工程师和数据科学家还可以通过 Python shell 来访问这些数据，进行即时分析。其他人也可以通过独立的批处理应用访问这些数据。IT 团队始终只需要维护一套系统即可。

Spark 的各个组件如图 1-1 所示，下面来依次简要介绍它们。

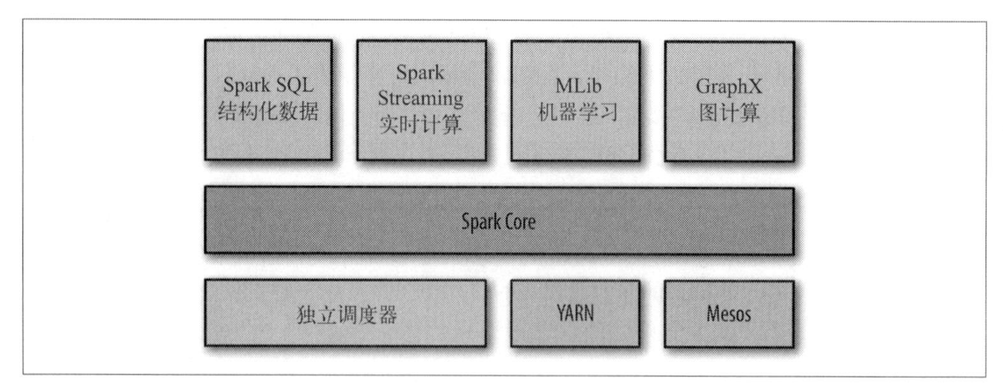


图 1-1：Spark 软件栈

### 1.2.1 Spark Core

Spark Core 实现了 Spark 的基本功能，包含任务调度、内存管理、错误恢复、与存储系统交互等模块。Spark Core 中还包含了对弹性分布式数据集（resilient distributed dataset，简称 RDD）的 API 定义。RDD 表示分布在多个计算节点上可以并行操作的元素集合，是 Spark 主要的编程抽象。Spark Core 提供了创建和操作这些集合的多个 API。

## 1.2.2 Spark SQL

Spark SQL 是 Spark 用来操作结构化数据的程序包。通过 Spark SQL，我们可以使用 SQL 或者 Apache Hive 版本的 SQL 方言（HQL）来查询数据。Spark SQL 支持多种数据源，比如 Hive 表、Parquet 以及 JSON 等。除了为 Spark 提供了一个 SQL 接口，Spark SQL 还支持开发者将 SQL 和传统的 RDD 编程的数据操作方式相结合，不论是使用 Python、Java 还是 Scala，开发者都可以在单个的应用中同时使用 SQL 和复杂的数据分析。通过与 Spark 所提供的丰富的计算环境进行如此紧密的结合，Spark SQL 得以从其他开源数据仓库工具中脱颖而出。Spark SQL 是在 Spark 1.0 中被引入的。

在 Spark SQL 之前，加州大学伯克利分校曾经尝试修改 Apache Hive 以使其运行在 Spark 上，当时的项目叫作 Shark。现在，由于 Spark SQL 与 Spark 引擎和 API 的结合更紧密，Shark 已经被 Spark SQL 所取代。

## 1.2.3 Spark Streaming

Spark Streaming 是 Spark 提供的对实时数据进行流式计算的组件。比如生产环境中的网页服务器日志，或是网络服务中用户提交的状态更新组成的消息队列，都是数据流。Spark Streaming 提供了用来操作数据流的 API，并且与 Spark Core 中的 RDD API 高度对应。这样一来，程序员编写应用时的学习门槛就得以降低，不论是操作内存或硬盘中的数据，还是操作实时数据流，程序员都更能应对自如。从底层设计来看，Spark Streaming 支持与 Spark Core 同级别的容错性、吞吐量以及可伸缩性。

## 1.2.4 MLlib

Spark 中还包含一个提供常见的机器学习（ML）功能的程序库，叫作 MLlib。MLlib 提供了很多种机器学习算法，包括分类、回归、聚类、协同过滤等，还提供了模型评估、数据导入等额外的支持功能。MLlib 还提供了一些更底层的机器学习原语，包括一个通用的梯度下降优化算法。所有这些方法都被设计为可以在集群上轻松伸缩的架构。

## 1.2.5 GraphX

GraphX 是用来操作图（比如社交网络的朋友关系图）的程序库，可以进行并行的图计算。与 Spark Streaming 和 Spark SQL 类似，GraphX 也扩展了 Spark 的 RDD API，能用来创建一个顶点和边都包含任意属性的有向图。GraphX 还支持针对图的各种操作（比如进行图

分割的 `subgraph` 和操作所有顶点的 `mapVertices`)，以及一些常用图算法（比如 PageRank 和三角计数)。

### 1.2.6 集群管理器

就底层而言，Spark 设计为可以高效地在一个计算节点到数千个计算节点之间伸缩计算。为了实现这样的要求，同时获得最大灵活性，Spark 支持在各种*集群管理器*（cluster manager）上运行，包括 Hadoop YARN、Apache Mesos，以及 Spark 自带的一个简易调度器，叫作独立调度器。如果要在没有预装任何集群管理器的机器上安装 Spark，那么 Spark 自带的独立调度器可以让你轻松入门；而如果已经有了一个装有 Hadoop YARN 或 Mesos 的集群，通过 Spark 对这些集群管理器的支持，你的应用也同样能运行在这些集群上。第 7 章会详细探讨这些不同的选项以及如何选择合适的集群管理器。

## 1.3 Spark的用户和用途

Spark 是一个用于集群计算的通用计算框架，因此被用于各种各样的应用程序。在前言中我们提到了本书的两大目标读者人群：数据科学家和工程师。仔细分析这两个群体以及他们使用 Spark 的方式，我们不难发现这两个群体使用 Spark 的典型用例并不一致，不过我们可以把这些用例大致分为两类——*数据科学应用*和*数据处理应用*。

当然，这种领域和使用模式的划分是比较模糊的。很多人也兼有数据科学家和工程师的能力，有的时候扮演数据科学家的角色进行研究，然后摇身一变成为工程师，熟练地编写复杂的数据处理程序。不管怎样，分开看这两大群体和相应的用例是很有意义的。

### 1.3.1 数据科学任务

数据科学是过去几年里出现的新学科，关注的是数据分析领域。尽管没有标准的定义，但我们认为*数据科学家*（data scientist）就是主要负责分析数据并建模的人。数据科学家有可能具备 SQL、统计、预测建模（机器学习）等方面的经验，以及一定的使用 Python、Matlab 或 R 语言进行编程的能力。将数据转换为更方便分析和观察的格式，通常被称为*数据转换*（data wrangling)，数据科学家也对这一过程中的必要技术有所了解。

数据科学家使用他们的技能来分析数据，以回答问题或发现一些潜在规律。他们的工作流经常会用到即时分析，所以他们可以使用交互式 shell 替代复杂应用的构建，这样可以在最短时间内得到查询语句和一些简单代码的运行结果。Spark 的速度以及简单的 API 都能在这种场景里大放光彩，而 Spark 内建的程序库的支持也使得很多算法能够即刻使用。

Spark 通过一系列组件支持各种数据科学任务。Spark shell 通过提供 Python 和 Scala 的接口，使我们方便地进行交互式数据分析。Spark SQL 也提供一个独立的 SQL shell，我们可以在这个 shell 中使用 SQL 探索数据，也可以通过标准的 Spark 程序或者 Spark shell 来进行 SQL 查询。机器学习和数据分析则通过 MLlib 程序库提供支持。另外，Spark 还能支持调用 R 或者 Matlab 写成的外部程序。数据科学家在使用 R 或 Pandas 等传统数据分析工具时所能处理的数据集受限于单机，而有了 Spark，就能处理更大数据规模的问题。

在初始的探索阶段之后，数据科学家的工作需要被应用到实际中。具体问题包括扩展应用的功能、提高应用的稳定性，并针对生产环境进行配置，使之成为业务应用的一部分。例如，在数据科学家完成初始的调研之后，我们可能最终会得到一个生产环境中的推荐系统，可以整合在网页应用中，为用户提供产品推荐。一般来说，将数据科学家的工作转化为实际生产中的应用的工作是由另外的工程师或者工程师团队完成的，而不是那些数据科学家。

### 1.3.2 数据处理应用

Spark 的另一个主要用例是针对工程师的。在这里，我们把工程师定义为使用 Spark 开发生产环境中的数据处理应用的软件开发者。这些开发者一般有基本的软件工程概念，比如封装、接口设计以及面向对象的编程思想，他们通常有计算机专业的背景，并且能使用工程技术来设计和搭建软件系统，以实现业务用例。

对工程师来说，Spark 为开发用于集群并行执行的程序提供了一条捷径。通过封装，Spark 不需要开发者关注如何在分布式系统上编程这样的复杂问题，也无需过多关注网络通信和程序容错性。Spark 已经为工程师提供了足够的接口来快速实现常见的任务，以及对应用进行监视、审查和性能调优。其 API 模块化的特性（基于传递分布式的对象集）使得利用程序库进行开发以及本地测试大大简化。

Spark 用户之所以选择 Spark 来开发他们的数据处理应用，正是因为 Spark 提供了丰富的功能，容易学习和使用，并且成熟稳定。

## 1.4 Spark简史

Spark 是由一个强大而活跃的开源社区开发和维护的，社区中的开发者们来自许许多多不同的机构。如果你或者你所在的机构是第一次尝试使用 Spark，也许你会对 Spark 这个项目的历史感兴趣。Spark 是于 2009 年作为一个研究项目在加州大学伯克利分校 RAD 实验室（AMPLab 的前身）诞生。实验室中的一些研究人员曾经用过 Hadoop MapReduce。他们发现 MapReduce 在迭代计算和交互计算的任务上表现得效率低下。因此，Spark 从一开始就是为交互式查询和迭代算法设计的，同时还支持内存式存储和高效的容错机制。

2009 年，关于 Spark 的研究论文在学术会议上发表，同年 Spark 项目正式诞生。其后不久，相比于 MapReduce，Spark 在某些任务上已经获得了 10 ～ 20 倍的性能提升。

Spark 最早的一部分用户来自加州伯克利分校的其他研究小组，其中比较著名的有 Mobile Millennium。作为机器学习领域的研究项目，他们利用 Spark 来监控并预测旧金山湾区的交通拥堵情况。仅仅过了短短的一段时间，许多外部机构也开始使用 Spark。如今，有超过 50 个机构将自己添加到了使用 Spark 的机构列表页面（https://cwiki.apache.org/confluence/display/SPARK/Powered+By+Spark）。在 Spark 社区如火如荼的社区活动 Spark Meetups（http://www.meetup.com/spark-users/）和 Spark 峰会（http://spark-summit.org/）中，许多机构也向大家积极分享他们特有的 Spark 应用场景。除了加州大学伯克利分校，对 Spark 作出贡献的主要机构还有 Databricks、雅虎以及英特尔。

2011 年，AMPLab 开始基于 Spark 开发更高层的组件，比如 Shark（Spark 上的 Hive）[1]和 Spark Streaming。这些组件和其他一些组件一起被称为伯克利数据分析工具栈（BDAS，https://amplab.cs.berkeley.edu/software/）。

Spark 最早在 2010 年 3 月开源，并且在 2013 年 6 月交给了 Apache 基金会，现在已经成了 Apache 开源基金会的顶级项目。

## 1.5 Spark的版本和发布

自其出现以来，Spark 就一直是一个非常活跃的项目，Spark 社区也一直保持着非常繁荣的态势。随着版本号的不断更迭，Spark 的贡献者也与日俱增。Spark 1.0 吸引了 100 多个开源程序员参与开发。尽管项目活跃度在飞速地提升，Spark 社区依然保持着常规的发布新版本的节奏。2014 年 5 月，Spark 1.0 正式发布，而本书则主要关注 Spark 1.1.0 以及后续的版本。不过，大多数概念在老版本的 Spark 中依然适用，而大多数示例也能运行在老版本的 Spark 上。

## 1.6 Spark的存储层次

Spark 不仅可以将任何 Hadoop 分布式文件系统（HDFS）上的文件读取为分布式数据集，也可以支持其他支持 Hadoop 接口的系统，比如本地文件、亚马逊 S3、Cassandra、Hive、HBase 等。我们需要弄清楚的是，Hadoop 并非 Spark 的必要条件，Spark 支持任何实现了 Hadoop 接口的存储系统。Spark 支持的 Hadoop 输入格式包括文本文件、SequenceFile、Avro、Parquet 等。我们会在第 5 章讨论读取和存储时详细介绍如何与这些数据源进行交互。

注 1：Shark 已经被 Spark SQL 所取代。

# 第2章

# Spark下载与入门

在本章中，我们会下载 Spark 并在本地模式下单机运行它。本章是写给 Spark 的所有初学者的，对数据科学家和工程师来说都值得一读。

Spark 可以通过 Python、Java 或 Scala 来使用[1]。要用好本书不需要高超的编程技巧，但是确实需要对其中某种语言的语法有基本的了解。我们会尽可能在示例中给出全部三种语言的代码。

Spark 本身是用 Scala 写的，运行在 Java 虚拟机（JVM）上。要在你的电脑或集群上运行 Spark，你要做的准备工作只是安装 Java 6 或者更新的版本。如果你希望使用 Python 接口，你还需要一个 Python 解释器（2.6 以上版本）。Spark 尚不支持 Python 3[2]。

## 2.1 下载Spark

使用 Spark 的第一步是下载和解压缩。我们先从下载预编译版本的 Spark 开始。访问 http://spark.apache.org/downloads.html，选择包类型为“Pre-built for Hadoop 2.4 and later”（为 Hadoop 2.4 及更新版本预编译的版本），然后选择“Direct Download”直接下载。这样我们就可以得到一个压缩的 TAR 文件，文件名为 spark-1.2.0-bin-hadoop2.4.tgz.

注 1：Spark 1.4.0 起添加了 R 语言支持。

注 2：Spark 1.4.0 起支持 Python 3。——译者注

Windows 用户如果把 Spark 安装到带有空格的路径下，可能会遇到一些问题。所以我们需要把 Spark 安装到不带空格的路径下，比如 C:\spark 这样的目录中。

你不需要安装 Hadoop，不过如果你已经有了一个 Hadoop 集群或安装好的 HDFS，请下载对应版本的 Spark。你可以在 http://spark.apache.org/downloads.html 里选择所需要的包类型，这会导致下载得到的文件名略有不同。也可以选择从源代码直接编译。你可以从 GitHub 上下载最新代码，也可以在下载页面上选择包类型为“Source Code”（源代码）进行下载。

大多数类 Unix 系统，包括 OSX 和 Linux，都有一个叫 `tar` 的命令行工具，可以用来解压 TAR 文件。如果你的操作系统没有安装 `tar`，可以尝试搜索网络获取免费的 TAR 解压缩工具。比如，如果你使用的是 Windows，可以试一下 7-Zip.

下载好了 Spark 之后，我们要进行解压缩，然后看一看默认的 Spark 发行版中都有些什么。打开终端，将工作路径转到下载的 Spark 压缩包所在的目录，然后解开压缩包。这样会创建出一个和压缩包同名但是没了 .tgz 后缀的新文件夹。接下来我们就把工作路径转到这个新目录下看看里面都有些什么。上面这些步骤可以用如下命令完成：

```
cd ~
tar -xf spark-1.2.0-bin-hadoop2.4.tgz
cd spark-1.2.0-bin-hadoop2.4
ls
```

在 `tar` 命令所在的那一行中，`x` 标记指定 `tar` 命令执行解压缩操作，`f` 标记则指定压缩包的文件名。`ls` 命令列出了 Spark 目录中的内容。我们先来粗略地看一看 Spark 目录中的一些比较重要的文件及目录的名字和作用。

- README.md
  包含用来入门 Spark 的简单的使用说明。

- bin
  包含可以用来和 Spark 进行各种方式的交互的一系列可执行文件，比如本章稍后会讲到的 Spark shell。

- core、streaming、python……
- 包含Spark项目主要组件的源代码。
- examples
  包含一些可以查看和运行的 Spark 程序，对学习 Spark 的 API 非常有帮助。

不要被 Spark 项目数量庞大的文件和复杂的目录结构吓倒，我们会在本书接下来的部分中讲解它们中的很大一部分。就目前来说，我们还是按部就班，先来试试 Spark 的 Python 和 Scala 版本的 shell。让我们从运行一些 Spark 自带的示例代码开始，然后再编写、编译并运行一个我们自己简易的 Spark 程序。

本章我们所做的一切，Spark 都是在本地模式下运行，也就是非分布式模式，这样我们只需要用到一台机器。Spark 可以运行在许多种模式下，除了本地模式，还支持运行在 Mesos 或 YARN 上，也可以运行在 Spark 发行版自带的独立调度器上。我们会在第 7 章详细讲述各种部署模式。

## 2.2　Spark中Python和Scala的shell

Spark 带有交互式的 shell，可以作即时数据分析。如果你使用过类似 R、Python、Scala 所提供的 shell，或操作系统的 shell（例如 Bash 或者 Windows 中的命令提示符），你也会对 Spark shell 感到很熟悉。然而和其他 shell 工具不一样的是，在其他 shell 工具中你只能使用单机的硬盘和内存来操作数据，而 Spark shell 可用来与分布式存储在许多机器的内存或者硬盘上的数据进行交互，并且处理过程的分发由 Spark 自动控制完成。

由于 Spark 能够在工作节点上把数据读取到内存中，所以许多分布式计算都可以在几秒钟之内完成，哪怕是那种在十几个节点上处理 TB 级别的数据的计算。这就使得一般需要在 shell 中完成的那些交互式的即时探索性分析变得非常适合 Spark。Spark 提供 Python 以及 Scala 的增强版 shell，支持与集群的连接。

本书中大多数示例代码都包含 Spark 支持的所有语言版本，但是交互式 shell 部分只提供了 Python 和 Scala 版本的示例。shell 对于学习 API 是非常有帮助的，因此我们建议读者在 Python 和 Scala 版本的例子中选择一种进行尝试，即便你是 Java 开发者也是如此，毕竟各种语言的 API 是相似的。

展示 Spark shell 的强大之处最简单的方法就是使用某个语言的 shell 作一些简单的数据分析。我们一起按照 Spark 官方文档中的快速入门指南（http://spark.apache.org/docs/latest/quick-start.html）中的示例来做一遍。

第一步是打开 Spark shell。要打开 Python 版本的 Spark shell，也就是我们所说的 PySpark Shell，进入你的 Spark 目录然后输入：

```
bin/pyspark
```

（在 Windows 中则运行 `bin\pyspark`。）如果要打开 Scala 版本的 shell，输入：

```
bin/spark-shell
```

稍等数秒，shell 提示符就会出现。Shell 启动时，你会看到许多日志信息输出。有的时候，由于提示符之后又输出了日志，我们需要按一下回车键，来得到一个清楚的 shell 提示符。图 2-1 是 PySpark shell 启动时的样子。

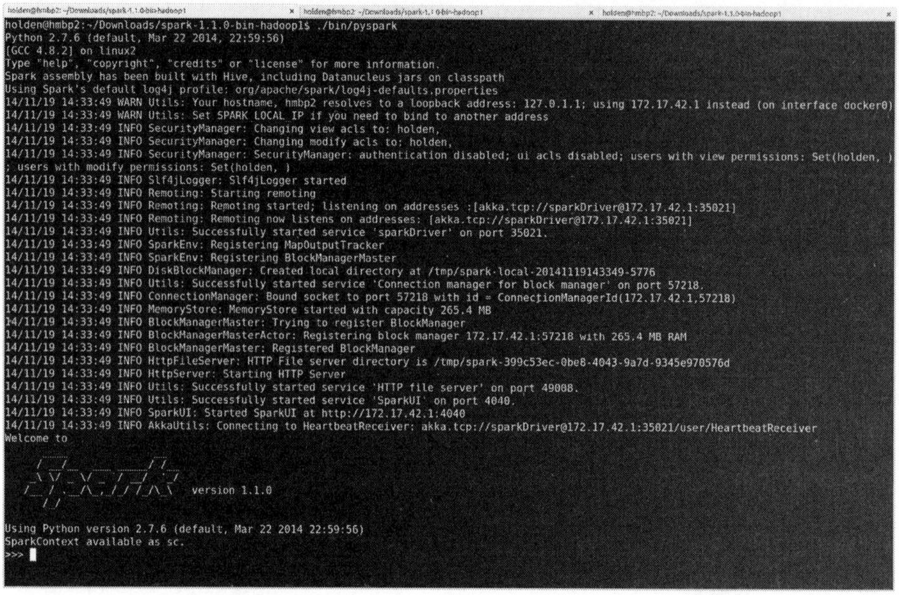

图 2-1：默认日志选项下的 PySpark shell

如果觉得 shell 中输出的日志信息过多而使人分心，可以调整日志的级别来控制输出的信息量。你需要在 conf 目录下创建一个名为 log4j.properties 的文件来管理日志设置。Spark 开发者们已经在 Spark 中加入了一个日志设置文件的模版，叫作 log4j.properties.template。要让日志看起来不那么啰嗦，可以先把这个日志设置模版文件复制一份到 conf/log4j.properties 来作为日志设置文件，接下来找到下面这一行：

```
log4j.rootCategory=INFO, console
```

然后通过下面的设定降低日志级别，只显示警告及更严重的信息：

```
log4j.rootCategory=WARN, console
```

这时再打开 shell，你就会看到输出大大减少（图 2-2）。

```
holden@hmbp2:~/Downloads/spark-1.1.0-bin-hadoop1$ ./bin/pyspark
Python 2.7.6 (default, Mar 22 2014, 22:59:56)
[GCC 4.8.2] on linux2
Type "help", "copyright", "credits" or "license" for more information.
Spark assembly has been built with Hive, including Datanucleus jars on classpath
14/11/19 14:38:03 WARN Utils: Your hostname, hmbp2 resolves to a loopback address: 127.0.1.1; using 172.17.42.1 instead (on interface docker0)
14/11/19 14:38:03 WARN Utils: Set SPARK_LOCAL_IP if you need to bind to another address
Welcome to
                                  version 1.1.0

Using Python version 2.7.6 (default, Mar 22 2014 22:59:56)
SparkContext available as sc.
>>>
```

图 2-2：降低日志级别后的 PySpark shell

使用 IPython

IPython 是一个受许多 Python 使用者喜爱的增强版 Python shell，能够提供自动补全等好用的功能。你可以在 http://ipython.org 上找到安装说明。只要把环境变量 `IPYTHON` 的值设为 1，你就可以使用 IPython 了：

```
IPYTHON=1 ./bin/pyspark
```

要使用 IPython Notebook，也就是 Web 版的 IPython，可以运行：

```
IPYTHON_OPTS="notebook" ./bin/pyspark
```

在 Windows 上，像下面这样设置环境变量并运行命令行：

```
set IPYTHON=1
bin\pyspark
```

在 Spark 中，我们通过对分布式数据集的操作来表达我们的计算意图，这些计算会自动地在集群上并行进行。这样的数据集被称为*弹性分布式数据集*（resilient distributed dataset），简称 RDD。RDD 是 Spark 对分布式数据和计算的基本抽象。

在我们更详细地讨论 RDD 之前，先来使用 shell 从本地文本文件创建一个 RDD 来作一些简单的即时统计。例 2-1 是 Python 版的例子，例 2-2 是 Scala 版的。

**例 2-1：Python 行数统计**

```
>>> lines = sc.textFile("README.md") # 创建一个名为lines的RDD

>>> lines.count() # 统计RDD中的元素个数
127
>>> lines.first() # 这个RDD中的第一个元素，也就是README.md的第一行
u'# Apache Spark'
```

**例 2-2：Scala 行数统计**

```
scala> val lines = sc.textFile("README.md") // 创建一个名为lines的RDD
lines: spark.RDD[String] = MappedRDD[...]

scala> lines.count() // 统计RDD中的元素个数
res0: Long = 127

scala> lines.first() // 这个RDD中的第一个元素，也就是README.md的第一行
res1: String = # Apache Spark
```

要退出任一 shell，按 Ctrl-D。

你可能在日志的输出中注意到了这样一行信息：`INFO SparkUI: Started SparkUI at http://[ipaddress]:4040`。你可以由这个地址访问 Spark 用户界面，查看关于任务和集群的各种信息。我们会在第 7 章中详细讨论。

在例 2-1 和例 2-2 中，变量 `lines` 是一个 RDD，是从你电脑上的一个本地的文本文件创建出来的。我们可以在这个 RDD 上运行各种并行操作，比如统计这个数据集中的元素个数（在这里就是文本的行数），或者是输出第一个元素。我们会在后续章节中深入探讨 RDD。在此之前，让我们先花些时间来了解 Spark 的基本概念。

## 2.3 Spark核心概念简介

现在你已经用 shell 运行了你的第一段 Spark 程序，是时候对 Spark 编程作更细致的了解了。

从上层来看，每个 Spark 应用都由一个*驱动器程序*（driver program）来发起集群上的各种并行操作。驱动器程序包含应用的 `main` 函数，并且定义了集群上的分布式数据集，还对这些分布式数据集应用了相关操作。在前面的例子里，实际的驱动器程序就是 Spark shell 本身，你只需要输入想要运行的操作就可以了。

驱动器程序通过一个 `SparkContext` 对象来访问 Spark。这个对象代表对计算集群的一个连接。shell 启动时已经自动创建了一个 `SparkContext` 对象，是一个叫作 `sc` 的变量。我们可以通过例 2-3 中的方法尝试输出 `sc` 来查看它的类型。

**例 2-3：查看变量 sc**

```
>>> sc
<pyspark.context.SparkContext object at 0x1025b8f90>
```

一旦有了 SparkContext，你就可以用它来创建 RDD。在例 2-1 和例 2-2 中，我们调用了 `sc.textFile()` 来创建一个代表文件中各行文本的 RDD。我们可以在这些行上进行各种操作，比如 `count()`。

要执行这些操作，驱动器程序一般要管理多个执行器（executor）节点。比如，如果我们在集群上运行 `count()` 操作，那么不同的节点会统计文件的不同部分的行数。由于我们刚才是在本地模式下运行 Spark shell，因此所有的工作会在单个节点上执行，但你可以将这个 shell 连接到集群上来进行并行的数据分析。图 2-3 展示了 Spark 如何在一个集群上运行。

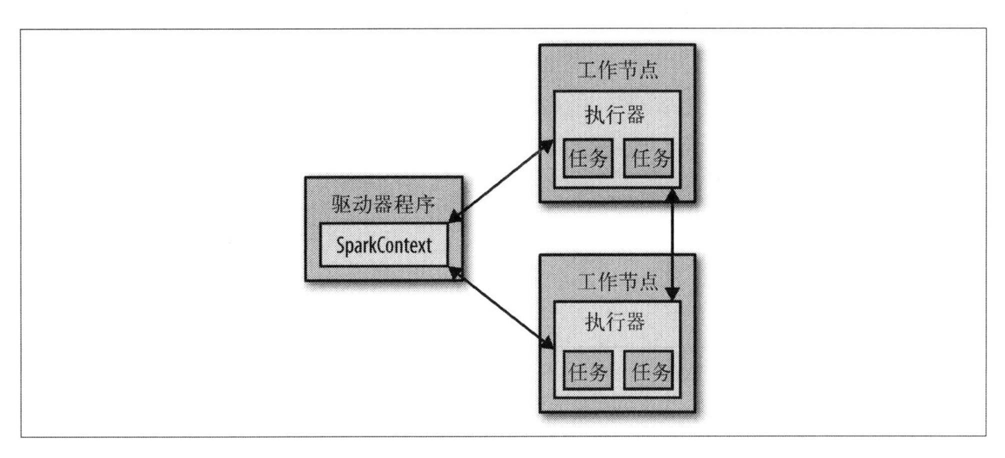


图 2-3：Spark 分布式执行涉及的组件

最后，我们有很多用来传递函数的 API，可以将对应操作运行在集群上。比如，可以扩展我们的 README 示例，筛选出文件中包含某个特定单词的行。以“Python”这个单词为例，具体代码如例 2-4（Python 版本）和例 2-5（Scala 版本）所示。

**例 2-4：Python 版本筛选的例子**

```
>>> lines = sc.textFile("README.md")

>>> pythonLines = lines.filter(lambda line: "Python" in line)

>>> pythonLines.first()
u'## Interactive Python Shell'
```

**例 2-5：Scala 版本筛选的例子**

```
scala> val lines = sc.textFile("README.md") // 创建一个叫lines的RDD
lines: spark.RDD[String] = MappedRDD[...]

scala> val pythonLines = lines.filter(line => line.contains("Python"))
```

```
pythonLines: spark.RDD[String] = FilteredRDD[...]

scala> pythonLines.first()
res0: String = ## Interactive Python Shell
```

### 向 Spark 传递函数

如果你对例 2-4 和例 2-5 中的 `lambda` 或者 `=>` 语法不熟悉，可以把它们理解为 Python 和 Scala 中定义内联函数的简写方法。当你在这些语言中使用 Spark 时，你也可以单独定义一个函数，然后把函数名传给 Spark。比如，在 Python 中可以这样做：

```
def hasPython(line):
    return "Python" in line

pythonLines = lines.filter(hasPython)
```

在 Java 中向 Spark 传递函数也是可行的，但是在这种情况下，我们必须把函数定义为实现了 `Function` 接口的类。例如：

```
JavaRDD<String> pythonLines = lines.filter(
  new Function<String, Boolean>() {
    Boolean call(String line) { return line.contains("Python"); }
  }
);
```

Java 8 提供了类似 Python 和 Scala 的 lambda 简写语法。下面就是一个使用这种语法的代码的例子：

```
JavaRDD<String> pythonLines = lines.filter(line -> line.contains("Python"));
```

我们会在 3.4 节更深入地讨论如何向 Spark 传递函数。

尽管后面会更详细地讲述 Spark API，我们还是不得不感叹，其实 Spark API 最神奇的地方就在于像 `filter` 这样基于函数的操作也会在集群上并行执行。也就是说，Spark 会自动将函数（比如 `line.contains("Python")`）发到各个执行器节点上。这样，你就可以在单一的驱动器程序中编程，并且让代码自动运行在多个节点上。第 3 章会详细讲述 RDD API。

## 2.4 独立应用

我们的 Spark 概览中的最后一部分就是如何在独立程序中使用 Spark。除了交互式运行之外，Spark 也可以在 Java、Scala 或 Python 的独立程序中被连接使用。这与在 shell 中使用的主要区别在于你需要自行初始化 SparkContext。接下来，使用的 API 就一样了。

连接 Spark 的过程在各语言中并不一样。在 Java 和 Scala 中，只需要给你的应用添加一个对于 `spark-core` 工件的 Maven 依赖。编写此书时，Spark 的最新版本是 1.2.0，对应的 Maven 索引是：

```
groupId = org.apache.spark
artifactId = spark-core_2.10
version = 1.2.0
```

Maven 是一个流行的包管理工具，可以用于任何基于 Java 的语言，让你可以连接公共仓库中的程序库。可以使用 Maven 来构建你的工程，也可以使用其他能够访问 Maven 仓库的工具来进行构建，包括 Scala 的 sbt 工具或者 Gradle 工具。一些常用的集成开发环境（比如 Eclipse）也可以让你直接把 Maven 依赖添加到工程中。

在 Python 中，你可以把应用写成 Python 脚本，但是需要使用 Spark 自带的 `bin/spark-submit` 脚本来运行。`spark-submit` 脚本会帮我们引入 Python 程序的 Spark 依赖。这个脚本为 Spark 的 PythonAPI 配置好了运行环境。你只需要像例 2-6 所示的那样运行脚本即可。

**例 2-6：运行 Python 脚本**

```
bin/spark-submit my_script.py
```

（注意，在 Windows 上需要使用反斜杠来代替斜杠。）

### 2.4.1　初始化SparkContext

一旦完成了应用与 Spark 的连接，接下来就需要在你的程序中导入 Spark 包并且创建 SparkContext。你可以通过先创建一个 `SparkConf` 对象来配置你的应用，然后基于这个 SparkConf 创建一个 SparkContext 对象。在例 2-7 至例 2-9 中，我们用各种语言分别示范了这一过程。

**例 2-7：在 Python 中初始化 Spark**

```
from pyspark import SparkConf, SparkContext

conf = SparkConf().setMaster("local").setAppName("My App")
sc = SparkContext(conf = conf)
```

**例 2-8：在 Scala 中初始化 Spark**

```
import org.apache.spark.SparkConf
import org.apache.spark.SparkContext
import org.apache.spark.SparkContext._

val conf = new SparkConf().setMaster("local").setAppName("My App")
val sc = new SparkContext(conf)
```

**例 2-9：在 Java 中初始化 Spark**

```
import org.apache.spark.SparkConf;
import org.apache.spark.api.java.JavaSparkContext;

SparkConf conf = new SparkConf().setMaster("local").setAppName("My App");
JavaSparkContext sc = new JavaSparkContext(conf);
```

这些例子展示了创建 SparkContext 的最基本的方法，你只需传递两个参数：

- *集群 URL*：告诉 Spark 如何连接到集群上。在这几个例子中我们使用的是 `local`，这个特殊值可以让 Spark 运行在单机单线程上而无需连接到集群。
- *应用名*：在例子中我们使用的是 `My App`。当连接到一个集群时，这个值可以帮助你在集群管理器的用户界面中找到你的应用。

还有很多附加参数可以用来配置应用的运行方式或添加要发送到集群上的代码。我们会在本书的后续章节中介绍。

在初始化 SparkContext 之后，你可以使用我们前面展示的所有方法（比如利用文本文件）来创建 RDD 并操控它们。

最后，关闭 Spark 可以调用 SparkContext 的 `stop()` 方法，或者直接退出应用（比如通过 `System.exit(0)` 或者 `sys.exit()`）。

这个快速概览应该已经足够让你在电脑上运行一个独立的 Spark 应用了。如果要了解更高级的配置选项，第 7 章会讲到如何让你的应用连接到一个集群上，包括将你的应用打包，使得代码可以自动发送到工作节点上。就目前而言，参考 Spark 官方文档的快速入门指南（http://spark.apache.org/docs/latest/quick-start.html）就足够了。

### 2.4.2 构建独立应用

作为一本讲大数据的书，如果没有一个单词数统计的例子，就不能成其为完整的一章。在单机上实现单词数统计很容易，但在分布式框架下，由于要在许多工作节点上读入并组合数据，单词数统计就成了一个很常用的例子。下面我们来学习用 sbt 以及 Maven 来构建并打包一个简单的单词数统计的例程。我们可以把所有的例程构建在一起，但是为了展示最简单的构建过程，我们只保留了最基本的依赖。在 learning-spark-examples/mini-complete-example 目录下，你可以找到这样一个独立的小工程。Java 版本（例 2-10）和 Scala 版本（例 2-11）的例子分别如下所示。

**例 2-10：Java 版本的单词数统计应用（暂时不需要深究细节）**

```
// 创建一个Java版本的Spark Context
SparkConf conf = new SparkConf().setAppName("wordCount");
JavaSparkContext sc = new JavaSparkContext(conf);
// 读取我们的输入数据
JavaRDD<String> input = sc.textFile(inputFile);
// 切分为单词
JavaRDD<String> words = input.flatMap(
  new FlatMapFunction<String, String>() {
    public Iterable<String> call(String x) {
      return Arrays.asList(x.split(" "));
    }});
```

```
// 转换为键值对并计数
JavaPairRDD<String, Integer> counts = words.mapToPair(
  new PairFunction<String, String, Integer>(){
    public Tuple2<String, Integer> call(String x){
      return new Tuple2(x, 1);
    }}).reduceByKey(new Function2<Integer, Integer, Integer>(){
        public Integer call(Integer x, Integer y){ return x + y;}});
// 将统计出来的单词总数存入一个文本文件，引发求值
counts.saveAsTextFile(outputFile);
```

**例 2-11：Scala 版本的单词数统计应用（暂时不需要深究细节）**

```
// 创建一个Scala版本的Spark Context
val conf = new SparkConf().setAppName("wordCount")
val sc = new SparkContext(conf)
// 读取我们的输入数据
val input = sc.textFile(inputFile)
// 把它切分成一个个单词
val words = input.flatMap(line => line.split(" "))
// 转换为键值对并计数
val counts = words.map(word => (word, 1)).reduceByKey{case (x, y) => x + y}
// 将统计出来的单词总数存入一个文本文件，引发求值
counts.saveAsTextFile(outputFile)
```

我们可以使用非常简单的 sbt（例 2-12）或 Maven（例 2-13）构建文件来构建这些应用。由于 Spark Core 包已经在各个工作节点的 classpath 中了，所以我们把对 Spark Core 的依赖标记为 `provided`，这样当我们稍后使用 assembly 方式打包应用时，就不会把 `spark-core` 包也打包到 assembly 包中。

**例 2-12：sbt 构建文件**

```
name := "learning-spark-mini-example"

version := "0.0.1"

scalaVersion := "2.10.4"

// 附加程序库
libraryDependencies ++= Seq(
  "org.apache.spark" %% "spark-core" % "1.2.0" % "provided"
)
```

**例 2-13：Maven 构建文件**

```
<project>
  <groupId>com.oreilly.learningsparkexamples.mini</groupId>
  <artifactId>learning-spark-mini-example</artifactId>
  <modelVersion>4.0.0</modelVersion>
  <name>example</name>
  <packaging>jar</packaging>
  <version>0.0.1</version>
  <dependencies>
    <dependency> <!-- Spark依赖 -->
      <groupId>org.apache.spark</groupId>
```

```
        <artifactId>spark-core_2.10</artifactId>
        <version>1.2.0</version>
        <scope>provided</scope>
      </dependency>
    </dependencies>
    <properties>
      <java.version>1.6</java.version>
    </properties>
    <build>
      <pluginManagement>
        <plugins>
          <plugin>    <groupId>org.apache.maven.plugins</groupId>
            <artifactId>maven-compiler-plugin</artifactId>
            <version>3.1</version>
            <configuration>
              <source>${java.version}</source>
              <target>${java.version}</target>
            </configuration> </plugin>
        </plugins>
      </pluginManagement>
    </build>
  </project>
```

spark-core 包被标记为了 provided，这是为了控制我们以 assembly 方式打包应用时的行为。第 7 章中会详细讨论这个细节。

一旦敲定了构建方式，我们就可以轻松打包并且使用 bin/spark-submit 脚本执行我们的应用了。spark-submit 脚本可以为我们配置 Spark 所要用到的一系列环境变量。在 mini-complete-example 目录中，我们可以使用 Scala（例 2-14）或者 Java（例 2-15）进行构建。

**例 2-14：Scala 构建与运行**

```
sbt clean package
$SPARK_HOME/bin/spark-submit \
  --class com.oreilly.learningsparkexamples.mini.scala.WordCount \
  ./target/...  (as above) \
  ./README.md ./wordcounts
```

**例 2-15：Maven 构建与运行**

```
mvn clean && mvn compile && mvn package
$SPARK_HOME/bin/spark-submit \
  --class com.oreilly.learningsparkexamples.mini.java.WordCount \
  ./target/learning-spark-mini-example-0.0.1.jar \
  ./README.md ./wordcounts
```

要了解关于连接应用程序到 Spark 的更多例子，请参考 Spark 官方文档中的快速入门指南（http://spark.apache.org/docs/latest/quick-start.html）一节。第 7 章中也会更详细地讲解如何打包 Spark 应用。

## 2.5 总结

在本章中，我们讲到了下载并在单机的本地模式下运行 Spark，以及 Spark 的使用方式，包括交互式方式和通过一个独立应用进行调用。另外我们还简单介绍了 Spark 编程的核心概念：通过一个驱动器程序创建一个 SparkContext 和一系列 RDD，然后进行并行操作。在下一章中，我们将会更加深入地介绍如何操作 RDD。

# 第3章

# RDD编程

本章介绍 Spark 对数据的核心抽象——弹性分布式数据集（Resilient Distributed Dataset，简称 RDD）。RDD 其实就是分布式的元素集合。在 Spark 中，对数据的所有操作不外乎创建 RDD、转化已有 RDD 以及调用 RDD 操作进行求值。而在这一切背后，Spark 会自动将 RDD 中的数据分发到集群上，并将操作并行化执行。

由于 RDD 是 Spark 的核心概念，因此数据科学家和工程师都应该读一读本章。我们强烈建议读者在交互式 shell（参见 2.2 节）中亲身尝试一些示例。此外，本章中的示例代码都可以在本书的 GitHub 仓库（https://github.com/databricks/learning-spark）中找到。

## 3.1　RDD基础

Spark 中的 RDD 就是一个不可变的分布式对象集合。每个 RDD 都被分为多个分区，这些分区运行在集群中的不同节点上。RDD 可以包含 Python、Java、Scala 中任意类型的对象，甚至可以包含用户自定义的对象。

用户可以使用两种方法创建 RDD：读取一个外部数据集，或在驱动器程序里分发驱动器程序中的对象集合（比如 list 和 set）。我们在本书前面的章节中已经见过使用 `SparkContext.textFile()` 来读取文本文件作为一个字符串 RDD 的示例，如例 3-1 所示。

**例 3-1：在 Python 中使用 `textFile()` 创建一个字符串的 RDD**

```
>>> lines = sc.textFile("README.md")
```

创建出来后，RDD 支持两种类型的操作：转化操作（transformation）和行动操作

(action)。转化操作会由一个 RDD 生成一个新的 RDD。例如，根据谓词匹配情况筛选数据就是一个常见的转化操作。在我们的文本文件示例中，我们可以用筛选来生成一个只存储包含单词 Python 的字符串的新的 RDD，如例 3-2 所示。

**例 3-2：调用转化操作 filter()**

```
>>> pythonLines = lines.filter(lambda line: "Python" in line)
```

另一方面，行动操作会对 RDD 计算出一个结果，并把结果返回到驱动器程序中，或把结果存储到外部存储系统（如 HDFS）中。first() 就是我们之前调用的一个行动操作，它会返回 RDD 的第一个元素，如例 3-3 所示。

**例 3-3：调用 first() 行动操作**

```
>>> pythonLines.first()
u'## Interactive Python Shell'
```

转化操作和行动操作的区别在于 Spark 计算 RDD 的方式不同。虽然你可以在任何时候定义新的 RDD，但 Spark 只会惰性计算这些 RDD。它们只有第一次在一个行动操作中用到时，才会真正计算。这种策略刚开始看起来可能会显得有些奇怪，不过在大数据领域是很有道理的。比如，看看例 3-2 和例 3-3，我们以一个文本文件定义了数据，然后把其中包含 Python 的行筛选出来。如果 Spark 在我们运行 lines = sc.textFile(...) 时就把文件中所有的行都读取并存储起来，就会消耗很多存储空间，而我们马上就要筛选掉其中的很多数据。相反，一旦 Spark 了解了完整的转化操作链之后，它就可以只计算求结果时真正需要的数据。事实上，在行动操作 first() 中，Spark 只需要扫描文件直到找到第一个匹配的行为止，而不需要读取整个文件。

最后，默认情况下，Spark 的 RDD 会在你每次对它们进行行动操作时重新计算。如果想在多个行动操作中重用同一个 RDD，可以使用 RDD.persist() 让 Spark 把这个 RDD 缓存下来。我们可以让 Spark 把数据持久化到许多不同的地方，可用的选项会在表 3-6 中列出。在第一次对持久化的 RDD 计算之后，Spark 会把 RDD 的内容保存到内存中（以分区方式存储到集群中的各机器上），这样在之后的行动操作中，就可以重用这些数据了。我们也可以把 RDD 缓存到磁盘上而不是内存中。默认不进行持久化可能也显得有些奇怪，不过这对于大规模数据集是很有意义的：如果不会重用该 RDD，我们就没有必要浪费存储空间，Spark 可以直接遍历一遍数据然后计算出结果。[1]

在实际操作中，你会经常用 persist() 来把数据的一部分读取到内存中，并反复查询这部分数据。例如，如果我们想多次对 README 文件中包含 Python 的行进行计算，就可以写出如例 3-4 所示的脚本。

注 1：在任何时候都能进行重算是我们为什么把 RDD 描述为“弹性”的原因。当保存 RDD 数据的一台机器失败时，Spark 还可以使用这种特性来重算出丢掉的分区，这一过程对用户是完全透明的。

**例 3-4：把 RDD 持久化到内存中**

```
>>> pythonLines.persist()

>>> pythonLines.count()
2

>>> pythonLines.first()
u'## Interactive Python Shell'
```

总的来说，每个 Spark 程序或 shell 会话都按如下方式工作。

(1) 从外部数据创建出输入 RDD。

(2) 使用诸如 `filter()` 这样的转化操作对 RDD 进行转化，以定义新的 RDD。

(3) 告诉 Spark 对需要被重用的中间结果 RDD 执行 `persist()` 操作。

(4) 使用行动操作（例如 `count()` 和 `first()` 等）来触发一次并行计算，Spark 会对计算进行优化后再执行。

`cache()` 与使用默认存储级别调用 `persist()` 是一样的。

接下来我们会对这几个步骤逐一详解，并介绍 Spark 中常见的一些 RDD 操作。

## 3.2 创建RDD

Spark 提供了两种创建 RDD 的方式：读取外部数据集，以及在驱动器程序中对一个集合进行并行化。

创建 RDD 最简单的方式就是把程序中一个已有的集合传给 SparkContext 的 `parallelize()` 方法，如例 3-5 至例 3-7 所示。这种方式在学习 Spark 时非常有用，它让你可以在 shell 中快速创建出自己的 RDD，然后对这些 RDD 进行操作。不过，需要注意的是，除了开发原型和测试时，这种方式用得并不多，毕竟这种方式需要把你的整个数据集先放在一台机器的内存中。

**例 3-5：Python 中的 `parallelize()` 方法**

```
lines = sc.parallelize(["pandas", "i like pandas"])
```

**例 3-6：Scala 中的 `parallelize()` 方法**

```
val lines = sc.parallelize(List("pandas", "i like pandas"))
```

例 3-7：Java 中的 parallelize() 方法

```
JavaRDD<String> lines = sc.parallelize(Arrays.asList("pandas", "i like pandas"));
```

更常用的方式是从外部存储中读取数据来创建 RDD。外部数据集的读取会在第 5 章详细介绍。不过，我们已经接触了用来将文本文件读入为一个存储字符串的 RDD 的方法 SparkContext.textFile()，用法如例 3-8 至例 3-10 所示。

例 3-8：Python 中的 textFile() 方法

```
lines = sc.textFile("/path/to/README.md")
```

例 3-9：Scala 中的 textFile() 方法

```
val lines = sc.textFile("/path/to/README.md")
```

例 3-10：Java 中的 textFile() 方法

```
JavaRDD<String> lines = sc.textFile("/path/to/README.md");
```

## 3.3 RDD操作

我们已经讨论过，RDD 支持两种操作：*转化操作*和*行动操作*。RDD 的转化操作是返回一个新的 RDD 的操作，比如 map() 和 filter()，而行动操作则是向驱动器程序返回结果或把结果写入外部系统的操作，会触发实际的计算，比如 count() 和 first()。Spark 对待转化操作和行动操作的方式很不一样，因此理解你正在进行的操作的类型是很重要的。如果对于一个特定的函数是属于转化操作还是行动操作感到困惑，你可以看看它的返回值类型：转化操作返回的是 RDD，而行动操作返回的是其他的数据类型。

### 3.3.1 转化操作

RDD 的转化操作是返回新 RDD 的操作。我们会在 3.3.3 节讲到，转化出来的 RDD 是惰性求值的，只有在行动操作中用到这些 RDD 时才会被计算。许多转化操作都是针对各个元素的，也就是说，这些转化操作每次只会操作 RDD 中的一个元素。不过并不是所有的转化操作都是这样的。

举个例子，假定我们有一个日志文件 log.txt，内含有若干消息，希望选出其中的错误消息。我们可以使用前面说过的转化操作 filter()。不过这一次，我们会展示如何用 Spark 支持的三种语言的 API 分别实现（见例 3-11 至例 3-13）。

例 3-11：用 Python 实现 filter() 转化操作

```
inputRDD = sc.textFile("log.txt")
errorsRDD = inputRDD.filter(lambda x: "error" in x)
```

例 3-12：用 Scala 实现 filter() 转化操作

```
val inputRDD = sc.textFile("log.txt")
val errorsRDD = inputRDD.filter(line => line.contains("error"))
```

**例 3-13：用 Java 实现 filter() 转化操作**

```
JavaRDD<String> inputRDD = sc.textFile("log.txt");
JavaRDD<String> errorsRDD = inputRDD.filter(
  new Function<String, Boolean>() {
    public Boolean call(String x) { return x.contains("error"); }
  }
});
```

注意，filter() 操作不会改变已有的 inputRDD 中的数据。实际上，该操作会返回一个全新的 RDD。inputRDD 在后面的程序中还可以继续使用，比如我们还可以从中搜索别的单词。事实上，要再从 inputRDD 中找出所有包含单词 warning 的行。接下来，我们使用另一个转化操作 union() 来打印出包含 error 或 warning 的行数。下例中用 Python 作了示例，不过 union() 函数的用法在所有三种语言中是一样的。

**例 3-14：用 Python 进行 union() 转化操作**

```
errorsRDD = inputRDD.filter(lambda x: "error" in x)
warningsRDD = inputRDD.filter(lambda x: "warning" in x)
badLinesRDD = errorsRDD.union(warningsRDD)
```

union() 与 filter() 的不同点在于它操作两个 RDD 而不是一个。转化操作可以操作任意数量的输入 RDD。

要获得与例 3-14 中等价的结果，更好的方法是直接筛选出要么包含 error 要么包含 warning 的行，这样只对 inputRDD 进行一次筛选即可。

最后要说的是，通过转化操作，你从已有的 RDD 中派生出新的 RDD，Spark 会使用谱系图（lineage graph）来记录这些不同 RDD 之间的依赖关系。Spark 需要用这些信息来按需计算每个 RDD，也可以依靠谱系图在持久化的 RDD 丢失部分数据时恢复所丢失的数据。图 3-1 展示了例 3-14 中的谱系图。

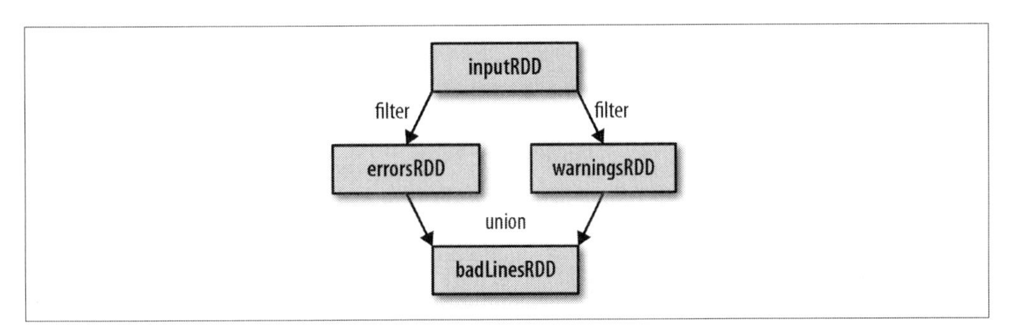


图 3-1：日志分析过程中创建出的 RDD 谱系图

### 3.3.2 行动操作

我们已经看到了如何通过转化操作从已有的 RDD 创建出新的 RDD，不过有时，我们希望对数据集进行实际的计算。行动操作是第二种类型的 RDD 操作，它们会把最终求得的结果返回到驱动器程序，或者写入外部存储系统中。由于行动操作需要生成实际的输出，它们会强制执行那些求值必须用到的 RDD 的转化操作。

继续我们在前几章中用到的日志的例子，我们可能想输出关于 badLinesRDD 的一些信息。为此，需要使用两个行动操作来实现：用 count() 来返回计数结果，用 take() 来收集 RDD 中的一些元素，如例 3-15 至例 3-17 所示。

**例 3-15：在 Python 中使用行动操作对错误进行计数**

```
print "Input had " + badLinesRDD.count() + " concerning lines"
print "Here are 10 examples:"
for line in badLinesRDD.take(10):
    print line
```

**例 3-16：在 Scala 中使用行动操作对错误进行计数**

```
println("Input had " + badLinesRDD.count() + " concerning lines")
println("Here are 10 examples:")
badLinesRDD.take(10).foreach(println)
```

**例 3-17：在 Java 中使用行动操作对错误进行计数**

```
System.out.println("Input had " + badLinesRDD.count() + " concerning lines");
System.out.println("Here are 10 examples:");
for (String line: badLinesRDD.take(10)) {
  System.out.println(line);
}
```

在这个例子中，我们在驱动器程序中使用 take() 获取了 RDD 中的少量元素。然后在本地遍历这些元素，并在驱动器端打印出来。RDD 还有一个 collect() 函数，可以用来获取整个 RDD 中的数据。如果你的程序把 RDD 筛选到一个很小的规模，并且你想在本地处理这些数据时，就可以使用它。记住，只有当你的整个数据集能在单台机器的内存中放得下时，才能使用 collect()，因此，collect() 不能用在大规模数据集上。

在大多数情况下，RDD 不能通过 collect() 收集到驱动器进程中，因为它们一般都很大。此时，我们通常要把数据写到诸如 HDFS 或 Amazon S3 这样的分布式的存储系统中。你可以使用 saveAsTextFile()、saveAsSequenceFile()，或者任意的其他行动操作来把 RDD 的数据内容以各种自带的格式保存起来。我们会在第 5 章讲解导出数据的各种选项。

需要注意的是，每当我们调用一个新的行动操作时，整个 RDD 都会从头开始计算。要避免这种低效的行为，用户可以将中间结果持久化，这会在 3.6 节中介绍。

### 3.3.3 惰性求值

前面提过，RDD 的转化操作都是惰性求值的。这意味着在被调用行动操作之前 Spark 不会开始计算。这对新用户来说可能与直觉有些相违背之处，但是对于那些使用过诸如 Haskell 等函数式语言或者类似 LINQ 这样的数据处理框架的人来说，会有些似曾相识。

惰性求值意味着当我们对 RDD 调用转化操作（例如调用 `map()`）时，操作不会立即执行。相反，Spark 会在内部记录下所要求执行的操作的相关信息。我们不应该把 RDD 看作存放着特定数据的数据集，而最好把每个 RDD 当作我们通过转化操作构建出来的、记录如何计算数据的指令列表。把数据读取到 RDD 的操作也同样是惰性的。因此，当我们调用 `sc.textFile()` 时，数据并没有读取进来，而是在必要时才会读取。和转化操作一样的是，读取数据的操作也有可能会多次执行。

虽然转化操作是惰性求值的，但还是可以随时通过运行一个行动操作来强制 Spark 执行 RDD 的转化操作，比如使用 `count()`。这是一种对你所写的程序进行部分测试的简单方法。

Spark 使用惰性求值，这样就可以把一些操作合并到一起来减少计算数据的步骤。在类似 Hadoop MapReduce 的系统中，开发者常常花费大量时间考虑如何把操作组合到一起，以减少 MapReduce 的周期数。而在 Spark 中，写出一个非常复杂的映射并不见得能比使用很多简单的连续操作获得好很多的性能。因此，用户可以用更小的操作来组织他们的程序，这样也使这些操作更容易管理。

## 3.4 向Spark传递函数

Spark 的大部分转化操作和一部分行动操作，都需要依赖用户传递的函数来计算。在我们支持的三种主要语言中，向 Spark 传递函数的方式略有区别。

### 3.4.1 Python

在 Python 中，我们有三种方式来把函数传递给 Spark。传递比较短的函数时，可以使用 lambda 表达式来传递，如例 3-2 和例 3-18 所示。除了 lambda 表达式，我们也可以传递顶层函数或是定义的局部函数。

**例 3-18：在 Python 中传递函数**

```
word = rdd.filter(lambda s: "error" in s)

def containsError(s):
    return "error" in s
word = rdd.filter(containsError)
```

传递函数时需要小心的一点是，Python 会在你不经意间把函数所在的对象也序列化传出去。当你传递的对象是某个对象的成员，或者包含了对某个对象中一个字段的引用时（例如 `self.field`），Spark 就会把整个对象发到工作节点上，这可能比你想传递的东西大得多（见例 3-19）。有时，如果传递的类里面包含 Python 不知道如何序列化传输的对象，也会导致你的程序失败。

**例 3-19：传递一个带字段引用的函数（别这么做！）**

```
class SearchFunctions(object):
  def __init__(self, query):
      self.query = query
  def isMatch(self, s):
      return self.query in s
  def getMatchesFunctionReference(self, rdd):
      # 问题：在"self.isMatch"中引用了整个self
      return rdd.filter(self.isMatch)
  def getMatchesMemberReference(self, rdd):
      # 问题：在"self.query"中引用了整个self
      return rdd.filter(lambda x: self.query in x)
```

替代的方案是，只把你所需要的字段从对象中拿出来放到一个局部变量中，然后传递这个局部变量，如例 3-20 所示。

**例 3-20：传递不带字段引用的 Python 函数**

```
class WordFunctions(object):
  ...
  def getMatchesNoReference(self, rdd):
      # 安全：只把需要的字段提取到局部变量中
      query = self.query
      return rdd.filter(lambda x: query in x)
```

### 3.4.2 Scala

在 Scala 中，我们可以把定义的内联函数、方法的引用或静态方法传递给 Spark，就像 Scala 的其他函数式 API 一样。我们还要考虑其他一些细节，比如所传递的函数及其引用的数据需要是可序列化的（实现了 Java 的 Serializable 接口）。除此以外，与 Python 类似，传递一个对象的方法或者字段时，会包含对整个对象的引用。这在 Scala 中不是那么明显，毕竟我们不会像 Python 那样必须用 `self` 写出那些引用。类似在例 3-20 中对 Python 执行的操作，我们可以把需要的字段放到一个局部变量中，来避免传递包含该字段的整个对象，如例 3-21 所示。

**例 3-21：Scala 中的函数传递**

```
class SearchFunctions(val query: String) {
  def isMatch(s: String): Boolean = {
    s.contains(query)
  }
  def getMatchesFunctionReference(rdd: RDD[String]): RDD[String] = {
```

```
    // 问题:"isMatch"表示"this.isMatch",因此我们要传递整个"this"
    rdd.map(isMatch)
  }
  def getMatchesFieldReference(rdd: RDD[String]): RDD[String] = {
    // 问题:"query"表示"this.query",因此我们要传递整个"this"
    rdd.map(x => x.split(query))
  }
  def getMatchesNoReference(rdd: RDD[String]): RDD[String] = {
    // 安全:只把我们需要的字段拿出来放入局部变量中
    val query_ = this.query
    rdd.map(x => x.split(query_))
  }
}
```

如果在 Scala 中出现了 NotSerializableException，通常问题就在于我们传递了一个不可序列化的类中的函数或字段。记住，传递局部可序列化变量或顶级对象中的函数始终是安全的。

### 3.4.3 Java

在 Java 中，函数需要作为实现了 Spark 的 org.apache.spark.api.java.function 包中的任一函数接口的对象来传递。根据不同的返回类型，我们定义了一些不同的接口。我们把最基本的一些函数接口列在表 3-1 中，同时介绍了一些其他的函数接口，在需要返回特殊类型（比如键值对）的数据时使用，参见 3.5.2 节中的“Java”一节。

表3-1：标准Java函数接口

| 函数名 | 实现的方法 | 用途 |
| --- | --- | --- |
| Function<T, R> | R call(T) | 接收一个输入值并返回一个输出值，用于类似 map() 和 filter() 等操作中 |
| Function2<T1, T2, R> | R call(T1, T2) | 接收两个输入值并返回一个输出值，用于类似 aggregate() 和 fold() 等操作中 |
| FlatMapFunction<T, R> | Iterable<R> call(T) | 接收一个输入值并返回任意个输出，用于类似 flatMap() 这样的操作中 |

可以把我们的函数类内联定义为使用匿名内部类（例 3-22），也可以创建一个具名类（例 3-23）。

**例 3-22：在 Java 中使用匿名内部类进行函数传递**

```
RDD<String> errors = lines.filter(new Function<String, Boolean>() {
  public Boolean call(String x) { return x.contains("error"); }
});
```

**例 3-23：在 Java 中使用具名类进行函数传递**

```
class ContainsError implements Function<String, Boolean> {
  public Boolean call(String x) { return x.contains("error"); }
}

RDD<String> errors = lines.filter(new ContainsError());
```

具体风格的选择取决于个人偏好。不过我们发现顶级具名类通常在组织大型程序时显得比较清晰。使用顶级函数的另一个好处在于你可以给它们的构造函数添加参数，如例 3-24 所示。

**例 3-24：带参数的 Java 函数类**

```
class Contains implements Function<String, Boolean>() {
  private String query;
  public Contains(String query) { this.query = query; }
  public Boolean call(String x) { return x.contains(query); }
}

RDD<String> errors = lines.filter(new Contains("error"));
```

在 Java 8 中，你也可以使用 lambda 表达式来简洁地实现函数接口。由于在本书写作时，Java 8 仍然相对比较新，我们的示例就使用了之前版本的 Java，以更啰嗦的语法来定义函数类。不过，如果使用 lambda 表达式，我们的搜索示例就会变得如例 3-25 所示那样。

**例 3-25：在 Java 中使用 Java 8 地 lambda 表达式进行函数传递**

```
RDD<String> errors = lines.filter(s -> s.contains("error"));
```

如果你对使用 Java 8 的 lambda 表达式感兴趣，请参考 Oracle 的相关文档（http://docs.oracle.com/javase/tutorial/java/javaOO/lambdaexpressions.html）以及 Databricks 关于如何在 Spark 中使用 lambda 表达式的博客（http://databricks.com/blog/2014/04/14/spark-with-java-8.html）。

匿名内部类和 lambda 表达式都可以引用方法中封装的任意 final 变量，因此你可以像在 Python 和 Scala 中一样把这些变量传递给 Spark。

## 3.5 常见的转化操作和行动操作

本节我们会接触 Spark 中大部分常见的转化操作和行动操作。包含特定数据类型的 RDD 还支持一些附加操作，例如，数字类型的 RDD 支持统计型函数操作，而键值对形式的 RDD 则支持诸如根据键聚合数据的键值对操作。我们也会在后面几节中讲到如何转换 RDD 类型，以及各类型对应的特殊操作。

### 3.5.1 基本RDD

首先来讲讲哪些转化操作和行动操作受任意数据类型的 RDD 支持。

#### 1. 针对各个元素的转化操作

你很可能会用到的两个最常用的转化操作是 `map()` 和 `filter()`（见图 3-2）。转化操作 `map()` 接收一个函数，把这个函数用于 RDD 中的每个元素，将函数的返回结果作为结果

RDD 中对应元素的值。而转化操作 filter() 则接收一个函数，并将 RDD 中满足该函数的元素放入新的 RDD 中返回。

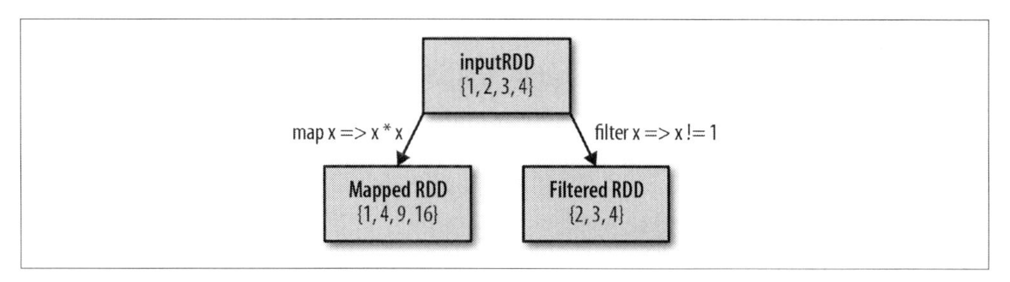


图 3-2：从输入 RDD 映射与筛选得到的 RDD

我们可以使用 map() 来做各种各样的事情：可以把我们的 URL 集合中的每个 URL 对应的主机名提取出来，也可以简单到只对各个数字求平方值。map() 的返回值类型不需要和输入类型一样。这样如果有一个字符串 RDD，并且我们的 map() 函数是用来把字符串解析并返回一个 Double 值的，那么此时我们的输入 RDD 类型就是 RDD[String]，而输出类型是 RDD[Double]。

让我们看一个简单的例子，用 map() 对 RDD 中的所有数求平方（如例 3-26 至例 3-28 所示）。

**例 3-26：Python 版计算 RDD 中各值的平方**

```
nums = sc.parallelize([1, 2, 3, 4])
squared = nums.map(lambda x: x * x).collect()
for num in squared:
    print "%i " % (num)
```

**例 3-27：Scala 版计算 RDD 中各值的平方**

```
val input = sc.parallelize(List(1, 2, 3, 4))
val result = input.map(x => x * x)
println(result.collect().mkString(","))
```

**例 3-28：Java 版计算 RDD 中各值的平方**

```
JavaRDD<Integer> rdd = sc.parallelize(Arrays.asList(1, 2, 3, 4));
JavaRDD<Integer> result = rdd.map(new Function<Integer, Integer>() {
  public Integer call(Integer x) { return x*x; }
});
System.out.println(StringUtils.join(result.collect(), ","));
```

有时候，我们希望对每个输入元素生成多个输出元素。实现该功能的操作叫作 flatMap()。和 map() 类似，我们提供给 flatMap() 的函数被分别应用到了输入 RDD 的每个元素上。不过返回的不是一个元素，而是一个返回值序列的迭代器。输出的 RDD 倒不是由迭代器组成的。我们得到的是一个包含各个迭代器可访问的所有元素的 RDD。flatMap() 的一个简单用途是把输入的字符串切分为单词，如例 3-29 至例 3-31 所示。

**例 3-29：Python 中的 flatMap() 将行数据切分为单词**

```
lines = sc.parallelize(["hello world", "hi"])
words = lines.flatMap(lambda line: line.split(" "))
words.first() # 返回"hello"
```

**例 3-30：Scala 中的 flatMap() 将行数据切分为单词**

```
val lines = sc.parallelize(List("hello world", "hi"))
val words = lines.flatMap(line => line.split(" "))
words.first() // 返回"hello"
```

**例 3-31：Java 中的 flatMap() 将行数据切分为单词**

```
JavaRDD<String> lines = sc.parallelize(Arrays.asList("hello world", "hi"));
JavaRDD<String> words = lines.flatMap(new FlatMapFunction<String, String>() {
  public Iterable<String> call(String line) {
    return Arrays.asList(line.split(" "));
  }
});
words.first(); // 返回"hello"
```

我们在图 3-3 中阐释了 flatMap() 和 map() 的区别。你可以把 flatMap() 看作将返回的迭代器"拍扁"，这样就得到了一个由各列表中的元素组成的 RDD，而不是一个由列表组成的 RDD。

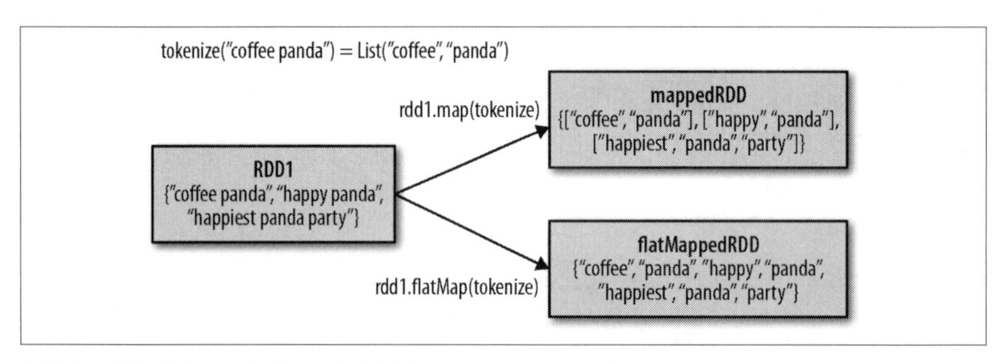


图 3-3：RDD 的 flatMap() 和 map() 的区别

### 2. 伪集合操作

尽管 RDD 本身不是严格意义上的集合，但它也支持许多数学上的集合操作，比如合并和相交操作。图 3-4 展示了四种操作。注意，这些操作都要求操作的 RDD 是相同数据类型的。

我们的 RDD 中最常缺失的集合属性是元素的唯一性，因为常常有重复的元素。如果只要唯一的元素，我们可以使用 RDD.distinct() 转化操作来生成一个只包含不同元素的新 RDD。不过需要注意，distinct() 操作的开销很大，因为它需要将所有数据通过网络进行混洗（shuffle），以确保每个元素都只有一份。第 4 章会详细介绍数据混洗，以及如何避免数据混洗。

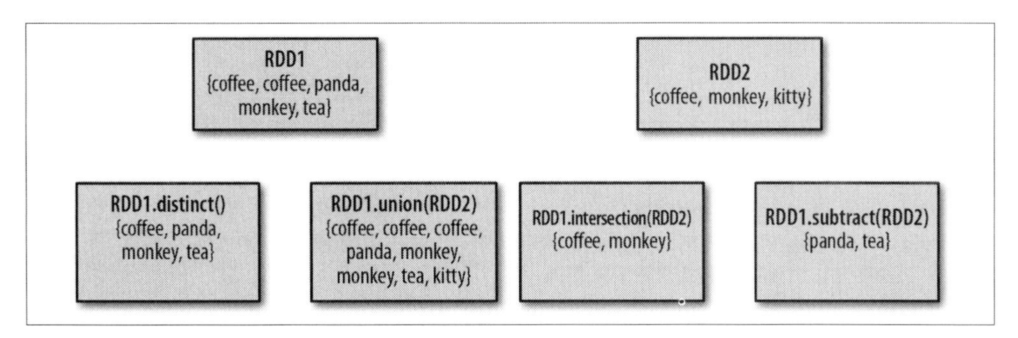


图 3-4：一些简单的集合操作

最简单的集合操作是 `union(other)`，它会返回一个包含两个 RDD 中所有元素的 RDD。这在很多用例下都很有用，比如处理来自多个数据源的日志文件。与数学中的 `union()` 操作不同的是，如果输入的 RDD 中有重复数据，Spark 的 `union()` 操作也会包含这些重复数据（如有必要，我们可以通过 `distinct()` 实现相同的效果）。

Spark 还提供了 `intersection(other)` 方法，只返回两个 RDD 中都有的元素。`intersection()` 在运行时也会去掉所有重复的元素（单个 RDD 内的重复元素也会一起移除）。尽管 `intersection()` 与 `union()` 的概念相似，`intersection()` 的性能却要差很多，因为它需要通过网络混洗数据来发现共有的元素。

有时我们需要移除一些数据。`subtract(other)` 函数接收另一个 RDD 作为参数，返回一个由只存在于第一个 RDD 中而不存在于第二个 RDD 中的所有元素组成的 RDD。和 `intersection()` 一样，它也需要数据混洗。

我们也可以计算两个 RDD 的笛卡儿积，如图 3-5 所示。`cartesian(other)` 转化操作会返回所有可能的 `(a, b)` 对，其中 `a` 是源 RDD 中的元素，而 `b` 则来自另一个 RDD。笛卡儿积在我们希望考虑所有可能的组合的相似度时比较有用，比如计算各用户对各种产品的预期兴趣程度。我们也可以求一个 RDD 与其自身的笛卡儿积，这可以用于求用户相似度的应用中。不过要特别注意的是，求大规模 RDD 的笛卡儿积开销巨大。

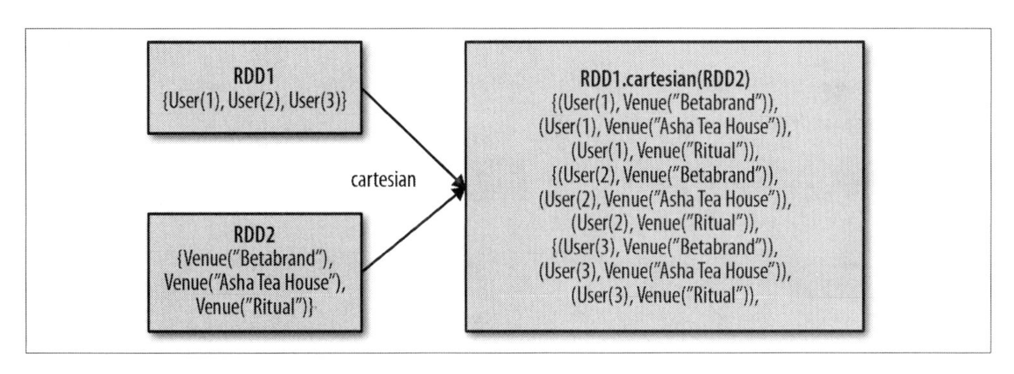


图 3-5：两个 RDD 的笛卡儿积

表 3-2 和表 3-3 总结了这些常见的 RDD 转化操作。

**表3-2：对一个数据为{1, 2, 3, 3}的RDD进行基本的RDD转化操作**

| 函数名 | 目的 | 示例 | 结果 |
|---|---|---|---|
| `map()` | 将函数应用于 RDD 中的每个元素，将返回值构成新的 RDD | `rdd.map(x => x + 1)` | `{2, 3, 4, 4}` |
| `flatMap()` | 将函数应用于 RDD 中的每个元素，将返回的迭代器的所有内容构成新的 RDD。通常用来切分单词 | `rdd.flatMap(x => x.to(3))` | `{1, 2, 3, 2, 3, 3, 3}` |
| `filter()` | 返回一个由通过传给 `filter()` 的函数的元素组成的 RDD | `rdd.filter(x => x != 1)` | `{2, 3, 3}` |
| `distinct()` | 去重 | `rdd.distinct()` | `{1, 2, 3}` |
| `sample(withReplacement, fraction, [seed])` | 对 RDD 采样，以及是否替换 | `rdd.sample(false, 0.5)` | 非确定的 |

**表3-3：对数据分别为{1, 2, 3}和{3, 4, 5}的RDD进行针对两个RDD的转化操作**

| 函数名 | 目的 | 示例 | 结果 |
|---|---|---|---|
| `union()` | 生成一个包含两个 RDD 中所有元素的 RDD | `rdd.union(other)` | `{1, 2, 3, 3, 4, 5}` |
| `intersection()` | 求两个 RDD 共同的元素的 RDD | `rdd.intersection(other)` | `{3}` |
| `subtract()` | 移除一个 RDD 中的内容（例如移除训练数据） | `rdd.subtract(other)` | `{1, 2}` |
| `cartesian()` | 与另一个 RDD 的笛卡儿积 | `rdd.cartesian(other)` | `{(1, 3), (1, 4), ... (3, 5)}` |

### 3. 行动操作

你很有可能会用到基本 RDD 上最常见的行动操作 `reduce()`。它接收一个函数作为参数，这个函数要操作两个相同元素类型的 RDD 数据并返回一个同样类型的新元素。一个简单的例子就是函数 `+`，可以用它来对我们的 RDD 进行累加。使用 `reduce()`，可以很方便地计算出 RDD 中所有元素的总和、元素的个数，以及其他类型的聚合操作（如例 3-32 至例 3-34 所示）。

**例 3-32：Python 中的 `reduce()`**

```
sum = rdd.reduce(lambda x, y: x + y)
```

**例 3-33：Scala 中的 `reduce()`**

```
val sum = rdd.reduce((x, y) => x + y)
```

**例 3-34：Java 中的 `reduce()`**

```
Integer sum = rdd.reduce(new Function2<Integer, Integer, Integer>() {
  public Integer call(Integer x, Integer y) { return x + y; }
});
```

fold() 和 reduce() 类似，接收一个与 reduce() 接收的函数签名相同的函数，再加上一个"初始值"来作为每个分区第一次调用时的结果。你所提供的初始值应当是你提供的操作的单位元素；也就是说，使用你的函数对这个初始值进行多次计算不会改变结果（例如 + 对应的 0，* 对应的 1，或拼接操作对应的空列表）。

我们可以通过原地修改并返回两个参数中的前一个的值来节约在 fold() 中创建对象的开销。但是你没有办法修改第二个参数。

fold() 和 reduce() 都要求函数的返回值类型需要和我们所操作的 RDD 中的元素类型相同。这很符合像 sum 这种操作的情况。但有时我们确实需要返回一个不同类型的值。例如，在计算平均值时，需要记录遍历过程中的计数以及元素的数量，这就需要我们返回一个二元组。可以先对数据使用 map() 操作，来把元素转为该元素和 1 的二元组，也就是我们所希望的返回类型。这样 reduce() 就可以以二元组的形式进行归约了。

aggregate() 函数则把我们从返回值类型必须与所操作的 RDD 类型相同的限制中解放出来。与 fold() 类似，使用 aggregate() 时，需要提供我们期待返回的类型的初始值。然后通过一个函数把 RDD 中的元素合并起来放入累加器。考虑到每个节点是在本地进行累加的，最终，还需要提供第二个函数来将累加器两两合并。

我们可以用 aggregate() 来计算 RDD 的平均值，来代替 map() 后面接 fold() 的方式，如例 3-35 至例 3-37 所示。

**例 3-35：Python 中的 aggregate()**

```
sumCount = nums.aggregate((0, 0),
               (lambda acc, value: (acc[0] + value, acc[1] + 1),
               (lambda acc1, acc2: (acc1[0] + acc2[0], acc1[1] + acc2[1]))))
return sumCount[0] / float(sumCount[1])
```

**例 3-36：Scala 中的 aggregate()**

```
val result = input.aggregate((0, 0))(
               (acc, value) => (acc._1 + value, acc._2 + 1),
               (acc1, acc2) => (acc1._1 + acc2._1, acc1._2 + acc2._2))
val avg = result._1 / result._2.toDouble
```

**例 3-37：Java 中的 aggregate()**

```
class AvgCount implements Serializable {
  public AvgCount(int total, int num) {
    this.total = total;
    this.num = num;
  }
  public int total;
  public int num;
```

```
    public double avg() {
      return total / (double) num;
    }
  }
  Function2<AvgCount, Integer, AvgCount> addAndCount =
    new Function2<AvgCount, Integer, AvgCount>() {
      public AvgCount call(AvgCount a, Integer x) {
        a.total += x;
        a.num += 1;
        return a;
    }
  };
  Function2<AvgCount, AvgCount, AvgCount> combine =
    new Function2<AvgCount, AvgCount, AvgCount>() {
    public AvgCount call(AvgCount a, AvgCount b) {
      a.total += b.total;
      a.num += b.num;
      return a;
    }
  };
  AvgCount initial = new AvgCount(0, 0);
  AvgCount result = rdd.aggregate(initial, addAndCount, combine);
  System.out.println(result.avg());
```

RDD 的一些行动操作会以普通集合或者值的形式将 RDD 的部分或全部数据返回驱动器程序中。

把数据返回驱动器程序中最简单、最常见的操作是 collect()，它会将整个 RDD 的内容返回。collect() 通常在单元测试中使用，因为此时 RDD 的整个内容不会很大，可以放在内存中。使用 collect() 使得 RDD 的值与预期结果之间的对比变得很容易。由于需要将数据复制到驱动器进程中，collect() 要求所有数据都必须能一同放入单台机器的内存中。

take(n) 返回 RDD 中的 n 个元素，并且尝试只访问尽量少的分区，因此该操作会得到一个不均衡的集合。需要注意的是，这些操作返回元素的顺序与你预期的可能不一样。

这些操作对于单元测试和快速调试都很有用，但是在处理大规模数据时会遇到瓶颈。

如果为数据定义了顺序，就可以使用 top() 从 RDD 中获取前几个元素。top() 会使用数据的默认顺序，但我们也可以提供自己的比较函数，来提取前几个元素。

有时需要在驱动器程序中对我们的数据进行采样。takeSample(withReplacement, num, seed) 函数可以让我们从数据中获取一个采样，并指定是否替换。

有时我们会对 RDD 中的所有元素应用一个行动操作，但是不把任何结果返回到驱动器程序中，这也是有用的。比如可以用 JSON 格式把数据发送到一个网络服务器上，或者把数据存到数据库中。不论哪种情况，都可以使用 foreach() 行动操作来对 RDD 中的每个元素进行操作，而不需要把 RDD 发回本地。

关于基本 RDD 上的更多标准操作，我们都可以从其名称推测出它们的行为。count() 用来返回元素的个数，而 countByValue() 则返回一个从各值到值对应的计数的映射表。表 3-4 总结了这些行动操作。

表3-4：对一个数据为{1, 2, 3, 3}的RDD进行基本的RDD行动操作

| 函数名 | 目的 | 示例 | 结果 |
| --- | --- | --- | --- |
| collect() | 返回 RDD 中的所有元素 | rdd.collect() | {1, 2, 3, 3} |
| count() | RDD 中的元素个数 | rdd.count() | 4 |
| countByValue() | 各元素在 RDD 中出现的次数 | rdd.countByValue() | {(1, 1),<br>(2, 1),<br>(3, 2)} |
| take(num) | 从 RDD 中返回 num 个元素 | rdd.take(2) | {1, 2} |
| top(num) | 从 RDD 中返回最前面的 num 个元素 | rdd.top(2) | {3, 3} |
| takeOrdered(num)(ordering) | 从 RDD 中按照提供的顺序返回最前面的 num 个元素 | rdd.takeOrdered(2)(myOrdering) | {3, 3} |
| takeSample(withReplacement, num, [seed]) | 从 RDD 中返回任意一些元素 | rdd.takeSample(false, 1) | 非确定的 |
| reduce(func) | 并行整合 RDD 中所有数据（例如 sum） | rdd.reduce((x, y) => x + y) | 9 |
| fold(zero)(func) | 和 reduce() 一样，但是需要提供初始值 | rdd.fold(0)((x, y) => x + y) | 9 |
| aggregate(zeroValue)(seqOp, combOp) | 和 reduce() 相似，但是通常返回不同类型的函数 | rdd.aggregate((0, 0))<br>((x, y) =><br>(x._1 + y, x._2 + 1),<br>(x, y) =><br>(x._1 + y._1, x._2 + y._2)) | (9,4) |
| foreach(func) | 对 RDD 中的每个元素使用给定的函数 | rdd.foreach(func) | 无 |

## 3.5.2 在不同RDD类型间转换

有些函数只能用于特定类型的 RDD，比如 mean() 和 variance() 只能用在数值 RDD 上，而 join() 只能用在键值对 RDD 上。我们会在第 6 章讨论数值 RDD 的专门函数，在第 4 章讨论键值对 RDD 的专有操作。在 Scala 和 Java 中，这些函数都没有定义在标准的 RDD 类中，所以要访问这些附加功能，必须要确保获得了正确的专用 RDD 类。

### 1. Scala

在 Scala 中，将 RDD 转为有特定函数的 RDD（比如在 RDD[Double] 上进行数值操作）是由隐式转换来自动处理的。2.4.1 节中提到过，我们需要加上 import org.apache.spark.SparkContext._ 来使用这些隐式转换。你可以在 SparkContext 对象的 Scala 文档（http://spark.apache.org/docs/latest/api/scala/index.html#org.apache.spark.SparkContext$）中查看所列出的隐式

转换。这些隐式转换可以隐式地将一个 RDD 转为各种封装类，比如 DoubleRDDFunctions（数值数据的 RDD）和 PairRDDFunctions（键值对 RDD），这样我们就有了诸如 mean() 和 variance() 之类的额外的函数。

隐式转换虽然强大，但是会让阅读代码的人感到困惑。如果你对 RDD 调用了像 mean() 这样的函数，可能会发现 RDD 类的 Scala 文档（http://spark.apache.org/docs/latest/api/scala/index.html#org.apache.spark.rdd.RDD）中根本没有 mean() 函数。调用之所以能够成功，是因为隐式转换可以把 RDD[Double] 转为 DoubleRDDFunctions。当我们在 Scala 文档中查找函数时，不要忘了那些封装的专用类中的函数。

### 2. Java

在 Java 中，各种 RDD 的特殊类型间的转换更为明确。Java 中有两个专门的类 JavaDoubleRDD 和 JavaPairRDD，来处理特殊类型的 RDD，这两个类还针对这些类型提供了额外的函数。这让你可以更加了解所发生的一切，但是也显得有些累赘。

要构建出这些特殊类型的 RDD，需要使用特殊版本的类来替代一般使用的 Function 类。如果要从 T 类型的 RDD 创建出一个 JavaDoubleRDD，我们就应当在映射操作中使用 DoubleFunction<T> 来替代 Function<T, Double>。表 3-5 展示了一些特殊版本的函数类及其用法。

此外，我们也需要调用 RDD 上的一些别的函数（因此不能只是创建出一个 DoubleFunction 然后把它传给 map()）。当需要一个 JavaDoubleRDD 时，我们应当调用 mapToDouble() 来替代 map()，跟其他所有函数所遵循的模式一样。

**表3-5：Java中针对专门类型的函数接口**

| 函数名 | 等价函数 | 用途 |
| --- | --- | --- |
| DoubleFlatMapFunction<T> | Function<T, Iterable<Double>> | 用于 flatMapToDouble，以生成 DoubleRDD |
| DoubleFunction<T> | Function<T, Double> | 用于 mapToDouble，以生成 DoubleRDD |
| PairFlatMapFunction<T, K, V> | Function<T, Iterable<Tuple2<K, V>>> | 用于 flatMapToPair，以生成 PairRDD<K, V> |
| PairFunction<T, K, V> | Function<T, Tuple2<K, V>> | 用于 mapToPair，以生成 PairRDD<K, V> |

我们可以把例 3-28 修改为生成一个 JavaDoubleRDD、计算 RDD 中每个元素的平方值的示例，如例 3-38 所示。这样就可以调用 DoubleRDD 独有的函数了，比如 mean() 和 variance()。

**例 3-38：用 Java 创建 DoubleRDD**

```
JavaDoubleRDD result = rdd.mapToDouble(
  new DoubleFunction<Integer>() {
    public double call(Integer x) {
      return (double) x * x;
```

```
        }
    });
    System.out.println(result.mean());
```

3. Python

Python 的 API 结构与 Java 和 Scala 有所不同。在 Python 中，所有的函数都实现在基本的 RDD 类中，但如果操作对应的 RDD 数据类型不正确，就会导致运行时错误。

## 3.6 持久化(缓存)

如前所述，Spark RDD 是惰性求值的，而有时我们希望能多次使用同一个 RDD。如果简单地对 RDD 调用行动操作，Spark 每次都会重算 RDD 以及它的所有依赖。这在迭代算法中消耗格外大，因为迭代算法常常会多次使用同一组数据。例 3-39 就是先对 RDD 作一次计数、再把该 RDD 输出的一个小例子。

例 3-39：Scala 中的两次执行

```
val result = input.map(x => x*x)
println(result.count())
println(result.collect().mkString(","))
```

为了避免多次计算同一个 RDD，可以让 Spark 对数据进行持久化。当我们让 Spark 持久化存储一个 RDD 时，计算出 RDD 的节点会分别保存它们所求出的分区数据。如果一个有持久化数据的节点发生故障，Spark 会在需要用到缓存的数据时重算丢失的数据分区。如果希望节点故障的情况不会拖累我们的执行速度，也可以把数据备份到多个节点上。

出于不同的目的，我们可以为 RDD 选择不同的持久化级别（如表 3-6 所示）。在 Scala（见例 3-40）和 Java 中，默认情况下 `persist()` 会把数据以序列化的形式缓存在 JVM 的堆空间中。在 Python 中，我们会始终序列化要持久化存储的数据，所以持久化级别默认值就是以序列化后的对象存储在 JVM 堆空间中。当我们把数据写到磁盘或者堆外存储上时，也总是使用序列化后的数据。

表3-6：`org.apache.spark.storage.StorageLevel`和`pyspark.StorageLevel`中的持久化级别；如有必要，可以通过在存储级别的末尾加上“_2”来把持久化数据存为两份

| 级　别 | 使用的空间 | CPU 时间 | 是否在内存中 | 是否在磁盘上 | 备　注 |
|---|---|---|---|---|---|
| MEMORY_ONLY | 高 | 低 | 是 | 否 | |
| MEMORY_ONLY_SER | 低 | 高 | 是 | 否 | |
| MEMORY_AND_DISK | 高 | 中等 | 部分 | 部分 | 如果数据在内存中放不下，则溢写到磁盘上 |
| MEMORY_AND_DISK_SER | 低 | 高 | 部分 | 部分 | 如果数据在内存中放不下，则溢写到磁盘上。在内存中存放序列化后的数据 |
| DISK_ONLY | 低 | 高 | 否 | 是 | |

堆外缓存是试验性功能，我们使用 Tachyon（http://tachyon-project.org/）作为外部系统。如果你对 Spark 的堆外缓存有兴趣，可以看看关于如何在 Tachyon 上运行 Spark 的介绍（http://tachyon-project.org/Running-Spark-on-Tachyon.html）。

**例 3-40：在 Scala 中使用 persist()**

```
import org.apache.spark.storage.StorageLevel
val result = input.map(x => x * x)
result.persist(StorageLevel.DISK_ONLY)
println(result.count())
println(result.collect().mkString(","))
```

注意，我们在第一次对这个 RDD 调用行动操作前就调用了 persist() 方法。persist() 调用本身不会触发强制求值。

如果要缓存的数据太多，内存中放不下，Spark 会自动利用最近最少使用（LRU）的缓存策略把最老的分区从内存中移除。对于仅把数据存放在内存中的缓存级别，下一次要用到已经被移除的分区时，这些分区就需要重新计算。但是对于使用内存与磁盘的缓存级别的分区来说，被移除的分区都会写入磁盘。不论哪一种情况，都不必担心你的作业因为缓存了太多数据而被打断。不过，缓存不必要的数据会导致有用的数据被移出内存，带来更多重算的时间开销。

最后，RDD 还有一个方法叫作 unpersist()，调用该方法可以手动把持久化的 RDD 从缓存中移除。

## 3.7 总结

在本章中，我们介绍了 RDD 运行模型以及 RDD 的许多常见操作。如果你读到了这里，恭喜——你已经学完了 Spark 的所有核心概念。我们在进行并行聚合、分组等操作时，常常需要利用键值对形式的 RDD。下一章会讲解键值对形式的 RDD 上一些相关的特殊操作。然后，我们会讨论各种数据源的输入输出，以及一些关于使用 SparkContext 的进阶话题。

第 4 章

# 键值对操作

键值对 RDD 是 Spark 中许多操作所需要的常见数据类型。本章就来介绍如何操作键值对 RDD。键值对 RDD 通常用来进行聚合计算。我们一般要先通过一些初始 ETL（抽取、转化、装载）操作来将数据转化为键值对形式。键值对 RDD 提供了一些新的操作接口（比如统计每个产品的评论，将数据中键相同的分为一组，将两个不同的 RDD 进行分组合并等）。

本章也会讨论用来让用户控制键值对 RDD 在各节点上分布情况的高级特性：分区。有时，使用可控的分区方式把常被一起访问的数据放到同一个节点上，可以大大减少应用的通信开销。这会带来明显的性能提升。我们会使用 PageRank 算法来演示分区的作用。为分布式数据集选择正确的分区方式和为本地数据集选择合适的数据结构很相似——在这两种情况下，数据的分布都会极其明显地影响程序的性能表现。

## 4.1 动机

Spark 为包含键值对类型的 RDD 提供了一些专有的操作。这些 RDD 被称为 pair RDD[1]。Pair RDD 是很多程序的构成要素，因为它们提供了并行操作各个键或跨节点重新进行数据分组的操作接口。例如，pair RDD 提供 `reduceByKey()` 方法，可以分别归约每个键对应的数据，还有 `join()` 方法，可以把两个 RDD 中键相同的元素组合到一起，合并为一个 RDD。我们通常从一个 RDD 中提取某些字段（例如代表事件时间、用户 ID 或者其他标识符的字段），并使用这些字段作为 pair RDD 操作中的键。

注 1："pair RDD" 意为 "对 RDD"，为避免引发歧义，译文中保留 "pair RDD"。——译者注

## 4.2　创建Pair RDD

在 Spark 中有很多种创建 pair RDD 的方式。第 5 章会讲到，很多存储键值对的数据格式会在读取时直接返回由其键值对数据组成的 pair RDD。此外，当需要把一个普通的 RDD 转为 pair RDD 时，可以调用 map() 函数来实现，传递的函数需要返回键值对。后面会展示如何将由文本行组成的 RDD 转换为以每行的第一个单词为键的 pair RDD。

构建键值对 RDD 的方法在不同的语言中会有所不同。在 Python 中，为了让提取键之后的数据能够在函数中使用，需要返回一个由二元组组成的 RDD（见例 4-1）。

**例 4-1：在 Python 中使用第一个单词作为键创建出一个 pair RDD**

```
pairs = lines.map(lambda x: (x.split(" ")[0], x))
```

在 Scala 中，为了让提取键之后的数据能够在函数中使用，同样需要返回二元组（见例 4-2）。隐式转换可以让二元组 RDD 支持附加的键值对函数。

**例 4-2：在 Scala 中使用第一个单词作为键创建出一个 pair RDD**

```
val pairs = lines.map(x => (x.split(" ")(0), x))
```

Java 没有自带的二元组类型，因此 Spark 的 Java API 让用户使用 scala.Tuple2 类来创建二元组。这个类很简单：Java 用户可以通过 new Tuple2(elem1, elem2) 来创建一个新的二元组，并且可以通过 ._1() 和 ._2() 方法访问其中的元素。

Java 用户还需要调用专门的 Spark 函数来创建 pair RDD。例如，要使用 mapToPair() 函数来代替基础版的 map() 函数，这在 3.5.2 节中的“Java”一节有过更详细的讨论。下面通过例 4-3 中展示一个简单的例子。

**例 4-3：在 Java 中使用第一个单词作为键创建出一个 pair RDD**

```
PairFunction<String, String, String> keyData =
  new PairFunction<String, String, String>() {
  public Tuple2<String, String> call(String x) {
    return new Tuple2(x.split(" ")[0], x);
  }
};
JavaPairRDD<String, String> pairs = lines.mapToPair(keyData);
```

当用 Scala 和 Python 从一个内存中的数据集创建 pair RDD 时，只需要对这个由二元组组成的集合调用 SparkContext.parallelize() 方法。而要使用 Java 从内存数据集创建 pair RDD 的话，则需要使用 SparkContext.parallelizePairs()。

## 4.3　Pair RDD的转化操作

Pair RDD 可以使用所有标准 RDD 上的可用的转化操作。3.4 节中介绍的所有有关传递函数的规则也都同样适用于 pair RDD。由于 pair RDD 中包含二元组，所以需要传递的函数应当操作二元组而不是独立的元素。表 4-1 和表 4-2 总结了对 pair RDD 的一些转化操作，在本章会深入介绍。

表4-1：Pair RDD的转化操作（以键值对集合{(1, 2), (3, 4), (3, 6)}为例）

| 函数名 | 目的 | 示例 | 结果 |
|---|---|---|---|
| reduceByKey(func) | 合并具有相同键的值 | rdd.reduceByKey((x, y) => x + y) | {(1, 2), (3, 10)} |
| groupByKey() | 对具有相同键的值进行分组 | rdd.groupByKey() | {(1, [2]), (3, [4, 6])} |
| combineByKey( createCombiner, mergeValue, mergeCombiners, partitioner) | 使用不同的返回类型合并具有相同键的值 | 见例 4-12 到例 4-14。 | |
| mapValues(func) | 对 pair RDD 中的每个值应用一个函数而不改变键 | rdd.mapValues(x => x+1) | {(1, 3), (3, 5), (3, 7)} |
| flatMapValues(func) | 对 pair RDD 中的每个值应用一个返回迭代器的函数，然后对返回的每个元素都生成一个对应原键的键值对记录。通常用于符号化 | rdd.flatMapValues(x => (x to 5)) | {(1, 2), (1, 3), (1, 4), (1, 5), (3, 4), (3, 5)} |
| keys() | 返回一个仅包含键的 RDD | rdd.keys[2] | {1, 3, 3} |
| values() | 返回一个仅包含值的 RDD | rdd.values()[3] | {2, 4, 6} |
| sortByKey() | 返回一个根据键排序的 RDD | rdd.sortByKey() | {(1, 2), (3, 4), (3, 6)} |

表4-2：针对两个pair RDD的转化操作（rdd = {(1, 2), (3, 4), (3, 6)}other = {(3, 9)}）

| 函数名 | 目的 | 示例 | 结果 |
|---|---|---|---|
| subtractByKey | 删掉 RDD 中键与 other RDD 中的键相同的元素 | rdd.subtractByKey(other) | {(1, 2)} |
| join | 对两个 RDD 进行内连接 | rdd.join(other) | {(3, (4, 9)), (3, (6, 9))} |

注 2：在 Scala 中此处不应使用括号。——译者注

注 3：在 Scala 中此处不应使用括号。——译者注

（续）

| 函数名 | 目的 | 示例 | 结果 |
| --- | --- | --- | --- |
| rightOuterJoin | 对两个 RDD 进行连接操作，确保第一个 RDD 的键必须存在（右外连接） | rdd.rightOuterJoin(other) | {(3,(Some(4),9)), (3,(Some(6),9))} |
| leftOuterJoin | 对两个 RDD 进行连接操作，确保第二个 RDD 的键必须存在（左外连接） | rdd.leftOuterJoin(other) | {(1,(2,None)), (3, (4,Some(9))), (3, (6,Some(9)))} |
| cogroup | 将两个 RDD 中拥有相同键的数据分组到一起 | rdd.cogroup(other) | {(1,([2],[])), (3, ([4, 6],[9]))} |

接下来的几节会详细探讨这些 pair RDD 的函数。

Pair RDD 也还是 RDD（元素为 Java 或 Scala 中的 Tuple2 对象或 Python 中的元组），因此同样支持 RDD 所支持的函数。例如，我们可以拿前一节中的 pair RDD，筛选掉长度超过 20 个字符的行，如例 4-4 至例 4-6 以及图 4-1 所示。

**例 4-4：用 Python 对第二个元素进行筛选**

```
result = pairs.filter(lambda keyValue: len(keyValue[1]) < 20)
```

**例 4-5：用 Scala 对第二个元素进行筛选**

```
pairs.filter{case (key, value) => value.length < 20}
```

**例 4-6：用 Java 对第二个元素进行筛选**

```
Function<Tuple2<String, String>, Boolean> longWordFilter =
  new Function<Tuple2<String, String>, Boolean>() {
    public Boolean call(Tuple2<String, String> keyValue) {
      return (keyValue._2().length() < 20);
    }
  };
JavaPairRDD<String, String> result = pairs.filter(longWordFilter);
```

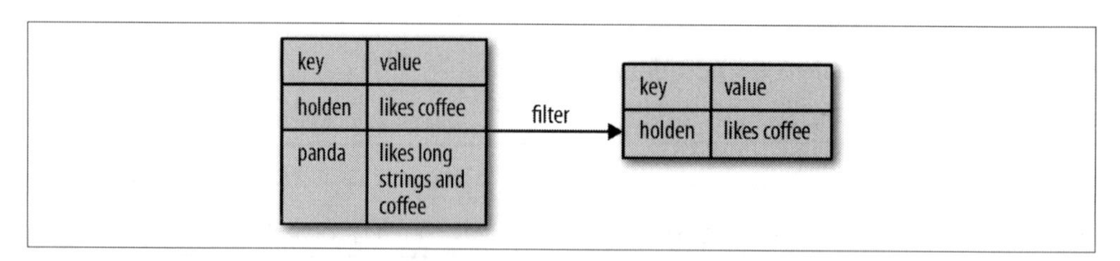


图 4-1：根据值筛选

有时，我们只想访问 pair RDD 的值部分，这时操作二元组很麻烦。由于这是一种常见的使用模式，因此 Spark 提供了 `mapValues(func)` 函数，功能类似于 `map{case (x, y): (x, func(y))}`。可以在很多例子中使用这个函数。

接下来就依次讨论 pair RDD 的各种操作，先从聚合操作开始。

### 4.3.1 聚合操作

当数据集以键值对形式组织的时候，聚合具有相同键的元素进行一些统计是很常见的操作。之前讲解过基础 RDD 上的 `fold()`、`combine()`、`reduce()` 等行动操作，pair RDD 上则有相应的针对键的转化操作。Spark 有一组类似的操作，可以组合具有相同键的值。这些操作返回 RDD，因此它们是转化操作而不是行动操作。

`reduceByKey()` 与 `reduce()` 相当类似；它们都接收一个函数，并使用该函数对值进行合并。`reduceByKey()` 会为数据集中的每个键进行并行的归约操作，每个归约操作会将键相同的值合并起来。因为数据集中可能有大量的键，所以 `reduceByKey()` 没有被实现为向用户程序返回一个值的行动操作。实际上，它会返回一个由各键和对应键归约出来的结果值组成的新的 RDD。

`foldByKey()` 则与 `fold()` 相当类似；它们都使用一个与 RDD 和合并函数中的数据类型相同的零值作为初始值。与 `fold()` 一样，`foldByKey()` 操作所使用的合并函数对零值与另一个元素进行合并，结果仍为该元素。

如例 4-7 和例 4-8 所示，可以使用 `reduceByKey()` 和 `mapValues()` 来计算每个键的对应值的均值（见图 4-2）。这和使用 `fold()` 和 `map()` 计算整个 RDD 平均值的过程很相似。对于求平均，可以使用更加专用的函数来获取同样的结果，后面就会讲到。

**例 4-7：在 Python 中使用 `reduceByKey()` 和 `mapValues()` 计算每个键对应的平均值**

```
rdd.mapValues(lambda x: (x, 1)).reduceByKey(lambda x, y: (x[0] + y[0], x[1] + y[1]))
```

**例 4-8：在 Scala 中使用 `reduceByKey()` 和 `mapValues()` 计算每个键对应的平均值**

```
rdd.mapValues(x => (x, 1)).reduceByKey((x, y) => (x._1 + y._1, x._2 + y._2))
```

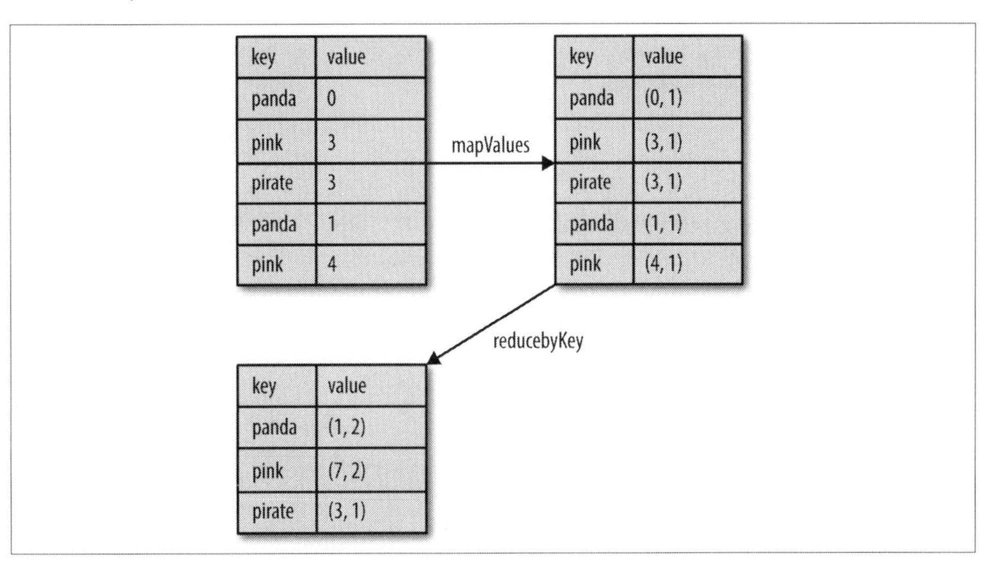


图 4-2：求每个键平均值的数据流

熟悉 MapReduce 中的合并器（combiner）概念的读者可能已经注意到，调用 reduceByKey() 和 foldByKey() 会在为每个键计算全局的总结果之前先自动在每台机器上进行本地合并。用户不需要指定合并器。更泛化的 combineByKey() 接口可以让你自定义合并的行为。

我们也可以使用例 4-9 到例 4-11 中展示的方法来解决经典的分布式单词计数问题。可以使用前一章中讲过的 flatMap() 来生成以单词为键、以数字 1 为值的 pair RDD，然后像例 4-7 和例 4-8 中那样，使用 reduceByKey() 对所有的单词进行计数。

**例 4-9：用 Python 实现单词计数**

```
rdd = sc.textFile("s3://...")
words = rdd.flatMap(lambda x: x.split(" "))
result = words.map(lambda x: (x, 1)).reduceByKey(lambda x, y: x + y)
```

**例 4-10：用 Scala 实现单词计数**

```
val input = sc.textFile("s3://...")
val words = input.flatMap(x => x.split(" "))
val result = words.map(x => (x, 1)).reduceByKey((x, y) => x + y)
```

**例 4-11：用 Java 实现单词计数**

```
JavaRDD<String> input = sc.textFile("s3://...")
JavaRDD<String> words = input.flatMap(new FlatMapFunction<String, String>() {
  public Iterable<String> call(String x) { return Arrays.asList(x.split(" ")); }
});
JavaPairRDD<String, Integer> result = words.mapToPair(
  new PairFunction<String, String, Integer>() {
    public Tuple2<String, Integer> call(String x) { return new Tuple2(x, 1); }
}).reduceByKey(
  new Function2<Integer, Integer, Integer>() {
    public Integer call(Integer a, Integer b) { return a + b; }
});
```

事实上，我们可以对第一个 RDD 使用 countByValue() 函数，以更快地实现单词计数：input.flatMap(x => x.split(" ")).countByValue()。

combineByKey() 是最为常用的基于键进行聚合的函数。大多数基于键聚合的函数都是用它实现的。和 aggregate() 一样，combineByKey() 可以让用户返回与输入数据的类型不同的返回值。

要理解 combineByKey()，要先理解它在处理数据时是如何处理每个元素的。由于 combineByKey() 会遍历分区中的所有元素，因此每个元素的键要么还没有遇到过，要么就和之前的某个元素的键相同。

如果这是一个新的元素，combineByKey() 会使用一个叫作 createCombiner() 的函数来创建那个键对应的累加器的初始值。需要注意的是，这一过程会在每个分区中第一次出现各个键时发生，而不是在整个 RDD 中第一次出现一个键时发生。

如果这是一个在处理当前分区之前已经遇到的键，它会使用 mergeValue() 方法将该键的累加器对应的当前值与这个新的值进行合并。

由于每个分区都是独立处理的，因此对于同一个键可以有多个累加器。如果有两个或者更多的分区都有对应同一个键的累加器，就需要使用用户提供的 mergeCombiners() 方法将各个分区的结果进行合并。

如果已知数据在进行 combineByKey() 时无法从 map 端聚合中获益的话，可以禁用它。例如，由于聚合函数（追加到一个队列）无法在 map 端聚合时节约任何空间，groupByKey() 就把它禁用了。如果希望禁用 map 端组合，就需要指定分区方式。就目前而言，你可以通过传递 rdd.partitioner 来直接使用源 RDD 的分区方式。

combineByKey() 有多个参数分别对应聚合操作的各个阶段，因而非常适合用来解释聚合操作各个阶段的功能划分。为了更好地演示 combineByKey() 是如何工作的，下面来看看如何计算各键对应的平均值，如例 4-12 至例 4-14 和图 4-3 所示。

**例 4-12：在 Python 中使用 combineByKey() 求每个键对应的平均值**

```
sumCount = nums.combineByKey((lambda x: (x,1)),
                             (lambda x, y: (x[0] + y, x[1] + 1)),
                             (lambda x, y: (x[0] + y[0], x[1] + y[1])))
sumCount.map(lambda key, xy: (key, xy[0]/xy[1])).collectAsMap()
```

**例 4-13：在 Scala 中使用 combineByKey() 求每个键对应的平均值**

```
val result = input.combineByKey(
  (v) => (v, 1),
  (acc: (Int, Int), v) => (acc._1 + v, acc._2 + 1),
  (acc1: (Int, Int), acc2: (Int, Int)) => (acc1._1 + acc2._1, acc1._2 + acc2._2)
  ).map{ case (key, value) => (key, value._1 / value._2.toFloat) }
  result.collectAsMap().map(println(_))
```

**例 4-14：在 Java 中使用 combineByKey() 求每个键对应的平均值**

```
public static class AvgCount implements Serializable {
  public AvgCount(int total, int num) {   total_ = total;  num_ = num; }
  public int total_;
  public int num_;
  public float avg() {   returntotal_/(float)num_; }
}

Function<Integer, AvgCount> createAcc = new Function<Integer, AvgCount>() {
  public AvgCount call(Integer x) {
```

```
        return new AvgCount(x, 1);
      }
    };
    Function2<AvgCount, Integer, AvgCount> addAndCount =
      new Function2<AvgCount, Integer, AvgCount>() {
      public AvgCount call(AvgCount a, Integer x) {
        a.total_ += x;
        a.num_ += 1;
        return a;
      }
    };
    Function2<AvgCount, AvgCount, AvgCount> combine =
      new Function2<AvgCount, AvgCount, AvgCount>() {
      public AvgCount call(AvgCount a, AvgCount b) {
        a.total_ += b.total_;
        a.num_ += b.num_;
        return a;
      }
    };
    AvgCount initial = new AvgCount(0,0);
    JavaPairRDD<String, AvgCount> avgCounts =
      nums.combineByKey(createAcc, addAndCount, combine);
    Map<String, AvgCount> countMap = avgCounts.collectAsMap();
    for (Entry<String, AvgCount> entry : countMap.entrySet()) {
      System.out.println(entry.getKey() + ":" + entry.getValue().avg());
    }
```

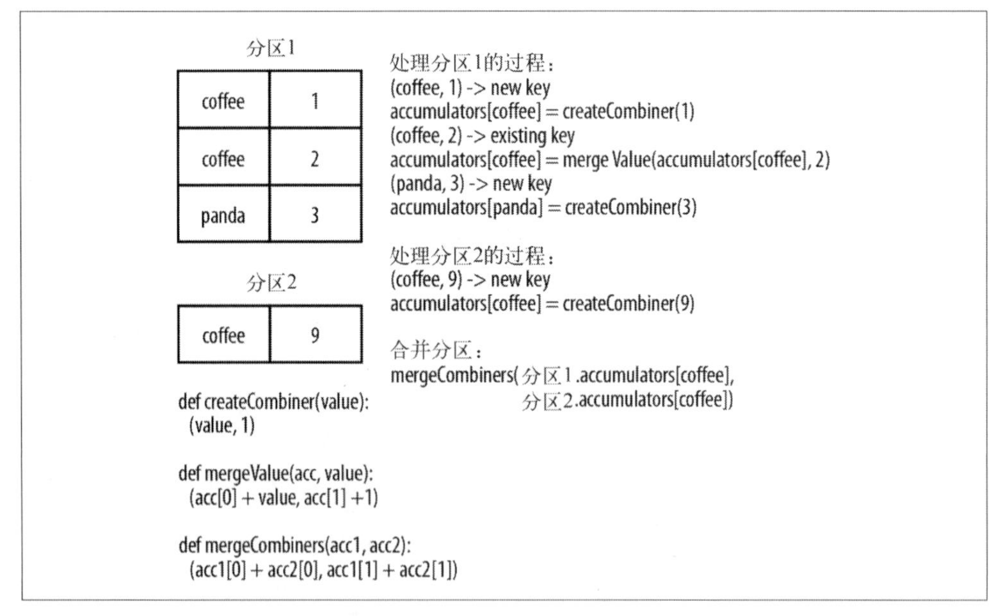


图 4-3：combineByKey() 数据流示意图

有很多函数可以进行基于键的数据合并。它们中的大多数都是在 combineByKey() 的基础上实现的，为用户提供了更简单的接口。不管怎样，在 Spark 中使用这些专用的聚合函数，始终要比手动将数据分组再归约快很多。

**并行度调优**

到目前为止，我们已经讨论了所有的转化操作的分发方式，但是还没有探讨 Spark 是怎样确定如何分割工作的。每个 RDD 都有固定数目的分区，分区数决定了在 RDD 上执行操作时的并行度。

在执行聚合或分组操作时，可以要求 Spark 使用给定的分区数。Spark 始终尝试根据集群的大小推断出一个有意义的默认值，但是有时候你可能要对并行度进行调优来获取更好的性能表现。

本章讨论的大多数操作符都能接收第二个参数，这个参数用来指定分组结果或聚合结果的 RDD 的分区数，如例 4-15 和例 4-16 所示。

**例 4-15：在 Python 中自定义 reduceByKey() 的并行度**

```
data = [("a", 3), ("b", 4), ("a", 1)]
sc.parallelize(data).reduceByKey(lambda x, y: x + y)      # 默认并行度
sc.parallelize(data).reduceByKey(lambda x, y: x + y, 10)  # 自定义并行度
```

**例 4-16：在 Scala 中自定义 reduceByKey() 的并行度**

```
val data = Seq(("a", 3), ("b", 4), ("a", 1))
sc.parallelize(data).reduceByKey((x, y) => x + y)      // 默认并行度
sc.parallelize(data).reduceByKey((x, y) => x + y, 10)  // 自定义并行度
```

有时，我们希望在除分组操作和聚合操作之外的操作中也能改变 RDD 的分区。对于这样的情况，Spark 提供了 `repartition()` 函数。它会把数据通过网络进行混洗，并创建出新的分区集合。切记，对数据进行重新分区是代价相对比较大的操作。Spark 中也有一个优化版的 `repartition()`，叫作 `coalesce()`。你可以使用 Java 或 Scala 中的 `rdd.partitions.size` 以及 Python 中的 `rdd.getNumPartitions` 查看 RDD 的分区数，并确保调用 `coalesce()` 时将 RDD 合并到比现在的分区数更少的分区中。

## 4.3.2 数据分组

对于有键的数据，一个常见的用例是将数据根据键进行分组——比如查看一个顾客的所有订单。

如果数据已经以预期的方式提取了键，`groupByKey()` 就会使用 RDD 中的键来对数据进行分组。对于一个由类型 `K` 的键和类型 `V` 的值组成的 RDD，所得到的结果 RDD 类型会是 `[K, Iterable[V]]`。

`groupByKey()` 可以用于未成对的数据上，也可以根据除键相同以外的条件进行分组。它可以接收一个函数，对源 RDD 中的每个元素使用该函数，将返回结果作为键再进行分组。

如果你发现自己写出了先使用 groupByKey() 然后再对值使用 reduce() 或者 fold() 的代码，你很有可能可以通过使用一种根据键进行聚合的函数来更高效地实现同样的效果。对每个键归约数据，返回对应每个键的归约值的 RDD，而不是把 RDD 归约为一个内存中的值。例如，rdd.reduceByKey(func) 与 rdd.groupByKey().mapValues(value => value.reduce(func)) 等价，但是前者更为高效，因为它避免了为每个键创建存放值的列表的步骤。

除了对单个 RDD 的数据进行分组，还可以使用一个叫作 cogroup() 的函数对多个共享同一个键的 RDD 进行分组。对两个键的类型均为 K 而值的类型分别为 V 和 W 的 RDD 进行 cogroup() 时，得到的结果 RDD 类型为 [(K, (Iterable[V], Iterable[W]))]。如果其中的一个 RDD 对于另一个 RDD 中存在的某个键没有对应的记录，那么对应的迭代器则为空。cogroup() 提供了为多个 RDD 进行数据分组的方法。

cogroup() 是下一节中要讲的连接操作的构成要素。

cogroup() 不仅可以用于实现连接操作，还可以用来求键的交集。除此之外，cogroup() 还能同时应用于三个及以上的 RDD。

### 4.3.3 连接

将有键的数据与另一组有键的数据一起使用是对键值对数据执行的最有用的操作之一。连接数据可能是 pair RDD 最常用的操作之一。连接方式多种多样：右外连接、左外连接、交叉连接以及内连接。

普通的 join 操作符表示内连接[4]。只有在两个 pair RDD 中都存在的键才叫输出。当一个输入对应的某个键有多个值时，生成的 pair RDD 会包括来自两个输入 RDD 的每一组相对应的记录。例 4-17 可以帮你理解这个定义。

**例 4-17：在 Scala shell 中进行内连接**

```
val storeAddress = sc.parallelize(Seq(
      (Store("Ritual"), "1026 Valencia St"), (Store("Philz"), "748 Van Ness Ave"),
      (Store("Philz"),"3101 24th St"), (Store("Starbucks"), "Seattle")))
val storeRating = sc.parallelize(Seq(
      (Store("Ritual"), 4.9), (Store("Philz"), 4.8)))
storeAddress.join(storeRating)
```

有时，我们不希望结果中的键必须在两个 RDD 中都存在。例如，在连接客户信息与推荐时，如果一些客户还没有收到推荐，我们仍然不希望丢掉这些顾客。leftOuterJoin(other)

注 4："连接"是数据库术语，表示将两张表根据相同的值来组合字段。

和 rightOuterJoin(other) 都会根据键连接两个 RDD，但是允许结果中存在其中的一个 pair RDD 所缺失的键。

在使用 leftOuterJoin() 产生的 pair RDD 中，源 RDD 的每一个键都有对应的记录。每个键相应的值是由一个源 RDD 中的值与一个包含第二个 RDD 的值的 Option（在 Java 中为 Optional）对象组成的二元组。在 Python 中，如果一个值不存在，则使用 None 来表示；而数据存在时就用常规的值来表示，不使用任何封装。和 join() 一样，每个键可以得到多条记录；当这种情况发生时，我们会得到两个 RDD 中对应同一个键的两组值的笛卡尔积。

![tips]Optional 是 Google 的 Guava 库（https://github.com/google/guava）中的一部分，表示有可能缺失的值。可以调用 isPresent() 来看值是否存在，如果数据存在，则可以调用 get() 来获得其中包含的对象实例。

rightOuterJoin() 几乎与 leftOuterJoin() 完全一样，只不过预期结果中的键必须出现在第二个 RDD 中，而二元组中的可缺失的部分则来自于源 RDD 而非第二个 RDD。

回顾一下例 4-17，并在例 4-18 中对这两个之前用来演示 join() 的 pair RDD 进行 leftOuterJoin() 和 rightOuterJoin()。

**例 4-18：leftOuterJoin() 与 rightOuterJoin()**

```
storeAddress.leftOuterJoin(storeRating) ==
{(Store("Ritual"),("1026 Valencia St",Some(4.9))),
  (Store("Starbucks"),("Seattle",None)),
  (Store("Philz"),("748 Van Ness Ave",Some(4.8))),
  (Store("Philz"),("3101 24th St",Some(4.8)))}

storeAddress.rightOuterJoin(storeRating) ==
{(Store("Ritual"),(Some("1026 Valencia St"),4.9)),
  (Store("Philz"),(Some("748 Van Ness Ave"),4.8)),
  (Store("Philz"), (Some("3101 24th St"),4.8))}
```

### 4.3.4 数据排序

很多时候，让数据排好序是很有用的，尤其是在生成下游输出时。如果键有已定义的顺序，就可以对这种键值对 RDD 进行排序。当把数据排好序后，后续对数据进行 collect() 或 save() 等操作都会得到有序的数据。

我们经常要将 RDD 倒序排列，因此 sortByKey() 函数接收一个叫作 ascending 的参数，表示我们是否想要让结果按升序排序（默认值为 true）。有时我们也可能想按完全不同的排序依据进行排序。要支持这种情况，我们可以提供自定义的比较函数。例 4-19 至例 4-21 会将整数转为字符串，然后使用字符串比较函数来对 RDD 进行排序。

**例 4-19：在 Python 中以字符串顺序对整数进行自定义排序**

```
rdd.sortByKey(ascending=True, numPartitions=None, keyfunc = lambda x: str(x))
```

**例 4-20：在 Scala 中以字符串顺序对整数进行自定义排序**

```
val input: RDD[(Int, Venue)] = ...
implicit val sortIntegersByString = new Ordering[Int] {
  override def compare(a: Int, b: Int) = a.toString.compare(b.toString)
}
rdd.sortByKey()
```

**例 4-21：在 Java 中以字符串顺序对整数进行自定义排序**

```
class IntegerComparator implements Comparator<Integer> {
   public int compare(Integer a, Integer b) {
     return String.valueOf(a).compareTo(String.valueOf(b))
   }
}
rdd.sortByKey(comp)
```

## 4.4 Pair RDD的行动操作

和转化操作一样，所有基础 RDD 支持的传统行动操作也都在 pair RDD 上可用。Pair RDD 提供了一些额外的行动操作，可以让我们充分利用数据的键值对特性。这些操作列在了表 4-3 中。

表4-3：Pair RDD的行动操作（以键值对集合{(1, 2), (3, 4), (3, 6)}为例）

| 函数 | 描述 | 示例 | 结果 |
| --- | --- | --- | --- |
| countByKey() | 对每个键对应的元素分别计数 | rdd.countByKey() | {(1, 1), (3, 2)} |
| collectAsMap() | 将结果以映射表的形式返回，以便查询 | rdd.collectAsMap() | Map{(1, 2), (3, 6)} |
| lookup(key) | 返回给定键对应的所有值 | rdd.lookup(3) | [4, 6] |

就 pair RDD 而言，还有别的一些行动操作可以保存 RDD，会在第 5 章介绍。

## 4.5 数据分区（进阶）

本章要讨论的最后一个 Spark 特性是对数据集在节点间的分区进行控制。在分布式程序中，通信的代价是很大的，因此控制数据分布以获得最少的网络传输可以极大地提升整体性能。和单节点的程序需要为记录集合选择合适的数据结构一样，Spark 程序可以通过控制 RDD 分区方式来减少通信开销。分区并不是对所有应用都有好处的——比如，如果给定 RDD 只需要被扫描一次，我们完全没有必要对其预先进行分区处理。只有当数据集多次在诸如连接这种基于键的操作中使用时，分区才会有帮助。我们会给出一些小例子来说明这一点。

Spark 中所有的键值对 RDD 都可以进行分区。系统会根据一个针对键的函数对元素进行分组。尽管 Spark 没有给出显示控制每个键具体落在哪一个工作节点上的方法（部分原因是 Spark 即使在某些节点失败时依然可以工作），但 Spark 可以确保同一组的键出现在同一个节点上。比如，你可能使用哈希分区将一个 RDD 分成了 100 个分区，此时键的哈希值对 100 取模的结果相同的记录会被放在一个节点上。你也可以使用范围分区法，将键在同一个范围区间内的记录都放在同一个节点上。

举个简单的例子，我们分析这样一个应用，它在内存中保存着一张很大的用户信息表——也就是一个由 (UserID, UserInfo) 对组成的 RDD，其中 UserInfo 包含一个该用户所订阅的主题的列表。该应用会周期性地将这张表与一个小文件进行组合，这个小文件中存着过去五分钟内发生的事件——其实就是一个由 (UserID, LinkInfo) 对组成的表，存放着过去五分钟内某网站各用户的访问情况。例如，我们可能需要对用户访问其未订阅主题的页面的情况进行统计。我们可以使用 Spark 的 join() 操作来实现这个组合操作，其中需要把 UserInfo 和 LinkInfo 的有序对根据 UserID 进行分组。我们的应用如例 4-22 所示。

**例 4-22：简单的 Scala 应用**

```
// 初始化代码；从HDFS上的一个Hadoop SequenceFile中读取用户信息
// userData中的元素会根据它们被读取时的来源，即HDFS块所在的节点来分布
// Spark此时无法获知某个特定的UserID对应的记录位于哪个节点上
val sc = new SparkContext(...)
val userData = sc.sequenceFile[UserID, UserInfo]("hdfs://...").persist()

// 周期性调用函数来处理过去五分钟产生的事件日志
// 假设这是一个包含(UserID, LinkInfo)对的SequenceFile
def processNewLogs(logFileName: String) {
  val events = sc.sequenceFile[UserID, LinkInfo](logFileName)
  val joined = userData.join(events)// RDD of (UserID, (UserInfo, LinkInfo)) pairs
  val offTopicVisits = joined.filter {
    case (userId, (userInfo, linkInfo)) => // Expand the tuple into its components
      !userInfo.topics.contains(linkInfo.topic)
  }.count()
  println("Number of visits to non-subscribed topics: " + offTopicVisits)
}
```

这段代码可以正确运行，但是不够高效。这是因为在每次调用 processNewLogs() 时都会用到 join() 操作，而我们对数据集是如何分区的却一无所知。默认情况下，连接操作会将两个数据集中的所有键的哈希值都求出来，将该哈希值相同的记录通过网络传到同一台机器上，然后在那台机器上对所有键相同的记录进行连接操作（见图 4-4）。因为 userData 表比每五分钟出现的访问日志表 events 要大得多，所以要浪费时间做很多额外工作：在每次调用时都对 userData 表进行哈希值计算和跨节点数据混洗，虽然这些数据从来都不会变化。

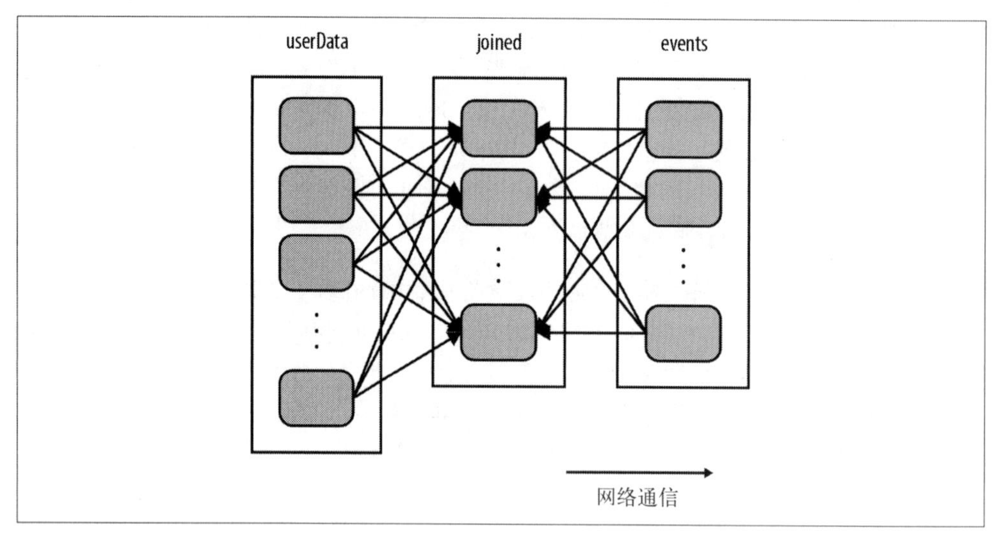


图 4-4：未使用 partitionBy() 时对 userData 和 events 进行连接操作

要解决这一问题也很简单：在程序开始时，对 userData 表使用 partitionBy() 转化操作，将这张表转为哈希分区。可以通过向 partitionBy 传递一个 spark.HashPartitioner 对象来实现该操作，如例 4-23 所示。

**例 4-23：Scala 自定义分区方式**

```
val sc = new SparkContext(...)
val userData = sc.sequenceFile[UserID, UserInfo]("hdfs://...")
                 .partitionBy(new HashPartitioner(100))   // 构造100个分区
                 .persist()
```

processNewLogs() 方法可以保持不变：在 processNewLogs() 中，eventsRDD 是本地变量，只在该方法中使用了一次，所以为 events 指定分区方式没有什么用处。由于在构建 userData 时调用了 partitionBy()，Spark 就知道了该 RDD 是根据键的哈希值来分区的，这样在调用 join() 时，Spark 就会利用到这一点。具体来说，当调用 userData.join(events) 时，Spark 只会对 events 进行数据混洗操作，将 events 中特定 UserID 的记录发送到 userData 的对应分区所在的那台机器上（见图 4-5）。这样，需要通过网络传输的数据就大大减少了，程序运行速度也可以显著提升了。

注意，partitionBy() 是一个转化操作，因此它的返回值总是一个新的 RDD，但它不会改变原来的 RDD。RDD 一旦创建就无法修改。因此应该对 partitionBy() 的结果进行持久化，并保存为 userData，而不是原来的 sequenceFile() 的输出。此外，传给 partitionBy() 的 100 表示分区数目，它会控制之后对这个 RDD 进行进一步操作（比如连接操作）时有多少任务会并行执行。总的来说，这个值至少应该和集群中的总核心数一样。

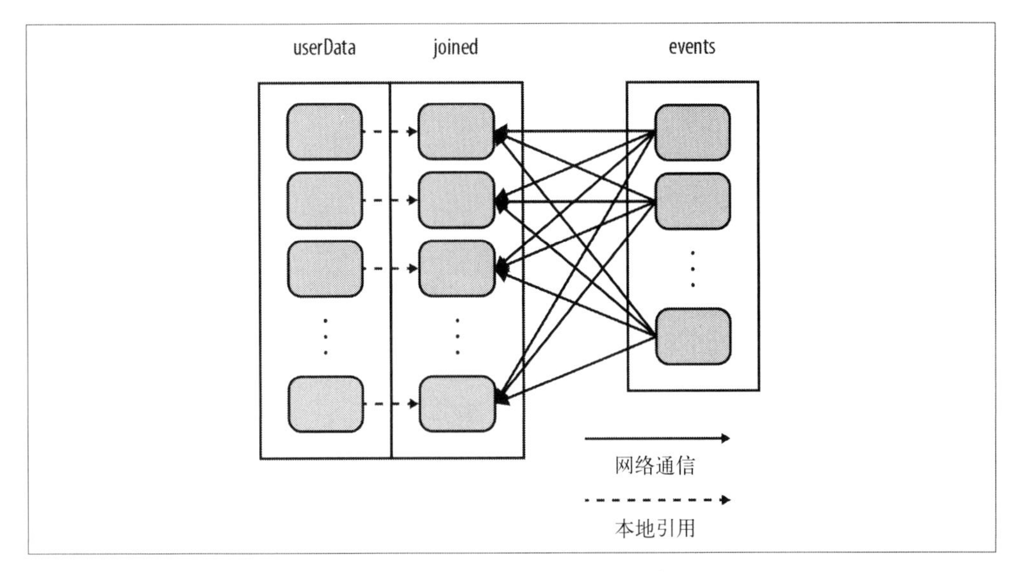


图 4-5：使用 partitionBy() 时对 userData 和 events 进行连接操作

如果没有将 partitionBy() 转化操作的结果持久化，那么后面每次用到这个 RDD 时都会重复地对数据进行分区操作。不进行持久化会导致整个 RDD 谱系图重新求值。那样的话，partitionBy() 带来的好处就会被抵消，导致重复对数据进行分区以及跨节点的混洗，和没有指定分区方式时发生的情况十分相似。

事实上，许多其他 Spark 操作会自动为结果 RDD 设定已知的分区方式信息，而且除 join() 外还有很多操作也会利用到已有的分区信息。比如，sortByKey() 和 groupByKey() 会分别生成范围分区的 RDD 和哈希分区的 RDD。而另一方面，诸如 map() 这样的操作会导致新的 RDD 失去父 RDD 的分区信息，因为这样的操作理论上可能会修改每条记录的键。接下来的几节中，我们会讨论如何获取 RDD 的分区信息，以及数据分区是如何影响各种 Spark 操作的。

**Java 和 Python 中的数据分区**

Spark 的 Java 和 Python 的 API 都和 Scala 的一样，可以从数据分区中获益。不过，在 Python 中，你不能将 HashPartitioner 对象传给 partitionBy，而只需要把需要的分区数传递过去（例如 rdd.partitionBy(100)）。

### 4.5.1 获取RDD的分区方式

在 Scala 和 Java 中，你可以使用 RDD 的 partitioner 属性（Java 中使用 partitioner() 方

法）来获取 RDD 的分区方式。[5] 它会返回一个 scala.Option 对象，这是 Scala 中用来存放可能存在的对象的容器类。你可以对这个 Option 对象调用 isDefined 来检查其中是否有值，调用 get 来获取其中的值。如果存在值的话，这个值会是一个 spark.Partitioner 对象。这本质上是一个告诉我们 RDD 中各个键分别属于哪个分区的函数。我们之后会进一步讨论这一点。

在 Spark shell 中使用 partitioner 属性不仅是检验各种 Spark 操作如何影响分区方式的一种好办法，还可以用来在你的程序中检查想要使用的操作是否会生成正确的结果（见例 4-24）。

**例 4-24：获取 RDD 的分区方式**

```
import org.apache.spark
scala> val pairs = sc.parallelize(List((1, 1), (2, 2), (3, 3)))
pairs: spark.RDD[(Int, Int)] = ParallelCollectionRDD[0] at parallelize at
<console>:12

scala> pairs.partitioner
res0: Option[spark.Partitioner] = None

scala> val partitioned = pairs.partitionBy(new spark.HashPartitioner(2))
partitioned: spark.RDD[(Int, Int)] = ShuffledRDD[1] at partitionBy at <console>:14

scala> partitioned.partitioner
res1: Option[spark.Partitioner] = Some(spark.HashPartitioner@5147788d)
```

在这段简短的代码中，我们创建出了一个由 (Int, Int) 对组成的 RDD，初始时没有分区方式信息（一个值为 None 的 Option 对象）。然后通过对第一个 RDD 进行哈希分区，创建出了第二个 RDD。如果确实要在后续操作中使用 partitioned，那就应当在定义 partitioned 时，在第三行输入的最后加上 persist()。这和之前的例子中需要对 userData 调用 persist() 的原因是一样的：如果不调用 persist() 的话，后续的 RDD 操作会对 partitioned 的整个谱系重新求值，这会导致对 pairs 一遍又一遍地进行哈希分区操作。

### 4.5.2 从分区中获益的操作

Spark 的许多操作都引入了将数据根据键跨节点进行混洗的过程。所有这些操作都会从数据分区中获益。就 Spark 1.0 而言，能够从数据分区中获益的操作有 cogroup()、groupWith()、join()、leftOuterJoin()、rightOuterJoin()、groupByKey()、reduceByKey()、combineByKey() 以及 lookup()。

对于像 reduceByKey() 这样只作用于单个 RDD 的操作，运行在未分区的 RDD 上的时候会导致每个键的所有对应值都在每台机器上进行本地计算，只需要把本地最终归约出的结果值从各工作节点传回主节点，所以原本的网络开销就不算大。而对于诸如 cogroup() 和 join() 这样的二元操作，预先进行数据分区会导致其中至少一个 RDD（使用已知分区器

注 5：Python API 没有提供查询分区方式的方法，但是 Spark 内部仍然会利用已有的分区信息。

的那个 RDD）不发生数据混洗。如果两个 RDD 使用同样的分区方式，并且它们还缓存在同样的机器上（比如一个 RDD 是通过 mapValues() 从另一个 RDD 中创建出来的，这两个 RDD 就会拥有相同的键和分区方式），或者其中一个 RDD 还没有被计算出来，那么跨节点的数据混洗就不会发生了。

### 4.5.3 影响分区方式的操作

Spark 内部知道各操作会如何影响分区方式，并将会对数据进行分区的操作的结果 RDD 自动设置为对应的分区器。例如，如果你调用 join() 来连接两个 RDD；由于键相同的元素会被哈希到同一台机器上，Spark 知道输出结果也是哈希分区的，这样对连接的结果进行诸如 reduceByKey() 这样的操作时就会明显变快。

不过，转化操作的结果并不一定会按已知的分区方式分区，这时输出的 RDD 可能就会没有设置分区器。例如，当你对一个哈希分区的键值对 RDD 调用 map() 时，由于传给 map() 的函数理论上可以改变元素的键，因此结果就不会有固定的分区方式。Spark 不会分析你的函数来判断键是否会被保留下来。不过，Spark 提供了另外两个操作 mapValues() 和 flatMapValues() 作为替代方法，它们可以保证每个二元组的键保持不变。

这里列出了所有会为生成的结果 RDD 设好分区方式的操作：cogroup()、groupWith()、join()、leftOuterJoin()、rightOuterJoin()、groupByKey()、reduceByKey()、combineByKey()、partitionBy()、sort()、mapValues()（如果父 RDD 有分区方式的话）、flatMapValues()（如果父 RDD 有分区方式的话），以及 filter()（如果父 RDD 有分区方式的话）。其他所有的操作生成的结果都不会存在特定的分区方式。

最后，对于二元操作，输出数据的分区方式取决于父 RDD 的分区方式。默认情况下，结果会采用哈希分区，分区的数量和操作的并行度一样。不过，如果其中的一个父 RDD 已经设置过分区方式，那么结果就会采用那种分区方式；如果两个父 RDD 都设置过分区方式，结果 RDD 会采用第一个父 RDD 的分区方式。

### 4.5.4 示例：PageRank

PageRank 是一种从 RDD 分区中获益的更复杂的算法，我们以它为例进行分析。PageRank 算法是以 Google 的拉里· 佩吉（Larry Page）的名字命名的，用来根据外部文档指向一个文档的链接，对集合中每个文档的重要程度赋一个度量值。该算法可以用于对网页进行排序，当然，也可以用于排序科技文章或社交网络中有影响的用户。

PageRank 是执行多次连接的一个迭代算法，因此它是 RDD 分区操作的一个很好的用例。算法会维护两个数据集：一个由 (pageID, linkList) 的元素组成，包含每个页面的相邻页面的列表；另一个由 (pageID, rank) 元素组成，包含每个页面的当前排序值。它按如下步骤进行计算。

(1)将每个页面的排序值初始化为 1.0。

(2)在每次迭代中，对页面 p，向其每个相邻页面（有直接链接的页面）发送一个值为 rank(p)/numNeighbors(p) 的贡献值。

(3)将每个页面的排序值设为 0.15 + 0.85 * contributionsReceived。

最后两步会重复几个循环，在此过程中，算法会逐渐收敛于每个页面的实际 PageRank 值。在实际操作中，收敛通常需要大约 10 轮迭代。

例 4-25 给出了使用 Spark 实现 PageRank 的代码。

**例 4-25：Scala 版 PageRank**

```
// 假设相邻页面列表以Spark objectFile的形式存储
val links = sc.objectFile[(String, Seq[String])]("links")
              .partitionBy(new HashPartitioner(100))
              .persist()

// 将每个页面的排序值初始化为1.0；由于使用mapValues，生成的RDD
// 的分区方式会和"links"的一样
var ranks = links.mapValues(v => 1.0)

// 运行10轮PageRank迭代
for(i <- 0 until 10) {
  val contributions = links.join(ranks).flatMap {
    case (pageId, (links, rank)) =>
      links.map(dest => (dest, rank / links.size))
  }
  ranks = contributions.reduceByKey((x, y) => x + y).mapValues(v => 0.15 + 0.85*v)
}

// 写出最终排名
ranks.saveAsTextFile("ranks")
```

这就行了！算法从将 ranksRDD 的每个元素的值初始化为 1.0 开始，然后在每次迭代中不断更新 ranks 变量。在 Spark 中编写 PageRank 的主体相当简单：首先对当前的 ranksRDD 和静态的 linksRDD 进行一次 join() 操作，来获取每个页面 ID 对应的相邻页面列表和当前的排序值，然后使用 flatMap 创建出“contributions”来记录每个页面对各相邻页面的贡献。然后再把这些贡献值按照页面 ID（根据获得共享的页面）分别累加起来，把该页面的排序值设为 0.15 + 0.85 * contributionsReceived。

虽然代码本身很简单，这个示例程序还是做了不少事情来确保 RDD 以比较高效的方式进行分区，以最小化通信开销：

(1) 请注意，linksRDD 在每次迭代中都会和 ranks 发生连接操作。由于 links 是一个静态数据集，所以我们在程序一开始的时候就对它进行了分区操作，这样就不需要把它通过网络进行数据混洗了。实际上，linksRDD 的字节数一般来说也会比 ranks 大很多，毕竟它包含每个页面的相邻页面列表（由页面 ID 组成），而不仅仅是一个 Double 值，因此这一优化相比 PageRank 的原始实现（例如普通的 MapReduce）节约了相当可观的网络通信开销。

(2) 出于同样的原因，我们调用 `links` 的 `persist()` 方法，将它保留在内存中以供每次迭代使用。

(3) 当我们第一次创建 `ranks` 时，我们使用 `mapValues()` 而不是 `map()` 来保留父 RDD（`links`）的分区方式，这样对它进行的第一次连接操作就会开销很小。

(4) 在循环体中，我们在 `reduceByKey()` 后使用 `mapValues()`；因为 `reduceByKey()` 的结果已经是哈希分区的了，这样一来，下一次循环中将映射操作的结果再次与 `links` 进行连接操作时就会更加高效。

为了最大化分区相关优化的潜在作用，你应该在无需改变元素的键时尽量使用 `mapValues()` 或 `flatMapValues()`。

### 4.5.5 自定义分区方式

虽然 Spark 提供的 `HashPartitioner` 与 `RangePartitioner` 已经能够满足大多数用例，但 Spark 还是允许你通过提供一个自定义的 `Partitioner` 对象来控制 RDD 的分区方式。这可以让你利用领域知识进一步减少通信开销。

举个例子，假设我们要在一个网页的集合上运行前一节中的 PageRank 算法。在这里，每个页面的 ID（RDD 中的键）是页面的 URL。当我们使用简单的哈希函数进行分区时，拥有相似的 URL 的页面（比如 http://www.cnn.com/WORLD 和 http://www.cnn.com/US）可能会被分到完全不同的节点上。然而，我们知道在同一个域名下的网页更有可能相互链接。由于 PageRank 需要在每次迭代中从每个页面向它所有相邻的页面发送一条消息，因此把这些页面分组到同一个分区中会更好。可以使用自定义的分区器来实现仅根据域名而不是整个 URL 来分区。

要实现自定义的分区器，你需要继承 `org.apache.spark.Partitioner` 类并实现下面三个方法。

- `numPartitions: Int`：返回创建出来的分区数。
- `getPartition(key: Any): Int`：返回给定键的分区编号（0 到 `numPartitions-1`）。
- `equals()`：Java 判断相等性的标准方法。这个方法的实现非常重要，Spark 需要用这个方法来检查你的分区器对象是否和其他分区器实例相同，这样 Spark 才可以判断两个 RDD 的分区方式是否相同。

有一个问题需要注意，当你的算法依赖于 Java 的 `hashCode()` 方法时，这个方法有可能会返回负数。你需要十分谨慎，确保 getPartition() 永远返回一个非负数。

例 4-26 展示了如何编写一个前面构思的基于域名的分区器，这个分区器只对 URL 中的域名部分求哈希。

**例 4-26：Scala 自定义分区方式**

```
class DomainNamePartitioner(numParts: Int) extends Partitioner {
  override def numPartitions: Int = numParts
  override def getPartition(key: Any): Int = {
    val domain = new Java.net.URL(key.toString).getHost()
    val code = (domain.hashCode % numPartitions)
    if(code < 0) {
      code + numPartitions // 使其非负
    }else{
      code
    }
  }
  // 用来让Spark区分分区函数对象的Java equals方法
  override def equals(other: Any): Boolean = other match {
    case dnp: DomainNamePartitioner =>
      dnp.numPartitions == numPartitions
    case _ =>
      false
  }
}
```

注意，在 equals() 方法中，使用 Scala 的模式匹配操作符（match）来检查 other 是否是 DomainNamePartitioner，并在成立时自动进行类型转换；这和 Java 中的 instanceof() 是一样的。

使用自定义的 Partitioner 是很容易的：只要把它传给 partitionBy() 方法即可。Spark 中有许多依赖于数据混洗的方法，比如 join() 和 groupByKey()，它们也可以接收一个可选的 Partitioner 对象来控制输出数据的分区方式。

在 Java 中创建一个自定义 Partitioner 的方法与 Scala 中的做法非常相似：只需要扩展 spark.Partitioner 类并且实现必要的方法即可。

在 Python 中，不需要扩展 Partitioner 类，而是把一个特定的哈希函数作为一个额外的参数传给 RDD.partitionBy() 函数，如例 4-27 所示。

**例 4-27：Python 自定义分区方式**

```
import urlparse

def hash_domain(url):
  return hash(urlparse.urlparse(url).netloc)

rdd.partitionBy(20, hash_domain)  # 创建20个分区
```

注意，这里你所传过去的哈希函数会被与其他 RDD 的分区函数区分开来。如果你想要对多个 RDD 使用相同的分区方式，就应该使用同一个函数对象，比如一个全局函数，而不是为每个 RDD 创建一个新的函数对象。

## 4.6 总结

本章我们学习了如何使用 Spark 提供的专门的函数来操作键值对数据。第 3 章中讲到的技巧也同样适用于 pair RDD。在下一章中我们会介绍如何读取和保存数据。

# 第5章 数据读取与保存

本章对于工程师和数据科学家都较为实用。工程师会了解到更多的输出格式，有利于找到非常适合用于下游处理程序的格式。数据科学家则可能更关心数据的现有的组织形式。

## 5.1 动机

我们已经学了很多在 Spark 中对已分发的数据执行的操作。到目前为止，所展示的示例都是从本地集合或者普通文件中进行数据读取和保存的。但有时候，数据量可能大到无法放在一台机器中，这时就需要探索别的数据读取和保存的方法了。

Spark 支持很多种输入输出源。一部分原因是 Spark 本身是基于 Hadoop 生态圈而构建，特别是 Spark 可以通过 Hadoop MapReduce 所使用的 `InputFormat` 和 `OutputFormat` 接口访问数据，而大部分常见的文件格式与存储系统（例如 S3、HDFS、Cassandra、HBase 等）都支持这种接口。[1] 5.2.6 节展示了如何直接使用这些格式。

不过，基于这些原始接口构建出的高层 API 会更常用。幸运的是，Spark 及其生态系统提供了很多可选方案。本章会介绍以下三类常见的数据源。

- 文件格式与文件系统

  对于存储在本地文件系统或分布式文件系统（比如 NFS、HDFS、Amazon S3 等）中的数据，Spark 可以访问很多种不同的文件格式，包括文本文件、JSON、SequenceFile，以及 protocol buffer。我们会展示几种常见格式的用法，以及 Spark 针对不同文件系统的配置和压缩选项。

注 1：`InputFormat` 和 `OutputFormat` 是 MapReduce 中用来连接数据源的 Java API。

- Spark SQL中的结构化数据源

  第 9 章会介绍 Spark SQL 模块，它针对包括 JSON 和 Apache Hive 在内的结构化数据源，为我们提供了一套更加简洁高效的 API。此处会粗略地介绍一下如何使用 Spark SQL，而大部分细节将留到第 9 章讲解。

- 数据库与键值存储

  本章还会概述 Spark 自带的库和一些第三方库，它们可以用来连接 Cassandra、HBase、Elasticsearch 以及 JDBC 源。

这里选择的大多数方法都支持 Spark 所支持的三种编程语言，但是还是有一些库只支持 Java 和 Scala。这种情况我们会专门指出。

## 5.2 文件格式

Spark 对很多种文件格式的读取和保存方式都很简单。从诸如文本文件的非结构化的文件，到诸如 JSON 格式的半结构化的文件，再到诸如 SequenceFile 这样的结构化的文件，Spark 都可以支持（见表 5-1）。Spark 会根据文件扩展名选择对应的处理方式。这一过程是封装好的，对用户透明。

表5-1：Spark支持的一些常见格式

| 格式名称 | 结构化 | 备注 |
| --- | --- | --- |
| 文本文件 | 否 | 普通的文本文件，每行一条记录 |
| JSON | 半结构化 | 常见的基于文本的格式，半结构化；大多数库都要求每行一条记录 |
| CSV | 是 | 非常常见的基于文本的格式，通常在电子表格应用中使用 |
| SequenceFiles | 是 | 一种用于键值对数据的常见 Hadoop 文件格式 |
| Protocol buffers | 是 | 一种快速、节约空间的跨语言格式 |
| 对象文件 | 是 | 用来将 Spark 作业中的数据存储下来以让共享的代码读取。改变类的时候它会失效，因为它依赖于 Java 序列化 |

除了 Spark 中直接支持的输出机制，还可以对键数据（或成对数据）使用 Hadoop 的新旧文件 API。由于 Hadoop 接口要求使用键值对数据，所以也只能这样用，即使有些格式事实上忽略了键。对于那些会忽视键的格式，通常使用假的键（比如 `null`）。

### 5.2.1 文本文件

在 Spark 中读写文本文件很容易。当我们将一个文本文件读取为 RDD 时，输入的每一行都会成为 RDD 的一个元素。也可以将多个完整的文本文件一次性读取为一个 pair RDD，其中键是文件名，值是文件内容。

#### 1. 读取文本文件

只需要使用文件路径作为参数调用 SparkContext 中的 `textFile()` 函数，就可以读取一个文本文件，如例 5-1 至例 5-3 所示。如果要控制分区数的话，可以指定 `minPartitions`。

**例 5-1：在 Python 中读取一个文本文件**

```
input = sc.textFile("file:///home/holden/repos/spark/README.md")
```

**例 5-2：在 Scala 中读取一个文本文件**

```
val input = sc.textFile("file:///home/holden/repos/spark/README.md")
```

**例 5-3：在 Java 中读取一个文本文件**

```
JavaRDD<String> input = sc.textFile("file:///home/holden/repos/spark/README.md")
```

如果多个输入文件以一个包含数据所有部分的目录的形式出现，可以用两种方式来处理。可以仍使用 `textFile` 函数，传递目录作为参数，这样它会把各部分都读取到 RDD 中。有时候有必要知道数据的各部分分别来自哪个文件（比如将键放在文件名中的时间数据），有时候则希望同时处理整个文件。如果文件足够小，那么可以使用 `SparkContext.wholeTextFiles()` 方法，该方法会返回一个 pair RDD，其中键是输入文件的文件名。

`wholeTextFiles()` 在每个文件表示一个特定时间段内的数据时非常有用。如果有表示不同阶段销售数据的文件，则可以很容易地求出每个阶段的平均值，如例 5-4 所示。

**例 5-4：在 Scala 中求每个文件的平均值**

```
val input = sc.wholeTextFiles("file:///home/holden/salesFiles")
val result = input.mapValues{y =>
  val nums = y.split(" ").map(x => x.toDouble)
  nums.sum / nums.size.toDouble
}
```

Spark 支持读取给定目录中的所有文件，以及在输入路径中使用通配字符（如 `part-*.txt`）。大规模数据集通常存放在多个文件中，因此这一特性很有用，尤其是在同一目录中存在一些别的文件（比如成功标记文件）的时候。

#### 2. 保存文本文件

输出文本文件也相当简单。例 5-5 中演示的 `saveAsTextFile()` 方法接收一个路径，并将 RDD 中的内容都输入到路径对应的文件中。Spark 将传入的路径作为目录对待，会在那个目录下输出多个文件。这样，Spark 就可以从多个节点上并行输出了。在这个方法中，我们不能控制数据的哪一部分输出到哪个文件中，不过有些输出格式支持控制。

**例 5-5：在 Python 中将数据保存为文本文件**

```
result.saveAsTextFile(outputFile)
```

## 5.2.2 JSON

JSON 是一种使用较广的半结构化数据格式。读取 JSON 数据的最简单的方式是将数据作为文本文件读取，然后使用 JSON 解析器来对 RDD 中的值进行映射操作。类似地，也可以使用我们喜欢的 JSON 序列化库来将数据转为字符串，然后将其写出去。在 Java 和 Scala 中也可以使用一个自定义 Hadoop 格式来操作 JSON 数据。9.3.3 节还会展示如何使用 Spark SQL 读取 JSON 数据。

### 1. 读取JSON

将数据作为文本文件读取，然后对 JSON 数据进行解析，这样的方法可以在所有支持的编程语言中使用。这种方法假设文件中的每一行都是一条 JSON 记录。如果你有跨行的 JSON 数据，你就只能读入整个文件，然后对每个文件进行解析。如果在你使用的语言中构建一个 JSON 解析器的开销较大，你可以使用 `mapPartitions()` 来重用解析器。请参考 6.4 节了解详情。

我们使用的这三种编程语言中有大量可用的 JSON 库，为了简单起见，这里只为每种语言介绍一种库。Python 中使用的是内建的库（https://docs.python.org/2/library/json.html，见例 5-6），而在 Java 和 Scala 中则会使用 Jackson（http://jackson.codehaus.org/，见例 5-7 和例 5-8）。之所以选择这些库，是因为它们性能还不错，而且使用起来比较简单。如果你在解析阶段花费了大量的时间，你就应该选择 Scala（http://engineering.ooyala.com/blog/comparing-scala-json-libraries）或 Java（http://geokoder.com/java-json-libraries-comparison）中别的 JSON 库。

**例 5-6：在 Python 中读取非结构化的 JSON**

```python
import json
data = input.map(lambda x: json.loads(x))
```

在 Scala 和 Java 中，通常将记录读入到一个代表结构信息的类中。在这个过程中可能还需要略过一些无效的记录。下面以将记录读取为 Person 类作为一个例子。

**例 5-7：在 Scala 中读取 JSON**

```scala
import com.fasterxml.jackson.module.scala.DefaultScalaModule
import com.fasterxml.jackson.module.scala.experimental.ScalaObjectMapper
import com.fasterxml.jackson.databind.ObjectMapper
import com.fasterxml.jackson.databind.DeserializationFeature
...
case class Person(name: String, lovesPandas: Boolean) // 必须是顶级类
...
// 将其解析为特定的case class。使用flatMap，通过在遇到问题时返回空列表(None)
// 来处理错误，而在没有问题时返回包含一个元素的列表(Some(_))
val result = input.flatMap(record => {
  try {
    Some(mapper.readValue(record, classOf[Person]))
  } catch {
    case e: Exception => None
  }})
```

**例 5-8：在 Java 中读取 JSON**

```
class ParseJson implements FlatMapFunction<Iterator<String>, Person> {
  public Iterable<Person> call(Iterator<String> lines) throws Exception {
    ArrayList<Person> people = new ArrayList<Person>();
    ObjectMapper mapper = new ObjectMapper();
    while (lines.hasNext()) {
      String line = lines.next();
      try {
        people.add(mapper.readValue(line, Person.class));
      } catch (Exception e) {
        // 跳过失败的数据
      }
    }
    return people;
  }
}
JavaRDD<String> input = sc.textFile("file.json");
JavaRDD<Person> result = input.mapPartitions(new ParseJson());
```

处理格式不正确的记录有可能会引起很严重的问题，尤其对于像 JSON 这样的半结构化数据来说。对于小数据集来说，可以接受在遇到错误的输入时停止程序（程序失败），但是对于大规模数据集来说，格式错误是家常便饭。如果选择跳过格式不正确的数据，你应该尝试使用累加器来跟踪错误的个数。

### 2. 保存JSON

写出 JSON 文件比读取它要简单得多，因为不需要考虑格式错误的数据，并且也知道要写出的数据的类型。可以使用之前将字符串 RDD 转为解析好的 JSON 数据的库，将由结构化数据组成的 RDD 转为字符串 RDD，然后使用 Spark 的文本文件 API 写出去。

假设我们要选出喜爱熊猫的人，就可以从第一步中获取输入数据，然后筛选出喜爱熊猫的人，如例 5-9 至例 5-11 所示。

**例 5-9：在 Python 保存为 JSON**

```
(data.filter(lambda x: x["lovesPandas"]).map(lambda x: json.dumps(x))
  .saveAsTextFile(outputFile))
```

**例 5-10：在 Scala 中保存为 JSON**

```
result.filter(p => p.lovesPandas).map(mapper.writeValueAsString(_))
  .saveAsTextFile(outputFile)
```

**例 5-11：在 Java 中保存为 JSON**

```
class WriteJson implements FlatMapFunction<Iterator<Person>, String> {
  public Iterable<String> call(Iterator<Person> people) throws Exception {
    ArrayList<String> text = new ArrayList<String>();
    ObjectMapper mapper = new ObjectMapper();
    while (people.hasNext()) {
      Person person = people.next();
      text.add(mapper.writeValueAsString(person));
```

```
        }
        return text;
      }
    }

    JavaRDD<Person> result = input.mapPartitions(new ParseJson()).filter(
      new LikesPandas());
    JavaRDD<String> formatted = result.mapPartitions(new WriteJson());
    formatted.saveAsTextFile(outfile);
```

这样一来，就可以通过已有的操作文本数据的机制和 JSON 库，使用 Spark 轻易地读取和保存 JSON 数据了。

## 5.2.3 逗号分隔值与制表符分隔值

逗号分隔值（CSV）文件每行都有固定数目的字段，字段间用逗号隔开（在制表符分隔值文件，即 TSV 文件中用制表符隔开）。记录通常是一行一条，不过也不总是这样，有时也可以跨行。CSV 文件和 TSV 文件有时支持的标准并不一致，主要是在处理换行符、转义字符、非 ASCII 字符、非整数值等方面。CSV 原生并不支持嵌套字段，所以需要手动组合和分解特定的字段。

与 JSON 中的字段不一样的是，这里的每条记录都没有相关联的字段名，只能得到对应的序号。常规做法是使用第一行中每列的值作为字段名。

### 1. 读取CSV

读取 CSV/TSV 数据和读取 JSON 数据相似，都需要先把文件当作普通文本文件来读取数据，再对数据进行处理。由于格式标准的缺失，同一个库的不同版本有时也会用不同的方式处理输入数据。

与 JSON 一样，CSV 也有很多不同的库，但是只在每种语言中使用一个库。同样，对于 Python 我们会使用自带的 csv 库（https://docs.python.org/2/library/csv.html）。在 Scala 和 Java 中则使用 opencsv 库（http://opencsv.sourceforge.net/）。

Hadoop InputFormat 中的 `CSVInputFormat`（http://docs.oracle.com/cd/E27101_01/appdev.10/e20858/oracle/hadoop/loader/examples/CSVInputFormat.html）也可以用于在 Scala 和 Java 中读取 CSV 数据。不过它不支持包含换行符的记录。

如果恰好你的 CSV 的所有数据字段均没有包含换行符，你也可以使用 `textFile()` 读取并解析数据，如例 5-12 至例 5-14 所示。

**例 5-12：在 Python 中使用 `textFile()` 读取 CSV**

```
import csv
import StringIO
```

```
...
def loadRecord(line):
    """解析一行CSV记录"""
    input = StringIO.StringIO(line)
    reader = csv.DictReader(input, fieldnames=["name", "favouriteAnimal"])
    return reader.next()
input = sc.textFile(inputFile).map(loadRecord)
```

**例 5-13：在 Scala 中使用 textFile() 读取 CSV**

```
import Java.io.StringReader
import au.com.bytecode.opencsv.CSVReader
...
val input = sc.textFile(inputFile)
val result = input.map{ line =>
  val reader = new CSVReader(new StringReader(line));
  reader.readNext();
}
```

**例 5-14：在 Java 中使用 textFile() 读取 CSV**

```
import au.com.bytecode.opencsv.CSVReader;
import Java.io.StringReader;
...
public static class ParseLine implements Function<String, String[]> {
  public String[] call(String line) throws Exception {
    CSVReader reader = new CSVReader(new StringReader(line));
    return reader.readNext();
  }
}
JavaRDD<String> csvFile1 = sc.textFile(inputFile);
JavaPairRDD<String[]> csvData = csvFile1.map(new ParseLine());
```

如果在字段中嵌有换行符，就需要完整读入每个文件，然后解析各段，如例 5-15 至例 5-17 所示。如果每个文件都很大，读取和解析的过程可能会很不幸地成为性能瓶颈。读取文本文件的其他方法在 5.2.1 节中也有所提及。

**例 5-15：在 Python 中完整读取 CSV**

```
def loadRecords(fileNameContents):
    """读取给定文件中的所有记录"""
    input = StringIO.StringIO(fileNameContents[1])
    reader = csv.DictReader(input, fieldnames=["name", "favoriteAnimal"])
    return reader
fullFileData = sc.wholeTextFiles(inputFile).flatMap(loadRecords)
```

**例 5-16：在 Scala 中完整读取 CSV**

```
case class Person(name: String, favoriteAnimal: String)

val input = sc.wholeTextFiles(inputFile)
val result = input.flatMap{ case (_, txt) =>
  val reader = new CSVReader(new StringReader(txt));
  reader.readAll().map(x => Person(x(0), x(1)))
}
```

**例 5-17：在 Java 中完整读取 CSV**

```
public static class ParseLine
  implements FlatMapFunction<Tuple2<String, String>, String[]> {
  public Iterable<String[]> call(Tuple2<String, String> file) throws Exception {
    CSVReader reader = new CSVReader(new StringReader(file._2()));
    return reader.readAll();
  }
}
JavaPairRDD<String, String> csvData = sc.wholeTextFiles(inputFile);
JavaRDD<String[]> keyedRDD = csvData.flatMap(new ParseLine());
```

如果只有一小部分输入文件，你需要使用 wholeTextFile() 方法，可能还需要对输入数据进行重新分区使得 Spark 能够更高效地并行化执行后续操作。

### 2. 保存CSV

和 JSON 数据一样，写出 CSV/TSV 数据相当简单，同样可以通过重用输出编码器来加速。由于在 CSV 中我们不会在每条记录中输出字段名，因此为了使输出保持一致，需要创建一种映射关系。一种简单做法是写一个函数，用于将各字段转为指定顺序的数组。在 Python 中，如果输出字典，CSV 输出器会根据创建输出器时给定的 fieldnames 的顺序帮我们完成这一行为。

我们所使用的 CSV 库要输出到文件或者输出器，所以可以使用 StringWriter 或 StringIO 来将结果放到 RDD 中，如例 5-18 和例 5-19 所示。

**例 5-18：在 Python 中写 CSV**

```
def writeRecords(records):
    """写出一些CSV记录"""
    output = StringIO.StringIO()
    writer = csv.DictWriter(output, fieldnames=["name", "favoriteAnimal"])
    for record in records:
        writer.writerow(record)
    return [output.getvalue()]

pandaLovers.mapPartitions(writeRecords).saveAsTextFile(outputFile)
```

**例 5-19：在 Scala 中写 CSV**

```
pandaLovers.map(person => List(person.name, person.favoriteAnimal).toArray)
.mapPartitions{people =>
  val stringWriter = new StringWriter();
  val csvWriter = new CSVWriter(stringWriter);
  csvWriter.writeAll(people.toList)
  Iterator(stringWriter.toString)
}.saveAsTextFile(outFile)
```

你可能已经注意到，前面的例子只能在我们知道所要输出的所有字段时使用。然而，如果一些字段名是在运行时由用户输入决定的，就要使用别的方法了。最简单的方法是遍历所有的数据，提取不同的键，然后分别输出。

### 5.2.4 SequenceFile

SequenceFile 是由没有相对关系结构的键值对文件组成的常用 Hadoop 格式。SequenceFile 文件有同步标记，Spark 可以用它来定位到文件中的某个点，然后再与记录的边界对齐。这可以让 Spark 使用多个节点高效地并行读取 SequenceFile 文件。SequenceFile 也是 Hadoop MapReduce 作业中常用的输入输出格式，所以如果你在使用一个已有的 Hadoop 系统，数据很有可能是以 SequenceFile 的格式供你使用的。

由于 Hadoop 使用了一套自定义的序列化框架，因此 SequenceFile 是由实现 Hadoop 的 Writable 接口的元素组成。表 5-2 列出了一些常见的数据类型以及它们对应的 Writable 类。标准的经验法则是尝试在类名的后面加上 Writable 这个词，然后检查它是否是 `org.apache.hadoop.io.Writable`（http://hadoop.apache.org/docs/r2.4.1/api/org/apache/hadoop/io/Writable.html）已知的子类。如果你无法为要写出的数据找到对应的 Writable 类型（比如自定义的 case class），你可以通过重载 `org.apache.hadoop.io.Writable` 中的 `readfields` 和 `write` 来实现自己的 Writable 类。

Hadoop 的 RecordReader 会为每条记录重用同一个对象，因此直接调用 RDD 的 cache 会导致失败；实际上，你只需要使用一个简单的 `map()` 操作然后将结果缓存即可。还有，许多 Hadoop Writable 类没有实现 `java.io.Serializable` 接口，因此为了让它们能在 RDD 中使用，还是要用 `map()` 来转换它们。

表5-2：Hadoop Writable类型对应表

| Scala类型 | Java类型 | Hadoop Writable类 |
|---|---|---|
| Int | Integer | IntWritable 或 VIntWritable[2] |
| Long | Long | LongWritable 或 VLongWritable[2] |
| Float | Float | FloatWritable |
| Double | Double | DoubleWritable |
| Boolean | Boolean | BooleanWritable |
| Array[Byte] | byte[] | BytesWritable |
| String | String | Text |
| Array[T] | T[] | ArrayWritable<TW>[3] |
| List[T] | List<T> | ArrayWritable<TW>[3] |
| Map[A, B] | Map<A, B> | MapWritable<AW, BW>[3] |

注 2：整型和长整型通常存储为定长的形式。存储数字 12 占据的空间和存储数字 2**30 占据的一样。如果你有大量的小数据，你应该使用可变长的类型 VIntWritable 和 VLongWritable，它们可以在存储较小数值时使用更少的位。

注 3：模板类型也必须使用 Writable 类型。

在 Spark 1.0 以及更早版本中，SequenceFile 只能在 Java 和 Scala 中使用，不过 Spark 1.1 加入了在 Python 中读取和保存 SequenceFile 的功能。但要注意，你还是需要使用 Java 或 Scala 来实现自定义 Writable 类。Spark 的 Python API 只能将 Hadoop 中存在的基本 Writable 类型转为 Python 类型，并尽量基于可用的 getter 方法处理别的类型。

### 1. 读取SequenceFile

Spark 有专门用来读取 SequenceFile 的接口。在 SparkContext 中，可以调用 `sequenceFile(path, keyClass, valueClass, minPartitions)`。前面提到过，SequenceFile 使用 Writable 类，因此 `keyClass` 和 `valueClass` 参数都必须使用正确的 Writable 类。举个例子，假设要从一个 SequenceFile 中读取人员以及他们所见过的熊猫数目。在这个例子中，`keyClass` 是 `Text`，而 `valueClass` 则是 `IntWritable` 或 `VIntWritable`。为了方便演示，在例 5-20 至例 5-22 中使用 `IntWritable`。

**例 5-20：在 Python 读取 SequenceFile**

```
val data = sc.sequenceFile(inFile,
  "org.apache.hadoop.io.Text", "org.apache.hadoop.io.IntWritable")
```

**例 5-21：在 Scala 中读取 SequenceFile**

```
val data = sc.sequenceFile(inFile, classOf[Text], classOf[IntWritable]).
  map{case (x, y) => (x.toString, y.get())}
```

**例 5-22：在 Java 中读取 SequenceFile**

```
public static class ConvertToNativeTypes implements
  PairFunction<Tuple2<Text, IntWritable>, String, Integer> {
  public Tuple2<String, Integer> call(Tuple2<Text, IntWritable> record) {
    return new Tuple2(record._1.toString(), record._2.get());
  }
}

JavaPairRDD<Text, IntWritable> input = sc.sequenceFile(fileName, Text.class,
  IntWritable.class);
JavaPairRDD<String, Integer> result = input.mapToPair(
  new ConvertToNativeTypes());
```

在 Scala 中有一个很方便的函数可以自动将 Writable 对象转为相应的 Scala 类型。可以调用 `sequenceFile[Key, Value](path, minPartitions)` 返回 Scala 原生数据类型的 RDD，而无需指定 `keyClass` 和 `valueClass`。

### 2. 保存SequenceFile

在 Scala 中将数据写出到 SequenceFile 的做法也很类似。首先，因为 SequenceFile 存储的是键值对，所以需要创建一个由可以写出到 SequenceFile 的类型构成的 `PairRDD`。我们已经进行了将许多 Scala 的原生类型转为 Hadoop Writable 的隐式转换，所以如果你要写出的是 Scala 的原生类型，可以直接调用 `saveSequenceFile(path)` 保存你的 `PairRDD`，它会帮你写出数据。如果键和值不能自动转为 Writable 类型，或者想使用变长类型（比如 `VIntWritable`），就可以对数据进行映射操作，在保存之前进行类型转换。让我们改写之前的那个例子（人员以及他们所见过的熊猫数目），如例 5-23 所示。

**例 5-23：在 Scala 中保存 SequenceFile**

```
val data = sc.parallelize(List(("Panda", 3), ("Kay", 6), ("Snail", 2)))
data.saveAsSequenceFile(outputFile)
```

在 Java 中保存 SequenceFile 要稍微复杂一些，因为 `JavaPairRDD` 上没有 `saveAsSequenceFile()` 方法。我们要使用 Spark 保存自定义 Hadoop 格式的功能来实现。5.2.6 节会展示如何使用 Java 以 SequenceFile 保存数据。

### 5.2.5　对象文件

对象文件看起来就像是对 SequenceFile 的简单封装，它允许存储只包含值的 RDD。和 SequenceFile 不一样的是，对象文件是使用 Java 序列化写出的。

如果你修改了你的类——比如增减了几个字段——已经生成的对象文件就不再可读了。对象文件使用 Java 序列化，它对兼容同一个类的不同版本有一定程度的支持，但是需要程序员去实现。

对对象文件使用 Java 序列化有几个要注意的地方。首先，和普通的 SequenceFile 不同，对于同样的对象，对象文件的输出和 Hadoop 的输出不一样。其次，与其他文件格式不同的是，对象文件通常用于 Spark 作业间的通信。最后，Java 序列化有可能相当慢。

要保存对象文件，只需在 RDD 上调用 `saveAsObjectFile` 就行了。读回对象文件也相当简单：用 SparkContext 中的 `objectFile()` 函数接收一个路径，返回对应的 RDD。

了解了关于使用对象文件的这些注意事项，你可能想知道为什么会有人要用它。使用对象文件的主要原因是它们可以用来保存几乎任意对象而不需要额外的工作。

对象文件在 Python 中无法使用，不过 Python 中的 RDD 和 SparkContext 支持 `saveAsPickleFile()` 和 `pickleFile()` 方法作为替代。这使用了 Python 的 pickle 序列化库。不过，对象文件的注意事项同样适用于 pickle 文件：pickle 库可能很慢，并且在修改类定义后，已经生产的数据文件可能无法再读出来。

### 5.2.6　Hadoop输入输出格式

除了 Spark 封装的格式之外，也可以与任何 Hadoop 支持的格式交互。Spark 支持新旧两套

Hadoop 文件 API，提供了很大的灵活性。[4]

### 1. 读取其他Hadoop输入格式

要使用新版的 Hadoop API 读入一个文件，需要告诉 Spark 一些东西。newAPIHadoopFile 接收一个路径以及三个类。第一个类是"格式"类，代表输入格式。相似的函数 hadoopFile() 则用于使用旧的 API 实现的 Hadoop 输入格式。第二个类是键的类，最后一个类是值的类。如果需要设定额外的 Hadoop 配置属性，也可以传入一个 conf 对象。

KeyValueTextInputFormat 是最简单的 Hadoop 输入格式之一，可以用于从文本文件中读取键值对数据（如例 5-24 所示）。每一行都会被独立处理，键和值之间用制表符隔开。这个格式存在于 Hadoop 中，所以无需向工程中添加额外的依赖就能使用它。

**例 5-24：在 Scala 中使用老式 API 读取 KeyValueTextInputFormat()**

```
val input = sc.hadoopFile[Text, Text, KeyValueTextInputFormat](inputFile).map{
  case (x, y) => (x.toString, y.toString)
}
```

我们学习了通过读取文本文件并加以解析以读取 JSON 数据的方法。事实上，我们也可以使用自定义 Hadoop 输入格式来读取 JSON 数据。该示例需要设置一些额外的压缩选项，我们暂且跳过关于设置压缩选项的细节。Twitter 的 Elephant Bird 包（https://github.com/twitter/elephant-bird）支持很多种数据格式，包括 JSON、Lucene、Protocol Buffer 相关的格式等。这个包也适用于新旧两种 Hadoop 文件 API。为了展示如何在 Spark 中使用新式 Hadoop API，我们来看一个使用 Lzo JsonInputFormat 读取 LZO 算法压缩的 JSON 数据的例子。

**例 5-25：在 Scala 中使用 Elephant Bird 读取 LZO 算法压缩的 JSON 文件**

```
val input = sc.newAPIHadoopFile(inputFile, classOf[LzoJsonInputFormat],
  classOf[LongWritable], classOf[MapWritable], conf)
// "输入"中的每个MapWritable代表一个JSON对象
```

LZO 的支持要求你先安装 hadoop-lzo 包，并放到 Spark 的本地库中。如果你使用 Debian 包安装，在调用 spark-submit 时加上 --driver-library-path /usr/lib/hadoop/lib/native/ --driver-class-path /usr/lib/hadoop/lib/ 就可以了。

使用旧的 Hadoop API 读取文件在用法上几乎一样，除了需要提供旧式 InputFormat 类。Spark 许多自带的封装好的函数（比如 sequenceFile()）都是使用旧式 Hadoop API 实现的。

### 2. 保存Hadoop输出格式

我们对 SequenceFile 已经有了一定的了解，但是在 Java API 中没有易用的保存 pair RDD 的

---

注 4：Hadoop 在演进过程中增加了一套新的 MapReduce API，不过有些库仍然使用旧的那套。

函数。我们就把这种情况作为展示如何使用旧式 Hadoop 格式的 API 的例子（见例 5-26）；新接口（saveAsNewAPIHadoopFile）的调用方法也是类似的。

**例 5-26：在 Java 保存 SequenceFile**

```
public static class ConvertToWritableTypes implements
  PairFunction<Tuple2<String, Integer>, Text, IntWritable> {
  public Tuple2<Text, IntWritable> call(Tuple2<String, Integer> record) {
    return new Tuple2(new Text(record._1), new IntWritable(record._2));
  }
}

JavaPairRDD<String, Integer> rdd = sc.parallelizePairs(input);
JavaPairRDD<Text, IntWritable> result = rdd.mapToPair(new ConvertToWritableTypes());
result.saveAsHadoopFile(fileName, Text.class, IntWritable.class,
  SequenceFileOutputFormat.class);
```

### 3. 非文件系统数据源

除了 hadoopFile() 和 saveAsHadoopFile() 这一大类函数，还可以使用 hadoopDataset/saveAsHadoopDataSet 和 newAPIHadoopDataset/saveAsNewAPIHadoopDataset 来访问 Hadoop 所支持的非文件系统的存储格式。例如，许多像 HBase 和 MongoDB 这样的键值对存储都提供了用来直接读取 Hadoop 输入格式的接口。我们可以在 Spark 中很方便地使用这些格式。

hadoopDataset() 这一组函数只接收一个 Configuration 对象，这个对象用来设置访问数据源所必需的 Hadoop 属性。你要使用与配置 Hadoop MapReduce 作业相同的方式来配置这个对象。所以你应当按照在 MapReduce 中访问这些数据源的使用说明来配置，并把配置对象传给 Spark。比如，5.5.3 节展示了如何使用 newAPIHadoopDataset 来从 HBase 中读取数据。

### 4. 示例：protocol buffer

Protocol buffer（简称 PB，https://github.com/google/protobuf）[5] 最早由 Google 开发，用于内部的远程过程调用（RPC），已经开源。PB 是结构化数据，它要求字段和类型都要明确定义。它们是经过优化的，编解码速度快，而且占用空间也很小。比起 XML，PB 能在同样的空间内存储大约 3 到 10 倍的数据，同时编解码速度大约为 XML 的 20 至 100 倍。PB 采用一致化编码，因此有很多种创建一个包含多个 PB 消息的文件的方式。

PB 使用领域专用语言来定义，PB 编译器可以生成各种语言的访问函数（包括 Spark 支持的那些语言）。由于 PB 需要占用尽量少的空间，所以它不是“自描述”的，因为对数据描述的编码需要占用额外的空间。这表示当我们需要解析 PB 格式的数据时，需要获取并理解 PB 的定义。

PB 由可选字段、必需字段、重复字段三种字段组成。在解析时，可选字段的缺失不会导致解析失败，而必需字段的缺失则会导致数据解析失败。因此，在往 PB 定义中添加新字段时，最好将新字段设为可选字段，毕竟不是所有人都会同时更新到新版本（即使他们会

注 5：有时称为 pb 或 protobuf。

这样做，你还是有可能需要读取以前的旧数据）。

PB 字段支持许多预定义类型，或者另一个 PB 消息。这些类型包括 string、int32、enum 等。这里将不提供 PB 的完整介绍，如果你感兴趣的话，可以访问 Protocol Buffer 的网站（https://developers.google.com/protocol-buffers）了解更多细节。

例 5-27 研究的是如何从一个简单的 PB 格式中读取许多 VenueResponse 对象。VenueResponse 是只包含一个重复字段的简单格式，这个字段包含一条带有必需字段、可选字段以及枚举类型字段的 PB 消息。

**例 5-27：PB 定义示例**

```
message Venue {
  required int32 id = 1;
  required string name = 2;
  required VenueType type = 3;
  optional string address = 4;

  enum VenueType {
    COFFEESHOP = 0;
    WORKPLACE = 1;
    CLUB = 2;
    OMNOMNOM = 3;
    OTHER = 4;
  }
}

message VenueResponse {
  repeated Venue results = 1;
}
```

前一节中使用过 Twitter 的 Elephant Bird 库来读取 JSON 数据，它也支持从 PB 中读取和保存数据。下面来看一个写出 Venues 的示例，如例 5-28 所示。

**例 5-28：在 Scala 中使用 Elephant Bird 写出 protocol buffer**

```
val job = new Job()
val conf = job.getConfiguration
LzoProtobufBlockOutputFormat.setClassConf(classOf[Places.Venue], conf);
val dnaLounge = Places.Venue.newBuilder()
dnaLounge.setId(1);
dnaLounge.setName("DNA Lounge")
dnaLounge.setType(Places.Venue.VenueType.CLUB)
val data = sc.parallelize(List(dnaLounge.build()))
val outputData = data.map{ pb =>
  val protoWritable = ProtobufWritable.newInstance(classOf[Places.Venue]);
  protoWritable.set(pb)
  (null, protoWritable)
}
outputData.saveAsNewAPIHadoopFile(outputFile, classOf[Text],
  classOf[ProtobufWritable[Places.Venue]],
  classOf[LzoProtobufBlockOutputFormat[ProtobufWritable[Places.Venue]]], conf)
```

这个示例的完整版本可以在本书的源代码中找到。

构建工程时，请确保使用的 PB 库的版本与 Spark 相同。在写作本书之际，Spark 使用的版本是 2.5。

## 5.2.7 文件压缩

在大数据工作中，我们经常需要对数据进行压缩以节省存储空间和网络传输开销。对于大多数 Hadoop 输出格式来说，我们可以指定一种压缩编解码器来压缩数据。我们已经提过，Spark 原生的输入方式（`textFile` 和 `sequenceFile`）可以自动处理一些类型的压缩。在读取压缩后的数据时，一些压缩编解码器可以推测压缩类型。

这些压缩选项只适用于支持压缩的 Hadoop 格式，也就是那些写出到文件系统的格式。写入数据库的 Hadoop 格式一般没有实现压缩支持。如果数据库中有压缩过的记录，那应该是数据库自己配置的。

选择一个输出压缩编解码器可能会对这些数据以后的用户产生巨大影响。对于像 Spark 这样的分布式系统，我们通常会尝试从多个不同机器上一起读入数据。要实现这种情况，每个工作节点都必须能够找到一条新记录的开端。有些压缩格式会使这变得不可能，而必须要单个节点来读入所有数据，这就很容易产生性能瓶颈。可以很容易地从多个节点上并行读取的格式被称为“可分割”的格式。表 5-3 列出了可用的压缩选项。

表5-3：压缩选项

| 格式 | 可分割 | 平均压缩速度 | 文本文件压缩效率 | Hadoop压缩编解码器 | 纯Java实现 | 原生 | 备注 |
| --- | --- | --- | --- | --- | --- | --- | --- |
| gzip | 否 | 快 | 高 | `org.apache.hadoop.io.compress.GzipCodec` | 是 | 是 | |
| lzo | 是[6] | 非常快 | 中等 | `com.hadoop.compression.lzo.LzoCodec` | 是 | 是 | 需要在每个节点上安装 LZO |
| bzip2 | 是 | 慢 | 非常高 | `org.apache.hadoop.io.compress.Bzip2Codec` | 是 | 是 | 为可分割版本使用纯 Java |
| zlib | 否 | 慢 | 中等 | `org.apache.hadoop.io.compress.DefaultCodec` | 是 | 是 | Hadoop 的默认压缩编解码器 |
| Snappy | 否 | 非常快 | 低 | `org.apache.hadoop.io.compress.SnappyCodec` | 否 | 是 | Snappy 有纯 Java 的移植版，但是在 Spark/Hadoop 中不能用 |

注 6：取决于所使用的库。

尽管 Spark 的 textFile() 方法可以处理压缩过的输入，但即使输入数据被以可分割读取的方式压缩，Spark 也不会打开 splittable。因此，如果你要读取单个压缩过的输入，最好不要考虑使用 Spark 的封装，而是使用 newAPIHadoopFile 或者 hadoopFile，并指定正确的压缩编解码器。

有些输入格式（例如 SequenceFile）允许我们只压缩键值对数据中的值，这在查询时很有用。其他一些输入格式也有自己的压缩控制：比如，Twitter 的 Elephant Bird 包中的许多格式都可以使用 LZO 算法压缩的数据。

## 5.3 文件系统

Spark 支持读写很多种文件系统，可以使用任何我们想要的文件格式。

### 5.3.1 本地/“常规”文件系统

Spark 支持从本地文件系统中读取文件，不过它要求文件在集群中所有节点的相同路径下都可以找到。

一些像 NFS、AFS 以及 MapR 的 NFS layer 这样的网络文件系统会把文件以常规文件系统的形式暴露给用户。如果你的数据已经在这些系统中，那么你只需要指定输入为一个 file:// 路径；只要这个文件系统挂载在每个节点的同一个路径下，Spark 就会自动处理（如例 5-29 所示）。

**例 5-29：在 Scala 中从本地文件系统读取一个压缩的文本文件**

```
val rdd = sc.textFile("file:///home/holden/happypandas.gz")
```

如果文件还没有放在集群中的所有节点上，你可以在驱动器程序中从本地读取该文件而无需使用整个集群，然后再调用 parallelize 将内容分发给工作节点。不过这种方式可能会比较慢，所以推荐的方法是将文件先放到像 HDFS、NFS、S3 等共享文件系统上。

### 5.3.2 Amazon S3

用 Amazon S3 来存储大量数据正日益流行。当计算节点部署在 Amazon EC2 上的时候，使用 S3 作为存储尤其快，但是在需要通过公网访问数据时性能会差很多。

要在 Spark 中访问 S3 数据，你应该首先把你的 S3 访问凭据设置为 AWS_ACCESS_KEY_ID 和 AWS_SECRET_ACCESS_KEY 环境变量。你可以从 Amazon Web Service 控制台创建这些凭据。接下来，将一个以 s3n:// 开头的路径以 s3n://bucket/path-within-bucket 的形式传给 Spark 的输入方法。和其他所有文件系统一样，Spark 也能在 S3 路径中支持通配字符，例如 s3n://bucket/my-Files/*.txt。

如果你从 Amazon 那里得到 S3 访问权限错误，请确保你指定了访问密钥的账号对数据桶有“read”（读）和“list”（列表）的权限。Spark 需要列出桶内的内容，来找到想要读取的数据。

### 5.3.3 HDFS

Hadoop 分布式文件系统（HDFS）是一种广泛使用的文件系统，Spark 能够很好地使用它。HDFS 被设计为可以在廉价的硬件上工作，有弹性地应对节点失败，同时提供高吞吐量。Spark 和 HDFS 可以部署在同一批机器上，这样 Spark 可以利用数据分布来尽量避免一些网络开销。

在 Spark 中使用 HDFS 只需要将输入输出路径指定为 hdfs://master:port/path 就够了。

HDFS 协议随 Hadoop 版本改变而变化，因此如果你使用的 Spark 是依赖于另一个版本的 Hadoop 编译的，那么读取会失败。默认情况下，Spark 基于 Hadoop 1.0.4 编译[7]。如果从源代码编译，你可以在环境变量中指定 `SPARK_HADOOP_VERSION=` 来基于另一个版本的 Hadoop 进行编译；也可以直接下载预编译好的 Spark 版本。你可以根据运行 `hadoop version` 的结果来获得环境变量要设置的值。

## 5.4 Spark SQL中的结构化数据

Spark SQL 是在 Spark 1.0 中新加入 Spark 的组件，并快速成为了 Spark 中较受欢迎的操作结构化和半结构化数据的方式。结构化数据指的是有结构信息的数据——也就是所有的数据记录都具有一致字段结构的集合。Spark SQL 支持多种结构化数据源作为输入，而且由于 Spark SQL 知道数据的结构信息，它还可以从这些数据源中只读出所需字段。第 9 章将更详细地讲解 Spark SQL，现在我们只展示如何使用它从一些常见数据源中读取数据。

在各种情况下，我们把一条 SQL 查询给 Spark SQL，让它对一个数据源执行查询（选出一些字段或者对字段使用一些函数），然后得到由 `Row` 对象组成的 RDD，每个 `Row` 对象表示一条记录。在 Java 和 Scala 中，`Row` 对象的访问是基于下标的。每个 `Row` 都有一个 `get()` 方法，会返回一个一般类型让我们可以进行类型转换。另外还有针对常见基本类型的专用 `get()` 方法（例如 `getFloat()`、`getInt()`、`getLong()`、`getString()`、`getShort()`、`getBoolean()` 等）。在 Python 中，可以使用 `row[column_number]` 以及 `row.column_name` 来访问元素。

注 7：自 Spark 1.4.0 起，Spark 默认的 Hadoop 版本已升级至 2.2.0。——译者注

## 5.4.1 Apache Hive

Apache Hive 是 Hadoop 上的一种常见的结构化数据源。Hive 可以在 HDFS 内或者在其他存储系统上存储多种格式的表。这些格式从普通文本到列式存储格式，应有尽有。Spark SQL 可以读取 Hive 支持的任何表。

要把 Spark SQL 连接到已有的 Hive 上，你需要提供 Hive 的配置文件。你需要将 hive-site.xml 文件复制到 Spark 的 ./conf/ 目录下。这样做好之后，再创建出 HiveContext 对象，也就是 Spark SQL 的入口，然后你就可以使用 Hive 查询语言（HQL）来对你的表进行查询，并以由行组成的 RDD 的形式拿到返回数据，如例 5-30 至例 5-32 所示。

**例 5-30：用 Python 创建 HiveContext 并查询数据**

```
from pyspark.sql import HiveContext

hiveCtx = HiveContext(sc)
rows = hiveCtx.sql("SELECT name, age FROM users")
firstRow = rows.first()
print firstRow.name
```

**例 5-31：用 Scala 创建 HiveContext 并查询数据**

```
import org.apache.spark.sql.hive.HiveContext

val hiveCtx = new org.apache.spark.sql.hive.HiveContext(sc)
val rows = hiveCtx.sql("SELECT name, age FROM users")
val firstRow = rows.first()
println(firstRow.getString(0)) // 字段0是name字段
```

**例 5-32：用 Java 创建 HiveContext 并查询数据**

```
import org.apache.spark.sql.hive.HiveContext;
import org.apache.spark.sql.Row;
import org.apache.spark.sql.SchemaRDD;

HiveContext hiveCtx = new HiveContext(sc);
SchemaRDD rows = hiveCtx.sql("SELECT name, age FROM users");
Row firstRow = rows.first();
System.out.println(firstRow.getString(0)); // 字段0是name字段
```

我们会在 9.3.1 节更详细地介绍如何从 Hive 中读取数据。

## 5.4.2 JSON

如果你有记录间结构一致的 JSON 数据，Spark SQL 也可以自动推断出它们的结构信息，并将这些数据读取为记录，这样就可以使得提取字段的操作变得很简单。要读取 JSON 数据，首先需要和使用 Hive 一样创建一个 HiveContext。（不过在这种情况下我们不需要安装好 Hive，也就是说你也不需要 hive-site.xml 文件。）然后使用 HiveContext.jsonFile 方法来从整个文件中获取由 Row 对象组成的 RDD。除了使用整个 Row 对象，你也可以将 RDD

注册为一张表，然后从中选出特定的字段。例如，假设有一个包含推文的 JSON 文件，格式如例 5-33 所示，每行一条记录。

**例 5-33：JSON 中的示例推文**

```
{"user": {"name": "Holden", "location": "San Francisco"}, "text": "Nice day out today"}
{"user": {"name": "Matei", "location": "Berkeley"}, "text": "Even nicer here :)"}
```

我们可以读取这些数据，只从中选取 `username`（用户名）和 `text`（文本）字段，如例 5-34 至例 5-36 所示。

**例 5-34：在 Python 中使用 Spark SQL 读取 JSON 数据**

```python
tweets = hiveCtx.jsonFile("tweets.json")
tweets.registerTempTable("tweets")
results = hiveCtx.sql("SELECT user.name, text FROM tweets")
```

**例 5-35：在 Scala 中使用 Spark SQL 读取 JSON 数据**

```scala
val tweets = hiveCtx.jsonFile("tweets.json")
tweets.registerTempTable("tweets")
val results = hiveCtx.sql("SELECT user.name, text FROM tweets")
```

**例 5-36：在 Java 中使用 Spark SQL 读取 JSON 数据**

```java
SchemaRDD tweets = hiveCtx.jsonFile(jsonFile);
tweets.registerTempTable("tweets");
SchemaRDD results = hiveCtx.sql("SELECT user.name, text FROM tweets");
```

我们会在 9.3.3 节对如何使用 Spark SQL 读取 JSON 数据并访问其结构信息进行深入探讨。此外，Spark SQL 的支持远不限于读取数据，还包括查询数据、以比 RDD 所支持的方式更复杂的方式组合数据、对数据运行自定义函数，这些都将在第 9 章中讲到。

# 5.5 数据库

通过数据库提供的 Hadoop 连接器或者自定义的 Spark 连接器，Spark 可以访问一些常用的数据库系统。本节来展示四种常见的连接器。

## 5.5.1 Java数据库连接

Spark 可以从任何支持 Java 数据库连接（JDBC）的关系型数据库中读取数据，包括 MySQL、Postgre 等系统。要访问这些数据，需要构建一个 `org.apache.spark.rdd.JdbcRDD`，将 SparkContext 和其他参数一起传给它。例 5-37 就演示了如何使用 `JdbcRDD` 连接 MySQL 数据库。

**例 5-37：Scala 中的 JdbcRDD**

```scala
def createConnection() = {
  Class.forName("com.mysql.jdbc.Driver").newInstance();
```

```
    DriverManager.getConnection("jdbc:mysql://localhost/test?user=holden");
  }

  def extractValues(r: ResultSet) = {
    (r.getInt(1), r.getString(2))
  }

  val data = new JdbcRDD(sc,
    createConnection, "SELECT * FROM panda WHERE ? <= id AND id <= ?",
    lowerBound = 1, upperBound = 3, numPartitions = 2, mapRow = extractValues)
  println(data.collect().toList)
```

JdbcRDD 接收这样几个参数。

- 首先，要提供一个用于对数据库创建连接的函数。这个函数让每个节点在连接必要的配置后创建自己读取数据的连接。
- 接下来，要提供一个可以读取一定范围内数据的查询，以及查询参数中 lowerBound 和 upperBound 的值。这些参数可以让 Spark 在不同机器上查询不同范围的数据，这样就不会因尝试在一个节点上读取所有数据而遭遇性能瓶颈。[8]
- 这个函数的最后一个参数是一个可以将输出结果从 java.sql.ResultSet（http://docs.oracle.com/javase/7/docs/api/java/sql/ResultSet.html）转为对操作数据有用的格式的函数。在例 5-37 中，我们会得到 (Int, String) 对。如果这个参数空缺，Spark 会自动将每行结果转为一个对象数组。

和其他的数据源一样，在使用 JdbcRDD 时，需要确保你的数据库可以应付 Spark 并行读取的负载。如果你想要离线查询数据而不使用在线数据库，可以使用数据库的导出功能，将数据导出为文本文件。

## 5.5.2 Cassandra

随着 DataStax 开源其用于 Spark 的 Cassandra 连接器（https://github.com/datastax/spark-cassandra-connector），Spark 对 Cassandra 的支持大大提升。这个连接器目前还不是 Spark 的一部分，因此你需要添加一些额外的依赖到你的构建文件中才能使用它。Cassandra 还没有使用 Spark SQL，不过它会返回由 CassandraRow 对象组成的 RDD，这些对象有一部分方法与 Spark SQL 的 Row 对象的方法相同，如例 5-38 和例 5-39 所示。Spark 的 Cassandra 连接器目前只能在 Java 和 Scala 中使用。

**例 5-38：Cassandra 连接器的 sbt 依赖**

```
"com.datastax.spark" %% "spark-cassandra-connector" % "1.0.0-rc5",
"com.datastax.spark" %% "spark-cassandra-connector-java" % "1.0.0-rc5"
```

注 8：如果你不知道到底有多少条记录，可以先手动执行一条计数查询，然后根据结果来决定 upperBound 和 lowerBound 的值。

**例 5-39：Cassandra 连接器的 Maven 依赖**

```
<dependency> <!-- Cassandra -->
  <groupId>com.datastax.spark</groupId>
  <artifactId>spark-cassandra-connector</artifactId>
  <version>1.0.0-rc5</version>
</dependency>
<dependency> <!-- Cassandra -->
  <groupId>com.datastax.spark</groupId>
  <artifactId>spark-cassandra-connector-java</artifactId>
  <version>1.0.0-rc5</version>
</dependency>
```

跟 Elasticsearch 很像，Cassandra 连接器要读取一个作业属性来决定连接到哪个集群。我们把 `spark.cassandra.connection.host` 设置为指向 Cassandra 集群。如果有用户名和密码的话，则需要分别设置 `spark.cassandra.auth.username` 和 `spark.cassandra.auth.password`。假定你只有一个 Cassandra 集群要连接，可以在创建 SparkContext 时就把这些都设好，如例 5-40 和例 5-41 所示。

**例 5-40：在 Scala 中配置 Cassandra 属性**

```
val conf = new SparkConf(true)
        .set("spark.cassandra.connection.host", "hostname")

val sc = new SparkContext(conf)
```

**例 5-41：在 Java 中配置 Cassandra 属性**

```
SparkConf conf = new SparkConf(true)
  .set("spark.cassandra.connection.host", cassandraHost);
JavaSparkContext sc = new JavaSparkContext(
  sparkMaster, "basicquerycassandra", conf);
```

Datastax 的 Cassandra 连接器使用 Scala 中的隐式转换来为 SparkContext 和 RDD 提供一些附加函数。让我们引入这些隐式转换，并尝试读取一些数据（如例 5-42 所示）。

**例 5-42：在 Scala 中将整张键值对表读取为 RDD**

```
// 为SparkContext和RDD提供附加函数的隐式转换
import com.datastax.spark.connector._

// 将整张表读为一个RDD。假设你的表test的创建语句为
// CREATE TABLE test.kv(key text PRIMARY KEY, value int);
val data = sc.cassandraTable("test" , "kv")
// 打印出value字段的一些基本统计。
data.map(row => row.getInt("value")).stats()
```

在 Java 中，由于没有隐式转换，所以需要显式地转换 SparkContext 对象和 RDD 来实现这样的功能（如例 5-43 所示）。

**例 5-43：在 Java 中将整张键值对表读取为 RDD**

```
import com.datastax.spark.connector.CassandraRow;
```

```
import static com.datastax.spark.connector.CassandraJavaUtil.javaFunctions;

// 将整张表读为一个RDD。假设你的表test的创建语句为
// CREATE TABLE test.kv(key text PRIMARY KEY, value int);
JavaRDD<CassandraRow> data = javaFunctions(sc).cassandraTable("test" , "kv");
// 打印一些基本统计。
System.out.println(data.mapToDouble(new DoubleFunction<CassandraRow>() {
  public double call(CassandraRow row) { return row.getInt("value"); }
}).stats());
```

除了读取整张表，也可以查询数据集的子集。通过在 cassandraTable() 的调用中加上 where 子句，可以限制查询的数据，例如 sc.cassandraTable(...).where("key=?", "panda")。

Cassandra 连接器支持把多种类型的 RDD 保存到 Cassandra 中。我们可以直接保存由 CassandraRow 对象组成的 RDD，这对于在表之间复制数据比较有用。通过指定列的映射关系，我们也可以存储不是行的形式而是元组和列表的形式的 RDD，如例 5-44 所示。

**例 5-44：在 Scala 中保存数据到 Cassandra**

```
val rdd = sc.parallelize(List(Seq("moremagic", 1)))
rdd.saveToCassandra("test" , "kv", SomeColumns("key", "value"))
```

本节只是简短地介绍了 Cassandra 连接器。要了解更多信息，请查阅该连接器的 GitHub 页面（https://github.com/datastax/spark-cassandra-connector）。

## 5.5.3 HBase

由于 org.apache.hadoop.hbase.mapreduce.TableInputFormat 类的实现，Spark 可以通过 Hadoop 输入格式访问 HBase。这个输入格式会返回键值对数据，其中键的类型为 org.apache.hadoop.hbase.io.ImmutableBytesWritable，而值的类型为 org.apache.hadoop.hbase.client.Result。Result 类包含多种根据列获取值的方法，在其 API 文档（https://hbase.apache.org/apidocs/org/apache/hadoop/hbase/client/Result.html）中有所描述。

要将 Spark 用于 HBase，你需要使用正确的输入格式调用 SparkContext.newAPIHadoopRDD。Scala 中的示例如例 5-45 所示。

**例 5-45：从 HBase 读取数据的 Scala 示例**

```
import org.apache.hadoop.hbase.HBaseConfiguration
import org.apache.hadoop.hbase.client.Result
import org.apache.hadoop.hbase.io.ImmutableBytesWritable
import org.apache.hadoop.hbase.mapreduce.TableInputFormat

val conf = HBaseConfiguration.create()
conf.set(TableInputFormat.INPUT_TABLE, "tablename") // 扫描哪张表

val rdd = sc.newAPIHadoopRDD(
  conf, classOf[TableInputFormat], classOf[ImmutableBytesWritable],classOf[Result])
```

TableInputFormat 包含多个可以用来优化对 HBase 的读取的设置项，比如将扫描限制到一部分列中，以及限制扫描的时间范围。你可以在 TableInputFormat 的 API 文档（http://hbase.apache.org/apidocs/org/apache/hadoop/hbase/mapreduce/TableInputFormat.html）中找到这些选项，并在 HBaseConfiguration 中设置它们，然后再把它传给 Spark。

### 5.5.4 Elasticsearch

Spark 可以使用 Elasticsearch-Hadoop（https://github.com/elastic/elasticsearch-hadoop）从 Elasticsearch 中读写数据。Elasticsearch 是一个开源的、基于 Lucene 的搜索系统。

Elasticsearch 连接器和我们研究过的其他连接器不大一样，它会忽略我们提供的路径信息，而依赖于在 SparkContext 中设置的配置项。Elasticsearch 的 OutputFormat 连接器也没有用到 Spark 所封装的类型，所以我们使用 saveAsHadoopDataSet 来代替，这意味着我们需要手动设置更多属性。让我们通过例 5-46 和例 5-47 来看看如何对 Elasticsearch 读写一些简单的数据。

最新版的 Elasticsearch Spark 连接器用起来更简单，支持返回 Spark SQL 中的行对象。这个连接器仍然是隐藏的，因为行转换还不支持 Elasticsearch 中所有的原生类型。

**例 5-46：在 Scala 中使用 Elasticsearch 输出**

```
val jobConf = new JobConf(sc.hadoopConfiguration)
jobConf.set("mapred.output.format.class", "org.elasticsearch.hadoop.
mr.EsOutputFormat")
jobConf.setOutputCommitter(classOf[FileOutputCommitter])
jobConf.set(ConfigurationOptions.ES_RESOURCE_WRITE, "twitter/tweets")
jobConf.set(ConfigurationOptions.ES_NODES, "localhost")
FileOutputFormat.setOutputPath(jobConf, new Path("-"))
output.saveAsHadoopDataset(jobConf)
```

**例 5-47：在 Scala 中使用 Elasticsearch 输入**

```
def mapWritableToInput(in: MapWritable): Map[String, String] = {
  in.map{case (k, v) => (k.toString, v.toString)}.toMap
}

val jobConf = new JobConf(sc.hadoopConfiguration)
jobConf.set(ConfigurationOptions.ES_RESOURCE_READ, args(1))
jobConf.set(ConfigurationOptions.ES_NODES, args(2))
val currentTweets = sc.hadoopRDD(jobConf,
  classOf[EsInputFormat[Object, MapWritable]], classOf[Object],
  classOf[MapWritable])
// 仅提取map
// 将MapWritable[Text, Text]转为Map[String, String]
val tweets = currentTweets.map{ case (key, value) => mapWritableToInput(value) }
```

和其他连接器相比，Elasticsearch 连接器有点复杂，但这也是对于如何操作这类连接器的一个有效参考。

就输出而言，Elasticsearch 可以进行映射推断，但是偶尔会推断出不正确的数据类型，因此如果你要存储字符串以外的数据类型，最好明确指定类型映射（https://www.elastic.co/guide/en/elasticsearch/reference/current/indices-put-mapping.html）。

## 5.6 总结

在本章结束之际，你应该已经能够将数据读取到 Spark 中，并将计算结果以你所希望的方式存储起来。我们调查了数据可以使用的一些不同格式，一些压缩选项以及它们对应的数据处理的方式。现在我们已经掌握了读取和保存大规模数据集的方法，后续章节会介绍一些用来编写更高效更强大的 Spark 程序的方法。

# 第6章

# Spark编程进阶

## 6.1 简介

本章介绍前几章没有提及的 Spark 编程的各种进阶特性，会介绍两种类型的共享变量：*累加器*（accumulator）与*广播变量*（broadcast variable）。累加器用来对信息进行聚合，而广播变量用来高效分发较大的对象。在已有的 RDD 转化操作的基础上，我们为类似查询数据库这样需要很大配置代价的任务引入了批操作。为了扩展可用的工具范围，本章会介绍 Spark 与外部程序交互的方式，比如如何与用 R 语言编写的脚本进行交互。

本章会使用业余无线电操作者的呼叫日志作为输入，构建出一个完整的示例应用。这些日志至少包含联系过的站点的呼号。呼号是由国家分配的，每个国家都有自己的呼号号段，所以我们可以根据呼号查到对应的国家。有一些呼叫日志也包含操作者的地理位置，用来帮助确定距离。例 6-1 展示了一段示例日志。本书的示例代码仓库中包含一个需要从呼叫日志中查询并进行处理的呼号列表。

**例 6-1：一条 JSON 格式的呼叫日志示例，其中某些字段已省略**

```
{"address":"address here", "band":"40m","callsign":"KK6JLK","city":"SUNNYVALE",
"contactlat":"37.384733","contactlong":"-122.032164",
"county":"Santa Clara","dxcc":"291","fullname":"MATTHEW McPherrin",
"id":57779,"mode":"FM","mylat":"37.751952821","mylong":"-122.4208688735",...}
```

要用到的第一个 Spark 特性就是共享变量。共享变量是一种可以在 Spark 任务中使用的特殊类型的变量。在示例中，我们使用 Spark 共享变量来对非严重错误的情况进行计数，以及分发一张巨大的查询表。

当任务需要很长时间进行配置，譬如需要创建数据库连接或者随机数生成器时，在多个数据元素间共享一次配置就会比较有效率。由于需要用到远程呼号查询数据库，所以会讨论如何基于分区进行操作以重用数据库连接的配置工作。

除了 Spark 直接支持的语言外，系统还可以调用用别的语言写出来的程序。本章会介绍如何使用与 Spark 语言无关的方法 pipe() 来与其他程序通过标准输入和标准输出进行交互。我们会使用 pipe() 方法来访问 R 语言的库，以计算业余电台操作者每次联系的距离。

最后，和操作键值对类似，Spark 也有专门用来操作数值数据的方法。下面通过用业余电台呼叫日志计算出来的距离移除异常值的示例，展示如何使用这些方法。

## 6.2 累加器

通常在向 Spark 传递函数时，比如使用 map() 函数或者用 filter() 传条件时，可以使用驱动器程序中定义的变量，但是集群中运行的每个任务都会得到这些变量的一份新的副本，更新这些副本的值也不会影响驱动器中的对应变量。Spark 的两个共享变量，*累加器*与*广播变量*，分别为结果聚合与广播这两种常见的通信模式突破了这一限制。

第一种共享变量，即累加器，提供了将工作节点中的值聚合到驱动器程序中的简单语法。累加器的一个常见用途是在调试时对作业执行过程中的事件进行计数。例如，假设我们在从文件中读取呼号列表对应的日志，同时也想知道输入文件中有多少空行（也许不希望在有效输入中看到很多这样的行）。例 6-2 至例 6-4 展示了这一场景。

**例 6-2：在 Python 中累加空行**

```
file = sc.textFile(inputFile)
# 创建Accumulator[Int]并初始化为0
blankLines = sc.accumulator(0)

def extractCallSigns(line):
    global blankLines # 访问全局变量
    if (line == ""):
        blankLines += 1
    return line.split(" ")

callSigns = file.flatMap(extractCallSigns)
callSigns.saveAsTextFile(outputDir + "/callsigns")
print "Blank lines: %d" % blankLines.value
```

**例 6-3：在 Scala 中累加空行**

```
val sc = new SparkContext(...)
val file = sc.textFile("file.txt")

val blankLines = sc.accumulator(0) // 创建Accumulator[Int]并初始化为0

val callSigns = file.flatMap(line => {
```

```
    if (line == "") {
      blankLines += 1 // 累加器加1
    }
    line.split(" ")
  })

  callSigns.saveAsTextFile("output.txt")
  println("Blank lines: " + blankLines.value)
```

**例 6-4：在 Java 中累加空行**

```
JavaRDD<String> rdd = sc.textFile(args[1]);

final Accumulator<Integer> blankLines = sc.accumulator(0);
JavaRDD<String> callSigns = rdd.flatMap(
  new FlatMapFunction<String, String>() { public Iterable<String> call(String line) {
      if (line.equals("")) {
        blankLines.add(1);
      }
      return Arrays.asList(line.split(" "));
  }});

callSigns.saveAsTextFile("output.txt")
System.out.println("Blank lines: "+ blankLines.value());
```

在这些示例中，我们创建了一个叫作 `blankLines` 的 `Accumulator[Int]` 对象，然后在输入中看到一个空行时就对其加 1。执行完转化操作之后，就打印出累加器中的值。注意，只有在运行 `saveAsTextFile()` 行动操作后才能看到正确的计数，因为行动操作前的转化操作 `flatMap()` 是惰性的，所以作为计算副产品的累加器只有在惰性的转化操作 `flatMap()` 被 `saveAsTextFile()` 行动操作强制触发时才会开始求值。

当然，也可以使用 `reduce()` 这样的行动操作将整个 RDD 中的值都聚合到驱动器中。只是我们有时希望使用一种更简单的方法来对那些与 RDD 本身的范围和粒度不一样的值进行聚合。聚合可以发生在 RDD 进行转化操作的过程中。在前面的例子中，我们使用累加器在读取数据时对错误进行计数，而没有分别使用 `filter()` 和 `reduce()`。

总结起来，累加器的用法如下所示。

- 通过在驱动器中调用 `SparkContext.accumulator(initialValue)` 方法，创建出存有初始值的累加器。返回值为 `org.apache.spark.Accumulator[T]` 对象，其中 T 是初始值 `initialValue` 的类型。
- Spark 闭包里的执行器代码可以使用累加器的 `+=` 方法（在 Java 中是 `add`）增加累加器的值。
- 驱动器程序可以调用累加器的 `value` 属性（在 Java 中使用 `value()` 或 `setValue()`）来访问累加器的值。

注意，工作节点上的任务不能访问累加器的值。从这些任务的角度来看，累加器是一个只写变量。在这种模式下，累加器的实现可以更加高效，不需要对每次更新操作进行复杂的通信。

这里展示的计数在很多时候都非常方便，比如有多个值需要跟踪时，或者当某个值需要在并行程序的多个地方增长时（比如你可能需要对程序中调用 JSON 解析库的次数进行计数）。例如，我们一般预期数据的一小部分是毁坏的，或者允许后端有一定的失败数次。为了防止产生含有过多错误的垃圾输出，可以使用累加器对有效记录和无效记录分别进行计数。累加器的值只有在驱动器程序中可以访问，所以检查也应当在驱动器程序中完成。

继续之前的示例，现在可以验证呼号，并且只有在大部分输入有效时才输出。国际电信联盟在 19 号文件中对业余电台的呼号格式进行了规范，我们可以根据这一规范，使用正则表达式来验证呼号，如例 6-5 所示。

**例 6-5：在 Python 使用累加器进行错误计数**

```
# 创建用来验证呼号的累加器
validSignCount = sc.accumulator(0)
invalidSignCount = sc.accumulator(0)

def validateSign(sign):
    global validSignCount, invalidSignCount
    if re.match(r"\A\d?[a-zA-Z]{1,2}\d{1,4}[a-zA-Z]{1,3}\Z", sign):
        validSignCount += 1
        return True
    else:
        invalidSignCount += 1
        return False

# 对与每个呼号的联系次数进行计数
validSigns = callSigns.filter(validateSign)
contactCount = validSigns.map(lambda sign: (sign, 1)).reduceByKey(lambda (x, y): x
+ y)

# 强制求值计算计数
contactCount.count()
if invalidSignCount.value < 0.1 * validSignCount.value:
    contactCount.saveAsTextFile(outputDir + "/contactCount")
else:
    print "Too many errors: %d in %d" % (invalidSignCount.value, validSignCount.
value)
```

### 6.2.1 累加器与容错性

Spark 会自动重新执行失败的或较慢的任务来应对有错误的或者比较慢的机器。例如，如果对某分区执行 `map()` 操作的节点失败了，Spark 会在另一个节点上重新运行该任务。即使该节点没有崩溃，而只是处理速度比别的节点慢很多，Spark 也可以抢占式地在另一个节点上启动一个“投机”（speculative）型的任务副本，如果该任务更早结束就可以直接获取结果。即使没有节点失败，Spark 有时也需要重新运行任务来获取缓存中被移除出内存的数据。因此最终结果就是同一个函数可能对同一个数据运行了多次，这取决于集群发生了什么。

这种情况下累加器要怎么处理呢？实际结果是，对于要在行动操作中使用的累加器，Spark只会把每个任务对各累加器的修改应用一次。因此，如果想要一个无论在失败还是重复计算时都绝对可靠的累加器，我们必须把它放在 `foreach()` 这样的行动操作中。

对于在 RDD 转化操作中使用的累加器，就不能保证有这种情况了。转化操作中累加器可能会发生不止一次更新。举个例子，当一个被缓存下来但是没有经常使用的 RDD 在第一次从 LRU 缓存中被移除并又被重新用到时，这种非预期的多次更新就会发生。这会强制 RDD 根据其谱系进行重算，而副作用就是这也会使得谱系中的转化操作里的累加器进行更新，并再次发送到驱动器中。在转化操作中，累加器通常只用于调试目的。

尽管将来版本的 Spark 可能会把这一行为改成只更新一次累加器的结果，但当前版本（1.2.0）确实会进行多次更新，因此转化操作中的累加器最好只在调试时使用。

### 6.2.2 自定义累加器

到目前为止，我们学习了如何使用加法操作 Spark 的一种累加器类型整型（`Accumulator[Int]`）。Spark 还直接支持 `Double`、`Long` 和 `Float` 型的累加器。除此以外，Spark 也引入了自定义累加器和聚合操作的 API（比如找到要累加的值中的最大值，而不是把这些值加起来）。自定义累加器需要扩展 `AccumulatorParam`，这在 Spark API 文档（http://spark.apache.org/docs/latest/api/scala/index.html#package）中有所介绍。只要该操作同时满足交换律和结合律，就可以使用任意操作来代替数值上的加法。比如除了跟踪总和，还可以跟踪数据的最大值。

如果对于任意的 $a$ 和 $b$，有 $a\ op\ b = b\ op\ a$，就说明操作 *op* 满足交换律。如果对于任意的 $a$、$b$ 和 $c$，有 $(a\ op\ b)\ op\ c = a\ op\ (b\ op\ c)$，就说明操作 *op* 满足结合律。例如，`sum` 和 `max` 既满足交换律又满足结合律，是 Spark 累加器中的常用操作。

## 6.3 广播变量

Spark 的第二种共享变量类型是广播变量，它可以让程序高效地向所有工作节点发送一个较大的只读值，以供一个或多个 Spark 操作使用。比如，如果你的应用需要向所有节点发送一个较大的只读查询表，甚至是机器学习算法中的一个很大的特征向量，广播变量用起来都很顺手。

前面提过，Spark 会自动把闭包中所有引用到的变量发送到工作节点上。虽然这很方便，但也很低效。原因有二：首先，默认的任务发射机制是专门为小任务进行优化的；其次，事实上你可能会在多个并行操作中使用同一个变量，但是 Spark 会为每个操作分别发送。举个例子，假设要写一个 Spark 程序，通过呼号的前缀来查询对应的国家。虽然前缀的长度不一，但由于每个国家都使用各自的业余呼号前缀，所以这种方法还是可行的。如果用 Spark 直接实现，则代码就如例 6-6 所示。

**例 6-6：在 Python 中查询国家**

```
# 查询RDD contactCounts中的呼号的对应位置。将呼号前缀
# 读取为国家代码来进行查询
signPrefixes = loadCallSignTable()

def processSignCount(sign_count, signPrefixes):
    country = lookupCountry(sign_count[0], signPrefixes)
    count = sign_count[1]
    return (country, count)

countryContactCounts = (contactCounts
                        .map(processSignCount)
                        .reduceByKey((lambda x, y: x+ y)))
```

这个程序可以运行，但是如果表更大（比如表中不是呼号而是 IP 地址），`signPrefixes` 很容易就会达到数 MB 大小，从主节点为每个任务发送一个这样的数组就会代价巨大。而且，如果之后还要再次使用 `signPrefixes` 这个对象（可能还要在 file2.txt 上运行同样的代码），则还需要向每个节点再发送一遍。

我们可以把 `signPrefixes` 变为广播变量来解决这一问题。广播变量其实就是类型为 `spark.broadcast.Broadcast[T]` 的一个对象，其中存放着类型为 `T` 的值。可以在任务中通过对 `Broadcast` 对象调用 `value` 来获取该对象的值。这个值只会被发送到各节点一次，使用的是一种高效的类似 BitTorrent 的通信机制。

使用广播变量后，先前的例子就改为了如例 6-7 至例 6-9 所示那样。

**例 6-7：在 Python 中使用广播变量查询国家**

```
# 查询RDD contactCounts中的呼号的对应位置。将呼号前缀
# 读取为国家代码来进行查询
signPrefixes = sc.broadcast(loadCallSignTable())

def processSignCount(sign_count, signPrefixes):
    country = lookupCountry(sign_count[0], signPrefixes.value)
    count = sign_count[1]
    return (country, count)

countryContactCounts = (contactCounts
                        .map(processSignCount)
                        .reduceByKey((lambda x, y: x+ y)))

countryContactCounts.saveAsTextFile(outputDir + "/countries.txt")
```

**例 6-8：在 Scala 中使用广播变量查询国家**

```
// 查询RDD contactCounts中的呼号的对应位置。将呼号前缀
// 读取为国家代码来进行查询
```

```
val signPrefixes = sc.broadcast(loadCallSignTable())
val countryContactCounts = contactCounts.map{case (sign, count) =>
  val country = lookupInArray(sign, signPrefixes.value)
  (country, count)
}.reduceByKey((x, y) => x + y)
countryContactCounts.saveAsTextFile(outputDir + "/countries.txt")
```

**例 6-9：在 Java 中使用广播变量查询国家**

```
// 读入呼号表
// 查询RDD contactCounts中的呼号对应的国家
final Broadcast<String[]> signPrefixes = sc.broadcast(loadCallSignTable());
JavaPairRDD<String, Integer> countryContactCounts = contactCounts.mapToPair(
  new PairFunction<Tuple2<String, Integer>, String, Integer> (){
    public Tuple2<String, Integer> call(Tuple2<String, Integer> callSignCount) {
      String sign = callSignCount._1();
      String country = lookupCountry(sign, signPrefixes.value());
      return new Tuple2(country, callSignCount._2());
    }}).reduceByKey(new SumInts());
countryContactCounts.saveAsTextFile(outputDir + "/countries.txt");
```

如以上示例所示，使用广播变量的过程很简单。

(1) 通过对一个类型 T 的对象调用 SparkContext.broadcast 创建出一个 Broadcast[T] 对象。任何可序列化的类型都可以这么实现。

(2) 通过 value 属性访问该对象的值（在 Java 中为 value() 方法）。

(3) 变量只会被发到各个节点一次，应作为只读值处理（修改这个值不会影响到别的节点）。

满足只读要求的最容易的使用方式是广播基本类型的值或者引用不可变对象。在这样的情况下，你没有办法修改广播变量的值，除了在驱动器程序的代码中可以修改。但是，有时传一个可变对象可能更为方便与高效。如果你这样做的话，就需要自己维护只读的条件。就像对 Array[String] 类型的呼号前缀表所做的那样，必须确保从节点上运行的代码不会尝试去做诸如 val theArray = broadcastArray.value; theArray(0) = newValue 这样的事情。当在工作节点上执行时，这一行将 newValue 赋给数组的第一个元素，但是只对该工作节点本地的这个数组的副本有效，而不会改变任何其他工作节点上通过 broadcastArray.value 所读取到的内容。

## 广播的优化

当广播一个比较大的值时，选择既快又好的序列化格式是很重要的，因为如果序列化对象的时间很长或者传送花费的时间太久，这段时间很容易就成为性能瓶颈。尤其是，Spark 的 Scala 和 Java API 中默认使用的序列化库为 Java 序列化库，因此它对于除基本类型的数组以外的任何对象都比较低效。你可以使用 spark.serializer 属性选择另一个序列化库来优化序列化过程（第 8 章中会讨论如何使用 Kryo 这种更快的序列化库），也可以为你的数据类型实现自己的序列化方式（对 Java 对象使用 `java.io.Externalizable` 接口实现序列化，或使用 `reduce()` 方法为 Python 的 pickle 库定义自定义的序列化）。

## 6.4　基于分区进行操作

基于分区对数据进行操作可以让我们避免为每个数据元素进行重复的配置工作。诸如打开数据库连接或创建随机数生成器等操作，都是我们应当尽量避免为每个元素都配置一次的工作。Spark 提供基于分区的 `map` 和 `foreach`，让你的部分代码只对 RDD 的每个分区运行一次，这样可以帮助降低这些操作的代价。

回到呼号的示例程序中来，我们有一个在线的业余电台呼号数据库，可以用这个数据库查询日志中记录过的联系人呼号列表。通过使用基于分区的操作，可以在每个分区内共享一个数据库连接池，来避免建立太多连接，同时还可以重用 JSON 解析器。如例 6-10 至例 6-12 所示，使用 `mapPartitions` 函数获得输入 RDD 的每个分区中的元素迭代器，而需要返回的是执行结果的序列的迭代器。

**例 6-10：在 Python 中使用共享连接池**

```
def processCallSigns(signs):
    """使用连接池查询呼号"""
    # 创建一个连接池
    http = urllib3.PoolManager()
    # 与每条呼号记录相关联的URL
    urls = map(lambda x: "http://73s.com/qsos/%s.json" % x, signs)
    # 创建请求(非阻塞)
    requests = map(lambda x: (x, http.request('GET', x)), urls)
    # 获取结果
    result = map(lambda x: (x[0], json.loads(x[1].data)), requests)
    # 删除空的结果并返回
    return filter(lambda x: x[1] is not None, result)

def fetchCallSigns(input):
    """获取呼号"""
    return input.mapPartitions(lambda callSigns : processCallSigns(callSigns))

contactsContactList = fetchCallSigns(validSigns)
```

**例 6-11：在 Scala 中使用共享连接池与 JSON 解析器**

```
val contactsContactLists = validSigns.distinct().mapPartitions{
  signs =>
  val mapper = createMapper()
  val client = new HttpClient()
  client.start()
  // 创建http请求
  signs.map {sign =>
    createExchangeForSign(sign)
 // 获取响应
  }.map{ case (sign, exchange) =>
```

```
    (sign, readExchangeCallLog(mapper, exchange))
  }.filter(x => x._2 != null) // 删除空的呼叫日志
}
```

**例 6-12：在 Java 中使用共享连接池与 JSON 解析器**

```
// 使用mapPartitions重用配置工作
JavaPairRDD<String, CallLog[]> contactsContactLists =
  validCallSigns.mapPartitionsToPair(
  new PairFlatMapFunction<Iterator<String>, String, CallLog[]>() {
    public Iterable<Tuple2<String, CallLog[]>> call(Iterator<String> input) {
      // 列出结果
      ArrayList<Tuple2<String, CallLog[]>> callsignLogs = new ArrayList<>();
      ArrayList<Tuple2<String, ContentExchange>> requests = new ArrayList<>();
      ObjectMapper mapper = createMapper();
      HttpClient client = new HttpClient();
      try {
        client.start();
        while (input.hasNext()) {
          requests.add(createRequestForSign(input.next(), client));
        }
        for (Tuple2<String, ContentExchange> signExchange : requests) {
          callsignLogs.add(fetchResultFromRequest(mapper, signExchange));
        }
      } catch (Exception e) {
      }
      return callsignLogs;
    }});
System.out.println(StringUtils.join(contactsContactLists.collect(), ","));
```

当基于分区操作 RDD 时，Spark 会为函数提供该分区中的元素的迭代器。返回值方面，也返回一个迭代器。除 `mapPartitions()` 外，Spark 还有一些别的基于分区的操作符，列在了表 6-1 中。

**表6-1：按分区执行的操作符**

| 函数名 | 调用所提供的 | 返回的 | 对于RDD[T]的函数签名 |
|---|---|---|---|
| `mapPartitions()` | 该分区中元素的迭代器 | 返回的元素的迭代器 | `f: (Iterator[T]) → Iterator[U]` |
| `mapPartitionsWithIndex()` | 分区序号，以及每个分区中的元素的迭代器 | 返回的元素的迭代器 | `f: (Int, Iterator[T]) → Iterator[U]` |
| `foreachPartitions()` | 元素迭代器 | 无 | `f: (Iterator[T]) → Unit` |

除了避免重复的配置工作，也可以使用 `mapPartitions()` 避免创建对象的开销。有时需要创建一个对象来将不同类型的数据聚合起来。回忆一下第 3 章中，当计算平均值时，一种方法是将数值 RDD 转为二元组 RDD，以在归约过程中追踪所处理的元素个数。现在，可以为每个分区只创建一次二元组，而不用为每个元素都执行这个操作，参见例 6-13 和例 6-14。

**例 6-13：在 Python 中不使用 mapPartitions() 求平均值**

```
def combineCtrs(c1, c2):
    return (c1[0] + c2[0], c1[1] + c2[1])

def basicAvg(nums):
    """计算平均值"""
    nums.map(lambda num: (num, 1)).reduce(combineCtrs)
```

**例 6-14：在 Python 中使用 mapPartitions() 求平均值**

```
def partitionCtr(nums):
    """计算分区的sumCounter"""
    sumCount = [0, 0]
    for num in nums:
        sumCount[0] += num
        sumCount[1] += 1
    return [sumCount]

def fastAvg(nums):
    """计算平均值"""
    sumCount = nums.mapPartitions(partitionCtr).reduce(combineCtrs)
    return sumCount[0] / float(sumCount[1])
```

# 6.5 与外部程序间的管道

有三种可用的语言供你选择，这可能已经满足了你用来编写 Spark 应用的几乎所有需求。但是，如果 Scala、Java 以及 Python 都不能实现你需要的功能，那么 Spark 也为这种情况提供了一种通用机制，可以将数据通过管道传给用其他语言编写的程序，比如 R 语言脚本。

Spark 在 RDD 上提供 pipe() 方法。Spark 的 pipe() 方法可以让我们使用任意一种语言实现 Spark 作业中的部分逻辑，只要它能读写 Unix 标准流就行。通过 pipe()，你可以将 RDD 中的各元素从标准输入流中以字符串形式读出，并对这些元素执行任何你需要的操作，然后把结果以字符串的形式写入标准输出——这个过程就是 RDD 的转化操作过程。这种接口和编程模型有较大的局限性，但是有时候这恰恰是你想要的，比如在 map 或 filter 操作中使用某些语言原生的函数。

有时候，由于你已经写好并测试好了一些很复杂的软件，所以会希望把 RDD 中的内容通过管道交给这些外部程序或者脚本来进行处理并重用。很多数据科学家都用 R[1] 写好的代码[2]，可以通过 pipe() 与 R 程序进行交互。

在例 6-15 中，我们使用一个 R 语言的库来计算所有联系人的距离。程序会把 RDD 的每个元素都以换行符作为分隔符写出去，而那个 R 程序输出的每一行都是字符串，用来构成结果 RDD 中的元素。为了让 R 程序能够比较简单地解析输入，我们会把数据以 mylat, mylon, theirlat, theirlon 的格式重新组织。这里使用逗号作为分隔符。

注 1：SparkR 在 Spark 1.4.0 中已成为 Spark 的一部分。——译者注

注 2：SparkR 项目也使用 Spark 提供了一个轻量级前端，以便在 R 中使用 Spark。

**例 6-15：R 语言的距离程序**

```
#!/usr/bin/env Rscript
library("Imap")
f <- file("stdin")
open(f)
while(length(line <- readLines(f,n=1)) > 0) {
  # 处理行
  contents <- Map(as.numeric, strsplit(line, ","))
  mydist <- gdist(contents[[1]][1], contents[[1]][2],
                  contents[[1]][3], contents[[1]][4],
                  units="m", a=6378137.0, b=6356752.3142, verbose = FALSE)
  write(mydist, stdout())
}
```

如果这段程序写在一个可执行文件 ./src/R/finddistance.R 中，那么使用起来应该像这样：

```
$ ./src/R/finddistance.R
37.75889318222431,-122.42683635321838,37.7614213,-122.4240097
349.2602
coffee
NA
ctrl-d
```

目前为止一切顺利——可以将 `stdin` 中的每一行数据都转为 `stdout` 中的输出了。现在需要做的事情是让每个工作节点都能访问 `finddistance.R`，并调用这个脚本来对 RDD 进行实际的转化操作。这两个任务在 Spark 中都很容易完成，具体可参考例 6-16 至例 6-18。

**例 6-16：在 Python 中使用 `pipe()` 调用 `finddistance.R` 的驱动器程序**

```
# 使用一个R语言外部程序计算每次呼叫的距离
distScript = "./src/R/finddistance.R"
distScriptName = "finddistance.R"
sc.addFile(distScript)
def hasDistInfo(call):
    """验证一次呼叫是否有计算距离时必需的字段"""
    requiredFields = ["mylat", "mylong", "contactlat", "contactlong"]
    return all(map(lambda f: call[f], requiredFields))
def formatCall(call):
    """将呼叫按新的格式重新组织以使之可以被R程序解析"""
    return "{0},{1},{2},{3}".format(
        call["mylat"], call["mylong"],
        call["contactlat"], call["contactlong"])

pipeInputs = contactsContactList.values().flatMap(
    lambda calls: map(formatCall, filter(hasDistInfo, calls)))
distances = pipeInputs.pipe(SparkFiles.get(distScriptName))
print distances.collect()
```

**例 6-17：在 Scala 中使用 `pipe()` 调用 `finddistance.R` 的驱动器程序**

```
// 使用一个R语言外部程序计算每次呼叫的距离
```

```
// 将脚本添加到各个节点需要在本次作业中下载的文件的列表中
val distScript = "./src/R/finddistance.R"
val distScriptName = "finddistance.R"
sc.addFile(distScript)
val distances = contactsContactLists.values.flatMap(x => x.map(y =>
  s"$y.contactlay,$y.contactlong,$y.mylat,$y.mylong")).pipe(Seq(
    SparkFiles.get(distScriptName)))
println(distances.collect().toList)
```

**例 6-18：在 Java 中使用 pipe() 调用 finddistance.R 的驱动器程序**

```
// 使用一个R语言外部程序计算每次呼叫的距离
// 将脚本添加到各个节点需要在本次作业中下载的文件的列表中
String distScript = "./src/R/finddistance.R";
String distScriptName = "finddistance.R";
sc.addFile(distScript);
JavaRDD<String> pipeInputs = contactsContactLists.values()
  .map(new VerifyCallLogs()).flatMap(
  new FlatMapFunction<CallLog[], String>() {
    public Iterable<String> call(CallLog[] calls) {
      ArrayList<String> latLons = new ArrayList<String>();
      for (CallLog call: calls) {
        latLons.add(call.mylat + "," + call.mylong +
                "," + call.contactlat + "," + call.contactlong);
      }
      return latLons;
    }
  });
JavaRDD<String> distances = pipeInputs.pipe(SparkFiles.get(distScriptName));
System.out.println(StringUtils.join(distances.collect(), ","));
```

通过 SparkContext.addFile(path)，可以构建一个文件列表，让每个工作节点在 Spark 作业中下载列表中的文件。这些文件可以来自驱动器的本地文件系统（如前面几个例子中所示范的那样），或者来自 HDFS 或其他 Hadoop 所支持的文件系统，又或者是 HTTP、HTTPS 或 FTP 的 URI 地址。当作业中的行动操作被触发时，这些文件就会被各节点下载，然后我们就可以在工作节点上通过 SparkFiles.getRootDirectory 找到它们。我们也可以使用 SparkFiles.get(Filename) 来定位单个文件。当然，这只是确保 pipe() 能够在各工作节点上找到这个脚本的方法之一。你可以使用其他的远程复制工具来把脚本文件放到各节点可以找到的位置上。

所有通过 SparkContext.addFile(path) 添加的文件都存储在同一个目录中，所以有必要使用唯一的名字。

一旦脚本可以访问，RDD 的 pipe() 方法就可以让 RDD 中的元素很容易地通过脚本管道。假设有一个更好版本的 findDistance，可以以命令行参数的形式接收指定的 SEPARATOR。这样的话，下面的两种方法都可以完成工作，不过我们倾向于使用第一种。

- rdd.pipe(Seq(SparkFiles.get("finddistance.R"), ","))

- `rdd.pipe(SparkFiles.get("finddistance.R") + " ,")`

在第一种方法中，我们将命令调用以可定位的参数序列的形式传递（命令本身在零偏移位置）；而在第二种方法中，我们将它作为一个命令字符串传递，然后 Spark 会将这个字符串拆解为可定位的参数序列。

如果需要的话，也可以通过 `pipe()` 指定命令行环境变量。只需要把环境变量到对应值的映射表作为 `pipe()` 的第二个参数传进去，Spark 就会设置好这些值。

你现在至少应该理解了如何使用 `pipe()`、通过外部命令处理 RDD 中的元素，以及如何将这样的命令脚本分发到集群各节点，并能让工作节点找到这些脚本。

## 6.6 数值RDD的操作

Spark 对包含数值数据的 RDD 提供了一些描述性的统计操作。这是我们会在第 11 章介绍的更复杂的统计方法和机器学习方法的一个补充。

Spark 的数值操作是通过流式算法实现的，允许以每次一个元素的方式构建出模型。这些统计数据都会在调用 `stats()` 时通过一次遍历数据计算出来，并以 `StatsCounter` 对象返回。表 6-2 列出了 `StatsCounter` 上的可用方法。

表6-2：StatsCounter中可用的汇总统计数据

| 方法 | 含义 |
| --- | --- |
| `count()` | RDD 中的元素个数 |
| `mean()` | 元素的平均值 |
| `sum()` | 总和 |
| `max()` | 最大值 |
| `min()` | 最小值 |
| `variance()` | 元素的方差 |
| `sampleVariance()` | 从采样中计算出的方差 |
| `stdev()` | 标准差 |
| `sampleStdev()` | 采样的标准差 |

如果你只想计算这些统计数据中的一个，也可以直接对 RDD 调用对应的方法，比如 `rdd.mean()` 或者 `rdd.sum()`。

在例 6-19 至例 6-21 中，我们会使用汇总统计来从数据中移除一些异常值。由于我们会两次使用同一个 RDD（一次用来计算汇总统计数据，另一次用来移除异常值），因此应该把这个 RDD 缓存下来。回到呼叫日志的示例中，来看看如何从呼叫日志中移除距离过远的联系点。

**例 6-19：用 Python 移除异常值**

```
# 要把String类型RDD转为数字数据,这样才能
# 使用统计函数并移除异常值
distanceNumerics = distances.map(lambda string: float(string))
stats = distanceNumerics.stats()
stddev = stdts.stdev()
mean = stats.mean()
reasonableDistances = distanceNumerics.filter(
  lambda x: math.fabs(x - mean) < 3 * stddev)
print reasonableDistances.collect()
```

**例 6-20：用 Scala 移除异常值**

```
// 现在要移除一些异常值,因为有些地点可能是误报的
// 首先要获取字符串RDD并将它转换为双精度浮点型
val distanceDouble = distance.map(string => string.toDouble)
val stats = distanceDoubles.stats()
val stddev = stats.stdev
val mean = stats.mean
val reasonableDistances = distanceDoubles.filter(x => math.abs(x-mean) < 3 * stddev)
println(reasonableDistance.collect().toList)
```

**例 6-21：用 Java 移除异常值**

```
// 首先要把String类型RDD转为DoubleRDD,这样才能使用统计函数
JavaDoubleRDD distanceDoubles = distances.mapToDouble(new DoubleFunction<String>() {
    public double call(String value) {
      return Double.parseDouble(value);
    }});
final StatCounter stats = distanceDoubles.stats();
final Double stddev = stats.stdev();
final Double mean = stats.mean();
JavaDoubleRDD reasonableDistances =
  distanceDoubles.filter(new Function<Double, Boolean>() {
    public Boolean call(Double x) {
      return (Math.abs(x-mean) < 3 * stddev);}});
System.out.println(StringUtils.join(reasonableDistance.collect(), ","));
```

至此，这个示例应用已经全部讲完。在这个应用中，我们使用了累加器、广播变量、基于分区处理、外部程序接口调用以及汇总统计。完整的源代码分别可以从 src/python/ChapterSixExample.py、src/main/scala/com/oreilly/learningsparkexamples/scala/ChapterSixExample.scala 以及 src/main/java/com/oreilly/learningsparkexamples/java/ChapterSixExample.java 中找到。

## 6.7 总结

在本章中，我们介绍了 Spark 编程中的一些进阶特性，你可以使用这些特性使让你的程序变得更高效、更强大。后续章节会介绍部署与调优 Spark 应用，以及 Spark 内建的 SQL 库、流计算库和机器学习库。此外，我们也会开始接触一些更复杂更完整的示例程序，这些示例会用到目前为止所学过的许多功能，并且可以为你自己的 Spark 应用带来指导和启发。

# 第7章

# 在集群上运行Spark

## 7.1　简介

到目前为止，本书一直在讲如何利用 Spark shell 学习 Spark，示例程序也都运行在 Spark 本地模式下。而 Spark 的一大好处就是可以通过增加机器数量并使用集群模式运行，来扩展程序的计算能力。好在编写用于在集群上并行执行的 Spark 应用所使用的 API 跟本书之前几章所讨论的完全一样。也就是说，你可以在小数据集上利用本地模式快速开发并验证你的应用，然后无需修改代码就可以在大规模集群上运行。

本章首先介绍分布式 Spark 应用的运行环境架构，然后讨论在集群上运行 Spark 应用时的一些配置项。Spark 可以在各种各样的集群管理器（Hadoop YARN、Apache Mesos，还有 Spark 自带的独立集群管理器）上运行，所以 Spark 应用既能够适应专用集群，又能用于共享的云计算环境。我们会对各种使用情况下的优缺点和配置方法进行探讨。同时，也会讨论 Spark 应用在调度、部署、配置等各方面的一些细节。读完本章之后，你应该能学会运行分布式 Spark 程序的一切技能。下一章会介绍如何对 Spark 应用进行调试和性能调优。

## 7.2　Spark运行时架构

在深入探讨如何在集群上运行 spark 之前，先来了解一下 Spark 在分布式环境中的架构（见图 7-1），这有助于理解在集群上运行 Spark 的一些具体细节。

在分布式环境下，Spark 集群采用的是主 / 从结构。在一个 Spark 集群中，有一个节点负责中央协调，调度各个分布式工作节点。这个中央协调节点被称为驱动器（Driver）节点，与之对应的工作节点被称为执行器（executor）节点。驱动器节点可以和大量的执行器节点进行通信，它们也都作为独立的 Java 进程运行。驱动器节点和所有的执行器节点一起被称为一个 Spark 应用（application）。

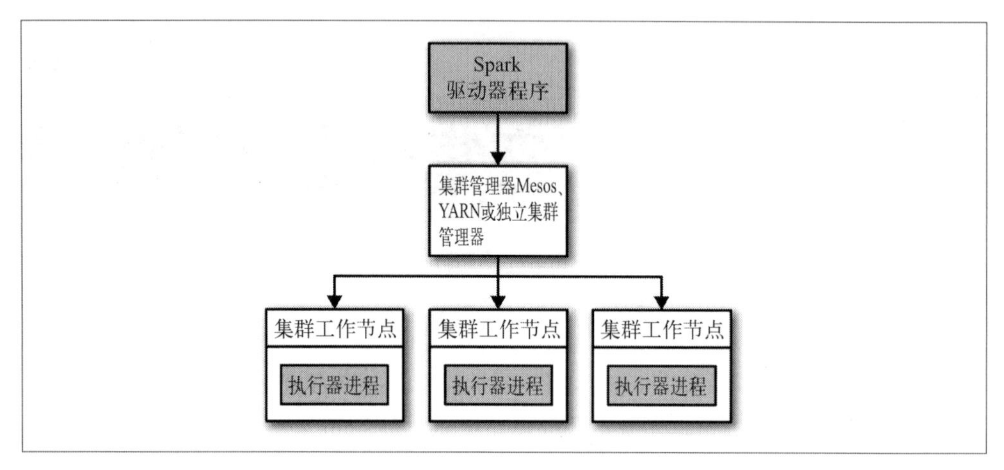


图 7-1：分布式 Spark 应用中的组件

Spark 应用通过一个叫作*集群管理器*（Cluster Manager）的外部服务在集群中的机器上启动。Spark 自带的集群管理器被称为独立集群管理器。Spark 也能运行在 Hadoop YARN 和 Apache Mesos 这两大开源集群管理器上。

## 7.2.1 驱动器节点

Spark 驱动器是执行你的程序中的 `main()` 方法的进程。它执行用户编写的用来创建 SparkContext、创建 RDD，以及进行 RDD 的转化操作和行动操作的代码。其实，当你启动 Spark shell 时，你就启动了一个 Spark 驱动器程序（相信你还记得，Spark shell 总是会预先加载一个叫作 `sc` 的 SparkContext 对象）。驱动器程序一旦终止，Spark 应用也就结束了。

驱动器程序在 Spark 应用中有下述两个职责。

- *把用户程序转为任务*

  Spark 驱动器程序负责把用户程序转为多个物理执行的单元，这些单元也被称为*任务*（task）。从上层来看，所有的 Spark 程序都遵循同样的结构：程序从输入数据创建一系列 RDD，再使用转化操作派生出新的 RDD，最后使用行动操作收集或存储结果 RDD 中的数据。Spark 程序其实是隐式地创建出了一个由操作组成的逻辑上的*有向无环图*（Directed Acyclic Graph，简称 DAG）。当驱动器程序运行时，它会把这个逻辑图转为物理执行计划。

Spark 会对逻辑执行计划作一些优化，比如将连续的映射转为流水线化执行，将多个操作合并到一个步骤中等。这样 Spark 就把逻辑计划转为一系列步骤（stage）。而每个步骤又由多个任务组成。这些任务会被打包并送到集群中。任务是 Spark 中最小的工作单元，用户程序通常要启动成百上千的独立任务。

- 为执行器节点调度任务

  有了物理执行计划之后，Spark 驱动器程序必须在各执行器进程间协调任务的调度。执行器进程启动后，会向驱动器进程注册自己。因此，驱动器进程始终对应用中所有的执行器节点有完整的记录。每个执行器节点代表一个能够处理任务和存储 RDD 数据的进程。

  Spark 驱动器程序会根据当前的执行器节点集合，尝试把所有任务基于数据所在位置分配给合适的执行器进程。当任务执行时，执行器进程会把缓存数据存储起来，而驱动器进程同样会跟踪这些缓存数据的位置，并且利用这些位置信息来调度以后的任务，以尽量减少数据的网络传输。

  驱动器程序会将一些 Spark 应用的运行时的信息通过网页界面呈现出来，默认在端口 4040 上。比如，在本地模式下，访问 http://localhost:4040 就可以看到这个网页了。我们会在第 8 章更加详细地讲解 Spark 的网页用户界面以及 Spark 的作业调度机制。

### 7.2.2 执行器节点

Spark 执行器节点是一种工作进程，负责在 Spark 作业中运行任务，任务间相互独立。Spark 应用启动时，执行器节点就被同时启动，并且始终伴随着整个 Spark 应用的生命周期而存在。如果有执行器节点发生了异常或崩溃，Spark 应用也可以继续执行。执行器进程有两大作用：第一，它们负责运行组成 Spark 应用的任务，并将结果返回给驱动器进程；第二，它们通过自身的块管理器（Block Manager）为用户程序中要求缓存的 RDD 提供内存式存储。RDD 是直接缓存在执行器进程内的，因此任务可以在运行时充分利用缓存数据加速运算。

**本地模式中的驱动器程序和执行器程序**

在本书中，大部分示例都是在本地模式运行 Spark。在本地模式下，Spark 驱动器程序和各执行器程序在同一个 Java 进程中运行。这是一个特例；执行器程序通常都运行在专用的进程中。

### 7.2.3 集群管理器

到目前为止，我们已经介绍了驱动器节点和执行器节点的抽象概念。那么，驱动器节点和执行器节点是如何启动的呢？ Spark 依赖于集群管理器来启动执行器节点，而在某些特殊情况下，也依赖集群管理器来启动驱动器节点。集群管理器是 Spark 中的可插拔式组件。这样，除了 Spark 自带的独立集群管理器，Spark 也可以运行在其他外部集群管理器上，比如 YARN 和 Mesos。

Spark 文档中始终使用驱动器节点和执行器节点的概念来描述执行 Spark 应用的进程。而主节点（master）和工作节点（worker）的概念则被用来分别表述集群管理器中的中心化的部分和分布式的部分。这些概念很容易混淆，所以要格外小心。例如，Hadoop YARN 会启动一个叫作资源管理器（Resource Manager）的主节点守护进程，以及一系列叫作节点管理器（Node Manager）的工作节点守护进程。而在 YARN 的工作节点上，Spark 不仅可以运行执行器进程，还可以运行驱动器进程。

## 7.2.4 启动一个程序

不论你使用的是哪一种集群管理器，你都可以使用 Spark 提供的统一脚本 `spark-submit` 将你的应用提交到那种集群管理器上。通过不同的配置选项，`spark-submit` 可以连接到相应的集群管理器上，并控制应用所使用的资源数量。在使用某些特定集群管理器时，`spark-submit` 也可以将驱动器节点运行在集群内部（比如一个 YARN 的工作节点）。但对于其他的集群管理器，驱动器节点只能被运行在本地机器上。我们会在下一节更加详细地讲解 `spark-submit`。

## 7.2.5 小结

回顾在集群上运行 Spark 应用的详细过程，可把本节的主要概念作如下总结。

(1) 用户通过 `spark-submit` 脚本提交应用。

(2) `spark-submit` 脚本启动驱动器程序，调用用户定义的 `main()` 方法。

(3) 驱动器程序与集群管理器通信，申请资源以启动执行器节点。

(4) 集群管理器为驱动器程序启动执行器节点。

(5) 驱动器进程执行用户应用中的操作。根据程序中所定义的对 RDD 的转化操作和行动操作，驱动器节点把工作以任务的形式发送到执行器进程。

(6) 任务在执行器程序中进行计算并保存结果。

(7) 如果驱动器程序的 `main()` 方法退出，或者调用了 `SparkContext.stop()`，驱动器程序会终止执行器进程，并且通过集群管理器释放资源。

## 7.3 使用spark-submit部署应用

前面学习过，Spark 为各种集群管理器提供了统一的工具来提交作业，这个工具是 spark-submit。第 2 章中有一个使用 spark-submit 提交 Python 程序的简单示例，这里在例 7-1 中重复一遍。

**例 7-1：提交 Python 应用**

```
bin/spark-submit my_script.py
```

如果在调用 spark-submit 时除了脚本或 JAR 包的名字之外没有别的参数，那么这个 Spark 程序只会在本地执行。当我们希望将应用提交到 Spark 独立集群上的时候，可以将独立集群的地址和希望启动的每个执行器进程的大小作为附加标记提供，如例 7-2 所示。

**例 7-2：提交应用时添加附加参数**

```
bin/spark-submit --master spark://host:7077 --executor-memory 10g my_script.py
```

--master 标记指定要连接的集群 URL；在这个示例中，spark:// 表示集群使用独立模式（见表 7-1）。稍后会讨论其他的 URL 类型。

表7-1：spark-submit的--master标记可以接收的值

| 值 | 描述 |
|---|---|
| spark://host:port | 连接到指定端口的 Spark 独立集群上。默认情况下 Spark 独立主节点使用 7077 端口 |
| mesos://host:port | 连接到指定端口的 Mesos 集群上。默认情况下 Mesos 主节点监听 5050 端口 |
| yarn | 连接到一个 YARN 集群。当在 YARN 上运行时，需要设置环境变量 HADOOP_CONF_DIR 指向 Hadoop 配置目录，以获取集群信息 |
| local | 运行本地模式，使用单核 |
| local[N] | 运行本地模式，使用 N 个核心 |
| local[*] | 运行本地模式，使用尽可能多的核心 |

除了集群 URL，spark-submit 还提供了各种选项，可以让你控制应用每次运行的各项细节。这些选项主要分为两类。第一类是调度信息，比如你希望为作业申请的资源量（如例 7-2 所示）。第二类是应用的运行时依赖，比如需要部署到所有工作节点上的库和文件。

spark-submit 的一般格式见例 7-3。

**例 7-3：spark-submit 的一般格式**

```
bin/spark-submit [options] <app jar | python file> [app options]
```

[options] 是要传给 spark-submit 的标记列表。你可以运行 spark-submit --help 列出所有可以接收的标记。表 7-2 列出了一些常见的标记。

<app jar | python File> 表示包含应用入口的 JAR 包或 Python 脚本。

[app options] 是传给你的应用的选项。如果你的程序要处理传给 main() 方法的参数，它只会得到 [app options] 对应的标记，不会得到 spark-submit 的标记。

表7-2：spark-submit的一些常见标记

| 标记 | 描述 |
| --- | --- |
| --master | 表示要连接的集群管理器。这个标记可接收的选项见表 7-1 |
| --deploy-mode | 选择在本地（客户端“client”）启动驱动器程序，还是在集群中的一台工作节点机器（集群“cluster”）上启动。在客户端模式下，spark-submit 会将驱动器程序运行在 spark-submit 被调用的这台机器上。在集群模式下，驱动器程序会被传输并执行于集群的一个工作节点上。默认是本地模式 |
| --class | 运行 Java 或 Scala 程序时应用的主类 |
| --name | 应用的显示名，会显示在 Spark 的网页用户界面中 |
| --jars | 需要上传并放到应用的 CLASSPATH 中的 JAR 包的列表。如果应用依赖于少量第三方的 JAR 包，可以把它们放在这个参数里 |
| --files | 需要放到应用工作目录中的文件的列表。这个参数一般用来放需要分发到各节点的数据文件 |
| --py-files | 需要添加到 PYTHONPATH 中的文件的列表。其中可以包含 .py、.egg 以及 .zip 文件 |
| --executor-memory | 执行器进程使用的内存量，以字节为单位。可以使用后缀指定更大的单位，比如“512m”（512 MB）或“15g”（15 GB） |
| --driver-memory | 驱动器进程使用的内存量，以字节为单位。可以使用后缀指定更大的单位，比如“512m”（512 MB）或“15g”（15 GB） |

spark-submit 还允许通过 --conf prop=value 标记设置任意的 SparkConf 配置选项，也可以使用 --properties-File 指定一个包含键值对的属性文件。第 8 章会讨论 Spark 的配置系统。

例 7-4 展示了一些使用各种选项调用 spark-submit 的例子，这些调用语句都比较长。

**例 7-4：使用各种选项调用 spark-submit**

```
# 使用独立集群模式提交Java应用
$ ./bin/spark-submit \
  --master spark://hostname:7077 \
  --deploy-mode cluster \
  --class com.databricks.examples.SparkExample \
  --name "Example Program" \
  --jars dep1.jar,dep2.jar,dep3.jar \
  --total-executor-cores 300 \
  --executor-memory 10g \
  myApp.jar "options" "to your application" "go here"

# 使用YARN客户端模式提交Python应用
$ export HADOOP_CONF_DIR=/opt/hadoop/conf
$ ./bin/spark-submit \
  --master yarn \
  --py-files somelib-1.2.egg,otherlib-4.4.zip,other-file.py \
  --deploy-mode client \
  --name "Example Program" \
```

```
--queue exampleQueue \
--num-executors 40 \
--executor-memory 10g \
my_script.py "options" "to your application" "go here"
```

## 7.4 打包代码与依赖

本书中大部分示例程序都是独立的，不依赖于 Spark 以外的库。而通常用户程序则需要依赖第三方的库。如果你的程序引入了任何既不在 `org.apache.spark` 包内也不属于语言运行时的库的依赖，你就需要确保所有的依赖在该 Spark 应用运行时都能被找到。

对于 Python 用户而言，有多种安装第三方库的方法。由于 PySpark 使用工作节点机器上已有的 Python 环境，你可以通过标准的 Python 包管理器（比如 `pip` 和 `easy_install`）直接在集群中的所有机器上安装所依赖的库，或者把依赖手动安装到 Python 安装目录下的 site-packages/ 目录中。你也可以使用 `spark-submit` 的 `--py-Files` 参数提交独立的库，这样它们也会被添加到 Python 解释器的路径中。如果你没有在集群上安装包的权限，可以手动添加依赖库，这也很方便，但是要防范与已经安装在集群上的那些包发生冲突。

**关于 Spark 本身**

当你提交应用时，绝不要把 Spark 本身放在提交的依赖中。`spark-submit` 会自动确保 Spark 在你的程序的运行路径中。

Java 和 Scala 用户也可以通过 `spark-submit` 的 `--jars` 标记提交独立的 JAR 包依赖。当只有一两个库的简单依赖，并且这些库本身不依赖于其他库时，这种方法比较合适。但是一般 Java 和 Scala 的工程会依赖很多库。当你向 Spark 提交应用时，你必须把应用的整个依赖传递图中的所有依赖都传给集群。你不仅要传递你直接依赖的库，还要传递这些库的依赖，以及它们的依赖的依赖，等等。手动维护和提交全部的依赖 JAR 包是很笨的方法。事实上，常规的做法是使用构建工具，生成单个大 JAR 包，包含应用的所有的传递依赖。这通常被称为*超级*（uber）JAR 或者*组合*（assembly）JAR，大多数 Java 或 Scala 的构建工具都支持生成这样的工件。

Java 和 Scala 中使用最广泛的构建工具是 Maven 和 sbt。它们都可以用于这两种语言，不过 Maven 通常用于 Java 工程，而 sbt 则一般用于 Scala 工程。在这里，我们会分别针对使用这两种工具构建 Spark 应用给出相应的例子。你可以把这里的示例当作自己构建 Spark 工程的模板。

### 7.4.1 使用Maven构建的用Java编写的Spark应用

下面来看一个有多个依赖的 Java 工程，在示例中我们会将它打包为一个超级 JAR 包。例 7-5 提供了 Maven 的 pom.xml 文件，其中包含本次构建的定义。这个例子没有展示实际的 Java 代码与工程的目录结构。Maven 中默认的用户代码在工程根目录（该目录应包含 pom.xml 文件）下的 src/main/java 目录中。

**例 7-5：使用 Maven 构建的 Spark 应用的 pom.xml 文件**

```
<project>
  <modelVersion>4.0.0</modelVersion>

  <!-- 工程相关信息 -->
  <groupId>com.databricks</groupId>
  <artifactId>example-build</artifactId>
  <name>Simple Project</name>
  <packaging>jar</packaging>
  <version>1.0</version>

  <dependencies>
    <!-- Spark依赖 -->
    <dependency>
      <groupId>org.apache.spark</groupId>
      <artifactId>spark-core_2.10</artifactId>
      <version>1.2.0</version>
      <scope>provided</scope>
    </dependency>
    <!-- 第三方库 -->
    <dependency>
      <groupId>net.sf.jopt-simple</groupId>
      <artifactId>jopt-simple</artifactId>
      <version>4.3</version>
    </dependency>
    <!-- 第三方库 -->
    <dependency>
      <groupId>joda-time</groupId>
      <artifactId>joda-time</artifactId>
      <version>2.0</version>
    </dependency>
  </dependencies>

  <build>
    <plugins>
      <!-- 用来创建超级JAR包的Maven shade插件 -->
      <plugin>
        <groupId>org.apache.maven.plugins</groupId>
        <artifactId>maven-shade-plugin</artifactId>
        <version>2.3</version>
        <executions>
          <execution>
            <phase>package</phase>
            <goals>
              <goal>shade</goal>
```

```
            </goals>
          </execution>
        </executions>
      </plugin>
    </plugins>
  </build>
</project>
```

这个工程声明了两个传递依赖：jopt-simple 和 joda-time，前者用来作选项解析，而后者是一个用来处理时间日期转换的工具库。这个工程也依赖于 Spark，不过我们把 Spark 标记为 provided 来确保 Spark 不与应用依赖的其他工件打包在一起。构建时，我们使用 maven-shade-plugin 插件来创建出包含所有依赖的超级 JAR 包。你可以让 Maven 在每次进行打包时执行插件的 shade 目标来使用此插件。使用这样的构建配置，超级 JAR 包就会在执行 mvn package 时自动创建出来（见例 7-6）。

**例 7-6：打包使用 Maven 构建的 Spark 应用**

```
$ mvn package
# 在目标路径中，可以看到超级JAR包和原版打包方法生成的JAR包
$ ls target/
example-build-1.0.jar
original-example-build-1.0.jar
# 展开超级JAR包可以看到依赖库中的类
$ jar tf target/example-build-1.0.jar
...
joptsimple/HelpFormatter.class
...
org/joda/time/tz/UTCProvider.class
...
# 超级JAR可以直接传给spark-submit
$ /path/to/spark/bin/spark-submit --master local ... target/example-build-1.0.jar
```

## 7.4.2 使用sbt构建的用Scala编写的Spark应用

sbt 是一个通常在 Scala 工程中使用的比较新的构建工具。sbt 预期的目录结构和 Maven 相似。在工程的根目录中，你要创建出一个叫作 build.sbt 的构建文件，源代码则应该放在 src/main/scala 中。sbt 构建文件是用配置语言写成的，在这个文件中我们把值赋给特定的键，用来定义工程的构建。例如，有一个键叫作 name，是用来指定工程名字的，还有一个键叫作 libraryDependencies，用来指定工程的依赖列表。例 7-7 给出了一个依赖于 Spark 和一些第三方库的简单应用的 sbt 完整构建文件。这个构建文件适用于 sbt 0.13。sbt 正在快速发展中，因此你可能需要读一读最新的文档，以了解构建文件格式上的改变。

**例 7-7：使用 sbt 0.13 的 Spark 应用的 build.sbt 文件**

```
import AssemblyKeys._

name := "Simple Project"
```

```
version := "1.0"

organization := "com.databricks"

scalaVersion := "2.10.3"

libraryDependencies ++= Seq(
    // Spark依赖
    "org.apache.spark" % "spark-core_2.10" % "1.2.0" % "provided",
    // 第三方库
    "net.sf.jopt-simple" % "jopt-simple" % "4.3",
    "joda-time" % "joda-time" % "2.0"
)

// 这条语句打开了assembly插件的功能
assemblySettings

// 配置assembly插件所使用的JAR
jarName in assembly := "my-project-assembly.jar"

// 一个用来把Scala本身排除在组合JAR包之外的特殊选项,因为Spark
// 已经包含了Scala
assemblyOption in assembly :=
  (assemblyOption in assembly).value.copy(includeScala = false)
```

这个构建文件的第一行从插件中引入了一些功能，这个插件用来支持创建项目的组合 JAR 包。要使用这个插件，需要在 project/ 目录下加入一个小文件，来列出对插件的依赖。我们只需要创建出 project/assembly.sbt 文件，并在其中加入 `addSbtPlugin("com.eed3si9n" % "sbt-assembly" % "0.11.2")`。`sbt-assembly` 的实际版本可能会因使用的 sbt 版本不同而变化。例 7-8 适用于 sbt 0.13。

**例 7-8：在 sbt 工程构建中添加 assembly 插件**

```
# 显示project/assembly.sbt的内容
$ cat project/assembly.sbt
addSbtPlugin("com.eed3si9n" % "sbt-assembly" % "0.11.2")
```

定义好了构建文件之后，就可以创建出一个完全组合打包的 Spark 应用 JAR 包（例 7-9）。

**例 7-9：打包使用 sbt 构建的 Spark 应用**

```
$ sbt assembly
# 在目标路径中,可以看到一个组合JAR包
$ ls target/scala-2.10/
my-project-assembly.jar
# 展开组合JAR包可以看到依赖库中的类
$ jar tf target/scala-2.10/my-project-assembly.jar
...
joptsimple/HelpFormatter.class
...
org/joda/time/tz/UTCProvider.class
...
# 组合JAR可以直接传给spark-submit
```

```
$ /path/to/spark/bin/spark-submit --master local ...
  target/scala-2.10/my-project-assembly.jar
```

### 7.4.3 依赖冲突

当用户应用与 Spark 本身依赖同一个库时可能会发生依赖冲突，导致程序崩溃。这种情况不是很常见，但是出现的时候也让人很头疼。通常，依赖冲突表现为 Spark 作业执行过程中抛出 `NoSuchMethodError`、`ClassNotFoundException`，或其他与类加载相关的 JVM 异常。对于这种问题，主要有两种解决方式：一是修改你的应用，使其使用的依赖库的版本与 Spark 所使用的相同，二是使用通常被称为“shading”的方式打包你的应用。Maven 构建工具通过对例 7-5 中使用的插件（事实上，shading 的功能也是这个插件取名为 `maven-shade-plugin` 的原因）进行高级配置来支持这种打包方式。shading 可以让你以另一个命名空间保留冲突的包，并自动重写应用的代码使得它们使用重命名后的版本。这种技术有些简单粗暴，不过对于解决运行时依赖冲突的问题非常有效。如果要了解使用这种打包方式的具体步骤，请参阅你所使用的构建工具对应的文档。

## 7.5 Spark应用内与应用间调度

刚才的例子中只有一个用户向集群提交作业。而在现实中，许多集群是在多个用户间共享的。共享的环境会带来调度方面的挑战：如果两个用户都启动了希望使用整个集群所有资源的应用，该如何处理呢？Spark 有一系列调度策略来保障资源不会被过度使用，还允许工作负载设置优先级。

在调度多用户集群时，Spark 主要依赖集群管理器来在 Spark 应用间共享资源。当 Spark 应用向集群管理器申请执行器节点时，应用收到的执行器节点个数可能比它申请的更多或者更少，这取决于集群的可用性与争用。许多集群管理器支持队列，可以为队列定义不同优先级或容量限制，这样 Spark 就可以把作业提交到相应的队列中。请查看你所使用的集群管理器的文档获取详细信息。

Spark 应用有一种特殊情况，就是那些长期运行（long lived）的应用。这意味着这些应用从不主动退出。Spark SQL 中的 JDBC 服务器就是一个长期运行的 Spark 应用。当 JDBC 服务器启动后，它会从集群管理器获得一系列执行器节点，然后就成为用户提交 SQL 查询的永久入口。由于这个应用本身就是为多用户调度工作的，所以它需要一种细粒度的调度机制来强制共享资源。Spark 提供了一种用来配置应用内调度策略的机制。Spark 内部的公平调度器（Fair Scheduler）会让长期运行的应用定义调度任务的优先级队列。本书对这部分内容未作深入探讨，若想了解详情，请参考公平调度器的官方文档：（http://spark.apache.org/docs/latest/job-scheduling.html）。

## 7.6 集群管理器

Spark 可以运行在各种*集群管理器*上，并通过集群管理器访问集群中的机器。如果你只想在一堆机器上运行 Spark，那么自带的独立模式是部署该集群最简单的方法。然而，如果你有一个需要与别的分布式应用共享的集群（比如既可以运行 Spark 作业又可以运行 Hadoop MapReduce 作业），Spark 也可以运行在两个广泛使用的集群管理器——Hadoop YARN 与 Apache Mesos 上面。最后，在把 Spark 部署到 Amazon EC2 上时，Spark 有个自带的脚本可以启动独立模式集群以及各种相关服务。本节会介绍如何在这些环境中分别运行 Spark。

### 7.6.1 独立集群管理器

Spark 独立集群管理器提供在集群上运行应用的简单方法。这种集群管理器由一个*主节点*和几个*工作节点*组成，各自都分配有一定量的内存和 CPU 核心。当提交应用时，你可以配置执行器进程使用的内存量，以及所有执行器进程使用的 CPU 核心总数。

#### 1. 启动独立集群管理器

要启动独立集群管理器，你既可以通过手动启动一个主节点和多个工作节点来实现，也可以使用 Spark 的 sbin 目录中的启动脚本来实现。启动脚本使用最简单的配置选项，但是需要预先设置机器间的 SSH 无密码访问。在 Spark 1.1 中，启动脚本仅适用于 Mac OS X 和 Linux。我们会先讲这两个操作系统上独立集群管理器的启动方法，然后再展示在其他平台上如何启动集群。

要使用集群启动脚本，请按如下步骤执行。

(1) 将编译好的 Spark 复制到所有机器的一个相同的目录下，比如 /home/yourname/spark。

(2) 设置好从主节点机器到其他机器的 SSH 无密码登陆。这需要在所有机器上有相同的用户账号，并在主节点上通过 `ssh-keygen` 生成 SSH 私钥，然后将这个私钥放到所有工作节点的 .ssh/authorized_keys 文件中。如果你之前没有设置过这种配置，你可以使用如下命令：

```
# 在主节点上:运行ssh-keygen并接受默认选项
$ ssh-keygen -t dsa
Enter file in which to save the key (/home/you/.ssh/id_dsa): [回车]
Enter passphrase (empty for no passphrase): [空]
Enter same passphrase again: [空]

# 在工作节点上:
# 把主节点的~/.ssh/id_dsa.pub文件复制到工作节点上,然后使用:
$ cat ~/.ssh/id_dsa.pub >> ~/.ssh/authorized_keys
$ chmod 644 ~/.ssh/authorized_keys
```

(3) 编辑主节点的 conf/slaves 文件并填上所有工作节点的主机名。

(4) 在主节点上运行 `sbin/start-all.sh`（要在主节点上运行而不是在工作节点上）以启动集群。如果全部启动成功，你不会得到需要密码的提示符，而且可以在 http://masternode:8080 看到集群管理器的网页用户界面，上面显示着所有的工作节点。

(5) 要停止集群，在主节点上运行 `sbin/stop-all.sh`。

如果你使用的不是 UNIX 系统，或者想手动启动集群，你也可以使用 Spark 的 bin/ 目录下的 `spark-class` 脚本分别手动启动主节点和工作节点。在主节点上，输入：

```
bin/spark-class org.apache.spark.deploy.master.Master
```

然后在工作节点上输入：

```
bin/spark-class org.apache.spark.deploy.worker.Worker spark://masternode:7077
```

（其中 `masternode` 是你的主节点的主机名）。在 Windows 中，使用 \ 来代替 /。

默认情况下，集群管理器会选择合适的默认值自动为所有工作节点分配 CPU 核心与内存。配置独立集群管理器的更多细节请参考 Spark 的官方文档（http://spark.apache.org/docs/latest/spark-standalone.html）。

### 2. 提交应用

要向独立集群管理器提交应用，需要把 `spark://masternode:7077` 作为主节点参数传给 `spark-submit`。例如：

```
spark-submit --master spark://masternode:7077 yourapp
```

这个集群的 URL 也显示在独立集群管理器的网页界面（位于 http://masternode:8080）上。注意，提交时使用的主机名和端口号必须精确匹配用户界面中的 URL。这有可能会使得使用 IP 地址而非主机名的用户遇到问题。即使 IP 地址绑定到同一台主机上，如果名字不是完全匹配的话，提交也会失败。有些管理员可能会配置 Spark 不使用 7077 端口而使用别的端口。要确保主机名和端口号的一致性，一个简单的方法是从主节点的用户界面中直接复制粘贴 URL。

你可以使用 `--master` 参数以同样的方式启动 `spark-shell` 或 `pyspark`，来连接到该集群上：

```
spark-shell --master spark://masternode:7077
pyspark --master spark://masternode:7077
```

要检查你的应用或者 shell 是否正在运行，你需要查看集群管理器的网页用户界面 http://masternode:8080 并确保：（1）应用连接上了（即出现在了 Running Applications 中）；（2）列出的所使用的核心和内存均大于 0。

阻碍应用运行的一个常见陷阱是为执行器进程申请的内存（spark-submit 的 --executor-memory 标记传递的值）超过了集群所能提供的内存总量。在这种情况下，独立集群管理器始终无法为应用分配执行器节点。请确保应用申请的值能够被集群接受。

最后，独立集群管理器支持两种部署模式。在这两种模式中，应用的驱动器程序运行在不同的地方。在客户端模式中（默认情况），驱动器程序会运行在你执行 spark-submit 的机器上，是 spark-submit 命令的一部分。这意味着你可以直接看到驱动器程序的输出，也可以直接输入数据进去（通过交互式 shell），但是这要求你提交应用的机器与工作节点间有很快的网络速度，并且在程序运行的过程中始终可用。相反，在集群模式下，驱动器程序会作为某个工作节点上一个独立的进程运行在独立集群管理器内部。它也会连接主节点来申请执行器节点。在这种模式下，spark-submit 是“一劳永逸”型，你可以在应用运行时关掉你的电脑。你还可以通过集群管理器的网页用户界面访问应用的日志。向 spark-submit 传递 --deploy-mode cluster 参数可以切换到集群模式。

### 3. 配置资源用量

如果在多应用间共享 Spark 集群，你需要决定如何在执行器进程间分配资源。独立集群管理器使用基础的调度策略，这种策略允许限制各个应用的用量来让多个应用并发执行。Apache Mesos 支持应用运行时的更动态的资源共享，而 YARN 则有分级队列的概念，可以让你限制不同类别的应用的用量。

在独立集群管理器中，资源分配靠下面两个设置来控制。

- *执行器进程内存*

  你可以通过 spark-submit 的 --executor-memory 参数来配置此项。每个应用在每个工作节点上最多拥有一个执行器进程[1]，因此这个设置项能够控制执行器节点占用工作节点的多少内存。此设置项的默认值是 1 GB，在大多数服务器上，你可能需要提高这个值来充分利用机器。

- *占用核心总数的最大值*

  这是一个应用中所有执行器进程所占用的核心总数。此项的默认值是无限。也就是说，应用可以在集群所有可用的节点上启动执行器进程。对于多用户的工作负载来说，你应该要求用户限制他们的用量。你可以通过 spark-submit 的 --total-executorcores 参数设置这个值，或者在你的 Spark 配置文件中设置 spark.cores.max 的值。

要验证这些设定，你可以从独立集群管理器的网页用户界面（http://masternode:8080）中查看当前的资源分配情况。

注 1：虽然一个从节点只能运行一个执行器进程，但是一台机器上可以运行多个从节点。——译者注最后，独立集群管理器在默认情况下会为每个应用使用尽可能分散的执行器进程。例如，假设你有一个 20 个物理节点的集群，每个物理节点是一个四核的机器，然后你使用 `--executor-memory 1G` 和 `--total-executor-cores 8` 提交应用。这样 Spark 就会在不同机器上启动 8 个执行器进程，每个 1 GB 内存。Spark 默认这样做，以尽量实现对于运行在相同机器上的分布式文件系统（比如 HDFS）的数据本地化，因为这些文件系统通常也把数据分散到所有物理节点上。如果你愿意，可以通过设置配置属性 `spark.deploy.spreadOut` 为 `false` 来要求 Spark 把执行器进程合并到尽量少的工作节点中。在这样的情况下，前面那个应用就只会得到两个执行器节点，每个有 1 GB 内存和 4 个核心。这一设定会影响运行在独立模式集群上的所有应用，并且必须在启动独立集群管理器之前设置好。

#### 4. 高度可用性

当在生产环境中运行时，你会希望你的独立模式集群始终能够接收新的应用，哪怕当前集群中所有的节点都崩溃了。其实，独立模式能够很好地支持工作节点的故障。如果你想让集群的主节点也拥有高度可用性，Spark 还支持使用 Apache ZooKeeper（一个分布式协调系统）来维护多个备用的主节点，并在一个主节点失败时切换到新的主节点上。为独立集群配置 ZooKeeper 不在本书的探讨范围内，不过在 Spark 官方文档（https://spark.apache.org/docs/latest/spark-standalone.html#high-availability）中有所描述。

## 7.6.2 Hadoop YARN

YARN 是在 Hadoop 2.0 中引入的集群管理器，它可以让多种数据处理框架运行在一个共享的资源池上，并且通常安装在与 Hadoop 文件系统（简称 HDFS）相同的物理节点上。在这样配置的 YARN 集群上运行 Spark 是很有意义的，它可以让 Spark 在存储数据的物理节点上运行，以快速访问 HDFS 中的数据。

在 Spark 里使用 YARN 很简单：你只需要设置指向你的 Hadoop 配置目录的环境变量，然后使用 `spark-submit` 向一个特殊的主节点 URL 提交作业即可。

第一步是找到你的 Hadoop 的配置目录，并把它设为环境变量 `HADOOP_CONF_DIR`。这个目录包含 yarn-site.xml 和其他配置文件；如果你把 Hadoop 装到 HADOOP_HOME 中，那么这个目录通常位于 HADOOP_HOME/conf 中，否则可能位于系统目录 /etc/hadoop/conf 中。然后用如下方式提交你的应用：

```
export HADOOP_CONF_DIR="..."
spark-submit --master yarn yourapp
```

和独立集群管理器一样，有两种将应用连接到集群的模式：客户端模式以及集群模式。在客户端模式下应用的驱动器程序运行在提交应用的机器上（比如你的笔记本电脑），而在集群模式下，驱动器程序也运行在一个 YARN 容器内部。你可以通过 `spark-submit` 的

--deploy-mode 参数设置不同的模式。[2]

Spark 的交互式 shell 以及 pyspark 也都可以运行在 YARN 上。只要设置好 HADOOP_CONF_DIR 并对这些应用使用 --master yarn 参数即可。注意，由于这些应用需要从用户处获取输入，所以只能运行于客户端模式下。

**配置资源用量**

当在 YARN 上运行时，根据你在 spark-submit 或 spark-shell 等脚本的 --num-executors 标记中设置的值，Spark 应用会使用固定数量的执行器节点。默认情况下，这个值仅为 2，所以你可能需要提高它。你也可以设置通过 --executor-memory 设置每个执行器的内存用量，通过 --executor-cores 设置每个执行器进程从 YARN 中占用的核心数目。对于给定的硬件资源，Spark 通常在用量较大而总数较少的执行器组合（使用多核与更多内存）上表现得更好，因为这样 Spark 可以优化各执行器进程间的通信。然而，需要注意的是，一些集群限制了每个执行器进程的最大内存（默认为 8 GB），不让你使用更大的执行器进程。

出于资源管理的目的，某些 YARN 集群被设置为将应用调度到多个队列中。使用 --queue 选项来选择你的队列的名字。

要了解关于 YARN 的更多配置选项的相关信息，可以查阅 Spark 官方文档（http://spark.apache.org/docs/latest/submitting-applications.html）。

### 7.6.3 Apache Mesos

Apache Mesos 是一个通用集群管理器，既可以运行分析型工作负载又可以运行长期运行的服务（比如网页服务或者键值对存储）。要在 Mesos 上使用 Spark，需要把一个 mesos:// 的 URI 传给 spark-submit：

```
spark-submit --master mesos://masternode:5050 yourapp
```

在运行多个主节点时，你可以使用 ZooKeeper 来为 Mesos 集群选出一个主节点。在这种情况下，应该使用 mesos://zk:// 的 URI 来指向一个 ZooKeeper 节点列表。比如，你有三个 ZooKeeper 节点（node1、node2 和 node3），并且 ZooKeeper 分别运行在三台机器的 2181 端口上时，你应该使用如下 URI：

```
mesos://zk://node1:2181/mesos,node2:2181/mesos,node3:2181/mesos
```

**1. Mesos调度模式**

和别的集群管理器不同，Mesos 提供了两种模式来在一个集群内的执行器进程间共享资

注 2：此处为原书错误，自 Spark 1.0.0 起连接到 YARN 集群有两种模式，分别使用 yarn-client 和 yarn-cluster 两种参数。请参阅 Spark 官方文档。——译者注

源。在“细粒度”模式（默认）中，执行器进程占用的 CPU 核心数会在它们执行任务时动态变化，因此一台运行了多个执行器进程的机器可以动态共享 CPU 资源。而在“粗粒度”模式中，Spark 提前为每个执行器进程分配固定数量的 CPU 数目，并且在应用结束前绝不释放这些资源，哪怕执行器进程当前没有运行任务。你可以通过向 `spark-submit` 传递 `--conf spark.mesos.coarse=true` 来打开粗粒度模式。

当多用户共享的集群运行 shell 这样的交互式的工作负载时，由于应用会在它们不工作时降低它们所占用的核心数，以允许别的用户程序使用集群，所以这种情况下细粒度模式显得非常合适。然而，在细粒度模式下调度任务会带来更多的延迟（这样的话，一些像 Spark Streaming 这样需要低延迟的应用就会表现很差），应用需要在用户输入新的命令时，为重新分配 CPU 核心等待一段时间。不过值得一提的是，你可以在一个 Mesos 集群中使用混合的调度模式（比如将一部分 Spark 应用的 `spark.mesos.coarse` 设置为 `true`，而另一部分不这么设置）。

#### 2. 客户端和集群模式

就 Spark 1.2 而言，在 Mesos 上 Spark 只支持以客户端的部署模式运行应用。也就是说，驱动器程序必须运行在提交应用的那台机器上。如果你还是希望在 Mesos 集群中运行你的驱动器节点，那么 Aurora（http://aurora.apache.org/）或 Chronos（http://airbnb.io/chronos）这样的框架可以让你将任意脚本提交到 Mesos 上执行，并监控它们的运行。你可以使用这类框架中的一种来启动应用的驱动器程序。

#### 3. 配置资源用量

你可以通过 `spark-submit` 的两个参数 `--executor-memory` 和 `--total-executor-cores` 来控制运行在 Mesos 上的资源用量，前者用来设置每个执行器进程的内存，后者则用来设置应用占用的核心数（所有执行器节点占用的总数）的最大值。默认情况下，Spark 会使用尽可能多的核心启动各个执行器节点，来将应用合并到尽量少的执行器实例中，并为应用分配所需要的核心数。如果你不设置 `--total-executor-cores` 参数，Mesos 会尝试使用集群中所有可用的核心。

### 7.6.4 Amazon EC2

Spark 自带一个可以在 Amazon EC2 上启动集群的脚本。这个脚本会启动一些节点，并且在它们上面安装独立集群管理器。这样一旦集群启动起来，你就可以根据前面讲到的独立模式使用方法来使用这个集群。除此以外，EC2 脚本还会安装好其他相关的服务，比如 HDFS、Tachyon 还有用来监控集群的 Ganglia。

Spark 的 EC2 脚本叫作 `spark-ec2`，位于 Spark 安装目录下的 ec2 文件夹中。它需要 Python 2.6 或更高版本的运行环境。你可以在下载 Spark 后直接运行 EC2 脚本而无需预先编译 Spark。

EC2 脚本可以管理多个已命名的集群（cluster），并且使用 EC2 安全组来区分它们。对于每个集群，脚本都会为主节点创建一个叫作 clustername-master 的安全组，而为工作节点创建一个叫作 clustername-slaves 的安全组。

### 1. 启动集群

要启动一个集群，你应该先创建一个 Amazon 网络服务（AWS）账号，并且获取访问键 ID 和访问键密码，然后把它们设在环境变量中：

```
export AWS_ACCESS_KEY_ID="..."
export AWS_SECRET_ACCESS_KEY="..."
```

然后再创建出 EC2 的 SSH 密钥对，然后下载私钥文件（通常叫作 keypair.pem），这样你就可以 SSH 到你的机器上。

接下来，运行 spark-ec2 脚本的 launch 命令，提供你的密钥对的名字、私钥文件和集群的名字。默认情况下，这条命令会使用 m1.xlarge 类型的 EC2 实例，启动一个有一个主节点和一个工作节点的集群：

```
cd /path/to/spark/ec2
./spark-ec2 -k mykeypair -i mykeypair.pem launch mycluste
```

你也可以使用 spark-ec2 的参数选项配置实例的类型、工作节点个数、EC2 地区，以及其他一些要素。例如：

```
# 启动包含5个m3.xlarge类型的工作节点的集群
./spark-ec2 -k mykeypair -i mykeypair.pem -s 5 -t m3.xlarge launch mycluster
```

要获得参数选项的完整列表，运行 spark-ec2 --help。表 7-3 列出了一些常用的选项。

**表7-3：spark-ec2的常见选项**

| 选项 | 含义 |
|---|---|
| -k KEYPAIR | 要使用的 keypair 的名字 |
| -i IDENTITY_FiLE | 私钥文件（以 .pem 结尾） |
| -s NUM_SLAVES | 工作节点数量 |
| -t INSTANCE_TYPE | 使用的实例类型 |
| -r REGION | 使用 Amazon 实例所在的区域（例如 us-west-1） |
| -z ZONE | 使用的地带（例如 us-west-1b） |
| --spot-price=PRICE | 在给定的出价使用 spot 实例（单位为美元） |

从启动脚本开始，通常需要五分钟左右来完成启动机器、登录到机器上并配置 Spark 的全部过程。

### 2. 登录集群

你可以使用存有私钥的 .pem 文件通过 SSH 登录到集群的主节点上。为了方便，spark-ec2

提供了登录命令：

```
./spark-ec2 -k mykeypair -i mykeypair.pem login mycluster
```

还有，你可以通过运行下面的命令获得主节点的主机名：

```
./spark-ec2 get-master mycluster
```

然后自行使用 `ssh -i keypair.pem root@masternode` 命令 SSH 到主节点上。

进入集群以后，你就可以使用 /root/spark 中的 Spark 环境来运行程序了。这是一个独立模式的集群环境，主节点 URL 是 spark://masternode:7077。当你使用 `spark-submit` 启动应用时，Spark 会自动配置为将应用提交到这个独立集群上。你可以从 http://masternode:8080 访问集群的网页用户界面。

注意，只有从集群中的机器上启动的程序可以使用 `spark-submit` 把作业提交上去；出于安全目的，防火墙规则会阻止外部主机提交作业。要在集群上运行一个预先打包的应用，需要先把程序包通过 SCP 复制到集群上：

```
scp -i mykeypair.pem app.jar root@masternode:~
```

### 3. 销毁集群

要销毁 `spark-ec2` 所启动的集群，运行：

```
./spark-ec2 destroy mycluster
```

这条命令会终止集群中的所有的实例（包括 `mycluster-master` 和 `mycluster-slaves` 两个安全组中的所有实例）。

### 4. 暂停和重启集群

除了将集群彻底销毁，`spark-ec2` 还可以让你中止运行集群的 Amazon 实例，并且可以让你稍后重启这些实例。停止这些实例会将它们关机，并丢失"临时"盘上的所有数据。"临时"盘上还配有一个给 `spark-ec2` 使用的 HDFS 环境（参见下一节）。不过，中止的实例会保留 root 目录下的所有数据（例如你上传到那里的所有文件），这样你就可以快速恢复自己的工作。

要中止一个集群，运行：

```
./spark-ec2 stop mycluster
```

然后，过一会儿，再次启动集群：

```
./spark-ec2 -k mykeypair -i mykeypair.pem start mycluster
```

Spark EC2 的脚本并没有提供调整集群大小的命令，但你可以通过增减 `mycluster-slaves` 安全组中的机器来实现对集群大小的控制。要增加机器，首先应当中止集群，然后使用 AWS 管理控制台，右击一台工作节点并选择“Launch more like this（启动更多像这个实例一样的实例）”。这样我们就可以在同一个安全组中创建出更多实例。然后使用 `spark-ec2 start` 启动集群。要移除机器，只需在 AWS 控制台上终止这一实例即可（不过要小心，这也会破坏集群中 HDFS 上的数据）。

### 5. 集群存储

Spark EC2 集群已经配置好了两套 Hadoop 文件系统以供存储临时数据。这样我们可以很方便地将数据集存储在访问速度比 Amazon S3 更快的媒介中。这两套文件系统详述如下。

- “临时”HDFS，使用节点上的临时盘。大多数类型的 Amazon 实例都在“临时”盘上带有大容量的本地空间，这些空间会在实例关机时消失。“临时”HDFS 使用这种空间，可以提供相当大的临时存储空间。不过它会在你关闭并重启 EC2 集群时丢失所有数据。这种文件系统安装在节点的 /root/ephemeral-hdfs 目录中，你可以使用 `bin/hdfs` 命令来访问并列出文件。你也可以访问这种 HDFS 的网页用户界面，其 URL 地址位于 http://masternode:50070。
- “永久”HDFS，使用节点的 root 分卷。这种 HDFS 在集群重启时仍然保留数据，不过一般空间较小，访问起来也比临时的那种慢。这种 HDFS 适合存放你不想多次下载的中等大小的数据集中。它安装于 /root/persistent-hdfs 目录，网页用户界面地址是 http://masternode:60070。

除了这些以外，你最有可能访问的就是 Amazon S3 中的数据了。你可以在 Spark 中使用 s3n:// 的 URI 结构来访问其中的数据，具体细节请参考 5.3.2 节。

## 7.7 选择合适的集群管理器

Spark 所支持的各种集群管理器为我们提供了部署应用的多种选择。如果你需要从零开始部署，正在权衡各种集群管理器，我们推荐如下一些准则。

- 如果是从零开始，可以先选择独立集群管理器。独立模式安装起来最简单，而且如果你只是使用 Spark 的话，独立集群管理器提供与其他集群管理器完全一样的全部功能。
- 如果你要在使用 Spark 的同时使用其他应用，或者是要用到更丰富的资源调度功能（例如队列），那么 YARN 和 Mesos 都能满足你的需求。而在这两者中，对于大多数 Hadoop 发行版来说，一般 YARN 已经预装好了。
- Mesos 相对于 YARN 和独立模式的一大优点在于其细粒度共享的选项，该选项可以将类似 Spark shell 这样的交互式应用中的不同命令分配到不同的 CPU 上。因此这对于多用户同时运行交互式 shell 的用例更有用处。

- 在任何时候，最好把 Spark 运行在运行 HDFS 的节点上，这样能快速访问存储。你可以自行在同样的节点上安装 Mesos 或独立集群管理器。如果使用 YARN 的话，大多数发行版已经把 YARN 和 HDFS 安装在了一起。

最后，请牢记集群管理器仍处于快速发展中。在这本书面世之际，Spark 当前支持的这些集群管理器可能已经有了一些针对 Spark 的新特性，而 Spark 也有可能已经增加了对新的集群管理器的支持。本章中描述的提交应用的方法不会改变，不过你依然应当查阅所使用 Spark 版本的官方文档（http://spark.apache.org/docs/latest/）来了解最新的选项。

## 7.8 总结

本章描述了 Spark 应用的运行时架构，它是由一个驱动器节点和一系列分布式执行器节点组成的。之后本章讲了如何构建、打包 Spark 应用并向集群提交执行。最后，我们总结了常见的 Spark 部署环境，包括 Spark 自带的集群管理器，还有在 YARN 或 Mesos 等第三方集群管理器上运行 Spark，以及在 Amazon EC2 云服务上运行。下一章会深入介绍更多操作细节，主要集中于调优和调试生产环境中的 Spark 应用。

# 第 8 章

# Spark调优与调试

本章介绍如何配置 Spark 应用，并粗略介绍如何调优和调试生产环境中的 Spark 工作负载。尽管 Spark 的默认设置在很多情况下无需修改就能直接使用，但有时我们也确实需要修改某些选项。本章会总结 Spark 的配置机制，着重讨论用户可能需要稍作调整的一些选项。Spark 的配置对于应用的性能调优是很有意义的。本章的第二部分则涵盖了理解 Spark 应用性能表现的必备基础知识，以及设置相关配置项、编写高性能应用的设计模式等。我们也会讨论 Spark 的用户界面、执行的组成部分、日志机制等相关内容。这些信息在进行性能调优和问题追踪时都是非常有用的。

## 8.1 使用SparkConf配置Spark

对 Spark 进行性能调优，通常就是修改 Spark 应用的运行时配置选项。Spark 中最主要的配置机制是通过 SparkConf 类对 Spark 进行配置。当创建出一个 SparkContext 时，就需要创建出一个 SparkConf 的实例，如例 8-1 至例 8-3 所示。

**例 8-1：在 Python 中使用 SparkConf 创建一个应用**

```
# 创建一个conf对象
conf = new SparkConf()
conf.set("spark.app.name", "My Spark App")
conf.set("spark.master", "local[4]")
conf.set("spark.ui.port", "36000") # 重载默认端口配置

# 使用这个配置对象创建一个SparkContext
sc = SparkContext(conf)
```

**例 8-2：在 Scala 中使用 SparkConf 创建一个应用**

```
// 创建一个conf对象
val conf = new SparkConf()
conf.set("spark.app.name", "My Spark App")
conf.set("spark.master", "local[4]")
conf.set("spark.ui.port", "36000") // 重载默认端口配置

// 使用这个配置对象创建一个SparkContext
val sc = new SparkContext(conf)
```

**例 8-3：在 Java 中使用 SparkConf 创建一个应用**

```
// 创建一个conf对象
SparkConf conf = new SparkConf();
conf.set("spark.app.name", "My Spark App");
conf.set("spark.master", "local[4]");
conf.set("spark.ui.port", "36000"); // 重载默认端口配置

// 使用这个配置对象创建一个SparkContext
JavaSparkContext sc = JavaSparkContext(conf);
```

`SparkConf` 类其实很简单：`SparkConf` 实例包含用户要重载的配置选项的键值对。Spark 中的每个配置选项都是基于字符串形式的键值对。要使用创建出来的 `SparkConf` 对象，可以调用 `set()` 方法来添加配置项的设置，然后把这个对象传给 SparkContext 的构造方法。除了 `set()` 之外，`SparkConf` 类也包含了一小部分工具方法，可以很方便地设置部分常用参数。例如，在前面的三个例子中，你也可以调用 `setAppName()` 和 `setMaster()` 来分别设置 `spark.app.name` 和 `spark.master` 的配置值。

在这几个例子中，`SparkConf` 中的值都是在应用代码中设置的。在很多情况下，动态地为给定应用设置配置选项会方便得多。Spark 允许通过 `spark-submit` 工具动态设置配置项。当应用被 `spark-submit` 脚本启动时，脚本会把这些配置项设置到运行环境中。当一个新的 `SparkConf` 被创建出来时，这些环境变量会被检测出来并且自动配好。这样，在使用 `spark-submit` 时，用户应用中只要创建一个“空”的 `SparkConf`，并直接传给 SparkContext 的构造方法就行了。

`spark-submit` 工具为常用的 Spark 配置项参数提供了专用的标记，还有一个通用标记 `--conf` 来接收任意 Spark 配置项的值，如例 8-4 所示。

**例 8-4：在运行时使用标记设置配置项的值**

```
$ bin/spark-submit \
  --class com.example.MyApp \
  --master local[4] \
  --name "My Spark App" \
  --conf spark.ui.port=36000 \
  myApp.jar
```

`spark-submit` 也支持从文件中读取配置项的值。这对于设置一些与环境相关的配置项比

较有用，方便不同用户共享这些配置（比如默认的 Spark 主节点）。默认情况下，`spark-submit` 脚本会在 Spark 安装目录中找到 conf/spark-defaults.conf 文件，尝试读取该文件中以空格隔开的键值对数据。你也可以通过 `spark-submit` 的 `--properties-File` 标记，自定义该文件的路径，如例 8-5 所示。

**例 8-5：运行时使用默认文件设置配置项的值**

```
$ bin/spark-submit \
  --class com.example.MyApp \
  --properties-file my-config.conf \
  myApp.jar

## Contents of my-config.conf ##
spark.master    local[4]
spark.app.name  "My Spark App"
spark.ui.port   36000
```

一旦传给了 SparkContext 的构造方法，应用所绑定的 `SparkConf` 就不可变了。这意味着所有的配置项都必须在 SparkContext 实例化出来之前定下来。

有时，同一个配置项可能在多个地方被设置了。例如，某用户可能在程序代码中直接调用了 `setAppName()` 方法，同时也通过 `spark-submit` 的 `--name` 标记设置了这个值。针对这种情况，Spark 有特定的优先级顺序来选择实际配置。优先级最高的是在用户代码中显式调用 `set()` 方法设置的选项。其次是通过 `spark-submit` 传递的参数，再次是写在配置文件中的值，最后是系统的默认值。如果你想获得应用中实际生效的配置，可以在应用的网页用户界面中查看，本章稍后会作进一步讨论。

表 7-2 列出了一些常用的配置项。表 8-1 则列出了其他几个比较值得关注的配置项。如果想要得到完整的配置项列表，请参考 Spark 文档（http://spark.apache.org/docs/latest/configuration.html）。

**表8-1：常用的Spark配置项的值**

| 选项 | 默认值 | 描述 |
| --- | --- | --- |
| `spark.executor.memory` (`--executor-memory`) | 512m | 为每个执行器进程分配的内存，格式与 JVM 内存字符串格式一样（例如 512m，2g）。关于本配置项的更多细节，请参阅 8.4.4 节 |
| `spark.executor.cores` (`--executor-cores`) `spark.cores.max` (`--total-executor-cores`) | 1（无） | 限制应用使用的核心个数的配置项。在 YARN 模式下，`spark.executor.cores` 会为每个任务分配指定数目的核心。在独立模式和 Mesos 模式下，`spark.core.max` 设置了所有执行器进程使用的核心总数的上限。参阅 8.4.4 节了解更多细节 |

（续）

| 选项 | 默认值 | 描述 |
| --- | --- | --- |
| spark.speculation | false | 设为 true 时开启任务预测执行机制。当出现比较慢的任务时，这种机制会在另外的节点上也尝试执行该任务的一个副本。打开此选项会帮助减少大规模集群中个别较慢的任务带来的影响 |
| spark.storage.blockManagerTimeoutIntervalMs | 45000 | 内部用来通过超时机制追踪执行器进程是否存活的阈值。对于会引发长时间垃圾回收（GC）暂停的作业，需要把这个值调到 100 秒（对应值为 100000）以上来防止失败。在 Spark 将来的版本中，这个配置项可能会被一个统一的超时设置所取代，所以请注意检索最新文档 |
| spark.executor.extraJavaOptions<br>spark.executor.extraClassPath<br>spark.executor.extraLibraryPath | （空） | 这三个参数用来自定义如何启动执行器进程的 JVM，分别用来添加额外的 Java 参数、classpath 以及程序库路径。使用字符串来设置这些参数（例如 spark.executor.extraJavaOptions="- XX:+PrintGCDetails-XX:+PrintGCTimeStamps"）。请注意，虽然这些参数可以让你自行添加执行器程序的 classpath，我们还是推荐使用 spark-submit 的 --jars 标记来添加依赖，而不是使用这几个选项 |
| spark.serializer | org.apache.spark.serializer.JavaSerializer | 指定用来进行序列化的类库，包括通过网络传输数据或缓存数据时的序列化。默认的 Java 序列化对于任何可以被序列化的 Java 对象都适用，但是速度很慢。我们推荐在追求速度时使用 org.apache.spark.serializer.KryoSerializer 并且对 Kryo 进行适当的调优。该项可以配置为任何 org.apache.spark.Serializer 的子类 |
| spark.[X].port | （任意值） | 用来设置运行 Spark 应用时用到的各个端口。这些参数对于运行在可靠网络上的集群是很有用的。有效的 X 包括 driver、fileserver、broadcast、replClassServer、blockManager，以及 executor |
| spark.eventLog.enabled | false | 设为 true 时，开启事件日志机制，这样已完成的 Spark 作业就可以通过历史服务器（history server）查看。关于历史服务器的更多信息，请参考官方文档 |
| spark.eventLog.dir | file:///tmp/spark-events | 指开启事件日志机制时，事件日志文件的存储位置。这个值指向的路径需要设置到一个全局可见的文件系统中，比如 HDFS |

几乎所有的 Spark 配置都发生在 SparkConf 的创建过程中，但有一个重要的选项是个例外。你需要在 conf/spark-env.sh 中将环境变量 SPARK_LOCAL_DIRS 设置为用逗号隔开的存储位置列表，来指定 Spark 用来混洗数据的本地存储路径。这需要在独立模式和 Mesos 模式下设置。8.4.4 节中会更详细地介绍 SPARK_LOCAL_DIRS 的相关知识点。这个配置项之所以和其他的 Spark 配置项不一样，是因为它的值在不同的物理主机上可能会有区别。

## 8.2 Spark执行的组成部分：作业、任务和步骤

要对 Spark 进行调优和调试，首先要进一步了解系统的内部设计。在前面的章节中，你已经看到了 RDD 的逻辑表示以及 RDD 的分区。在执行时，Spark 会把多个操作合并为一组任务，把 RDD 的逻辑表示翻译为物理执行计划。理解 Spark 执行的方方面面不在本书要讨论的范围内，不过理解一些执行过程中涉及的流程以及相关的术语对于调优和调试是非常有帮助的。

下面通过一个示例应用来展示 Spark 执行的各个阶段，以了解用户代码如何被编译为下层的执行计划。我们要使用的是一个使用 Spark shell 实现的简单的日志分析应用。输入数据是一个由不同严重等级的日志消息和一些分散的空行组成的文本文件，如例 8-6 所示。

**例 8-6：用作示例的源文件 input.txt**

```
## input.txt ##
INFO This is a message with content
INFO This is some other content
(空行)
INFO Here are more messages
WARN This is a warning
(空行)
ERROR Something bad happened
WARN More details on the bad thing
INFO back to normal messages
```

我们希望在 Spark shell 中打开该文件，计算其中各级别的日志消息的条数。首先我们来创建几个可以帮助我们回答该问题的 RDD，如例 8-7 所示。

**例 8-7：在 Scala 版本的 Spark shell 中处理文本数据**

```
// 读取输入文件
scala> val input = sc.textFile("input.txt")
// 切分为单词并且删掉空行
scala> val tokenized = input.
     |   map(line => line.split(" ")).
     | filter(words => words.size > 0)
// 提取出每行的第一个单词(日志等级)并进行计数
scala> val counts = tokenized.
     |   map(words = > (words(0), 1)).
     | reduceByKey{ (a,b) => a + b }
```

这一系列命令生成了一个叫作 counts 的 RDD，其中包含各级别日志对应的条目数。在 shell 中执行完这些命令之后，程序没有执行任何行动操作。相反，程序定义了一个 RDD 对象的有向无环图（DAG），我们可以在稍后行动操作被触发时用它来进行计算。每个 RDD 维护了其指向一个或多个父节点的引用，以及表示其与父节点之间关系的信息。比如，当你在 RDD 上调用 `val b = a.map()` 时，b 这个 RDD 就存下了对其父节点 a 的一个引用。这些引用使得 RDD 可以追踪到其所有的祖先节点。

Spark 提供了 toDebugString() 方法来查看 RDD 的谱系。在例 8-8 中，我们会看到在前面的例子中创建出的一些 RDD。

**例 8-8：在 Scala 中使用 toDebugString() 查看 RDD**

```
scala> input.toDebugString
res85: String =
(2) input.text MappedRDD[292] at textFile at <console>:13
  | input.text HadoopRDD[291] at textFile at <console>:13

scala> counts.toDebugString
res84: String =
(2) ShuffledRDD[296] at reduceByKey at <console>:17
 +-(2) MappedRDD[295] at map at <console>:17
    |  FilteredRDD[294] at filter at <console>:15
    |  MappedRDD[293] at map at <console>:15
    |  input.text MappedRDD[292] at textFile at <console>:13
    |  input.text HadoopRDD[291] at textFile at <console>:13
```

第一条命令输出了 RDDinput 的相关信息。通过调用 sc.textFile() 创建出了这个 RDD。从输出的谱系中，可以看到 sc.textFile() 方法所创建出的 RDD 类型，找到关于 textFile() 幕后细节的一些蛛丝马迹。事实上，该方法创建出了一个 HadoopRDD 对象，然后对该 RDD 执行映射操作，最终得到了返回的 RDD。counts 的谱系图则更加复杂一些，有多个祖先 RDD，这是由于我们对 input 进行了其他操作，包括额外的映射、筛选以及归约。counts 谱系也以图的方式展示在图 8-1 左侧。

在调用行动操作之前，RDD 都只是存储着可以让我们计算出具体数据的描述信息。要触发实际计算，需要对 counts 调用一个行动操作，比如使用 collect() 将数据收集到驱动器程序中，如例 8-9 所示。

**例 8-9：收集 RDD**

```
scala> counts.collect()
res86: Array[(String, Int)] = Array((ERROR,1), (INFO,4), (WARN,2))
```

Spark 调度器会创建出用于计算行动操作的 RDD 物理执行计划。我们在此处调用 RDD 的 collect() 方法，于是 RDD 的每个分区都会被物化出来并发送到驱动器程序中。Spark 调度器从最终被调用行动操作的 RDD（在本例中是 counts）出发，向上回溯所有必须计算的 RDD。调度器会访问 RDD 的父节点、父节点的父节点，以此类推，递归向上生成计算所有必要的祖先 RDD 的物理计划。我们以最简单的情况为例，调度器为有向图中的每个 RDD 输出计算步骤，步骤中包括 RDD 上需要应用于每个分区的任务。然后以相反的顺序执行这些步骤，计算得出最终所求的 RDD。

下面来看看更复杂的情况，此时 RDD 图与执行步骤的对应关系并不一定是一一对应的，比如，当调度器进行流水线执行（pipelining），或把多个 RDD 合并到一个步骤中时。当 RDD 不需要混洗数据就可以从父节点计算出来时，调度器就会自动进行流水线执行。例

8-8 中输出的谱系图使用不同缩进等级来展示 RDD 是否会在物理步骤中进行流水线执行。在物理执行时，执行计划输出的缩进等级与其父节点相同的 RDD 会与其父节点在同一个步骤中进行流水线执行。例如，当计算 `counts` 时，尽管有很多级父 RDD，但从缩进来看总共只有两级。这表明物理执行只需要两个步骤。由于执行序列中有几个连续的筛选和映射操作，这个例子中才出现了流水线执行。图 8-1 的右半部分展示了计算 `counts` 这个 RDD 时的两个执行步骤。

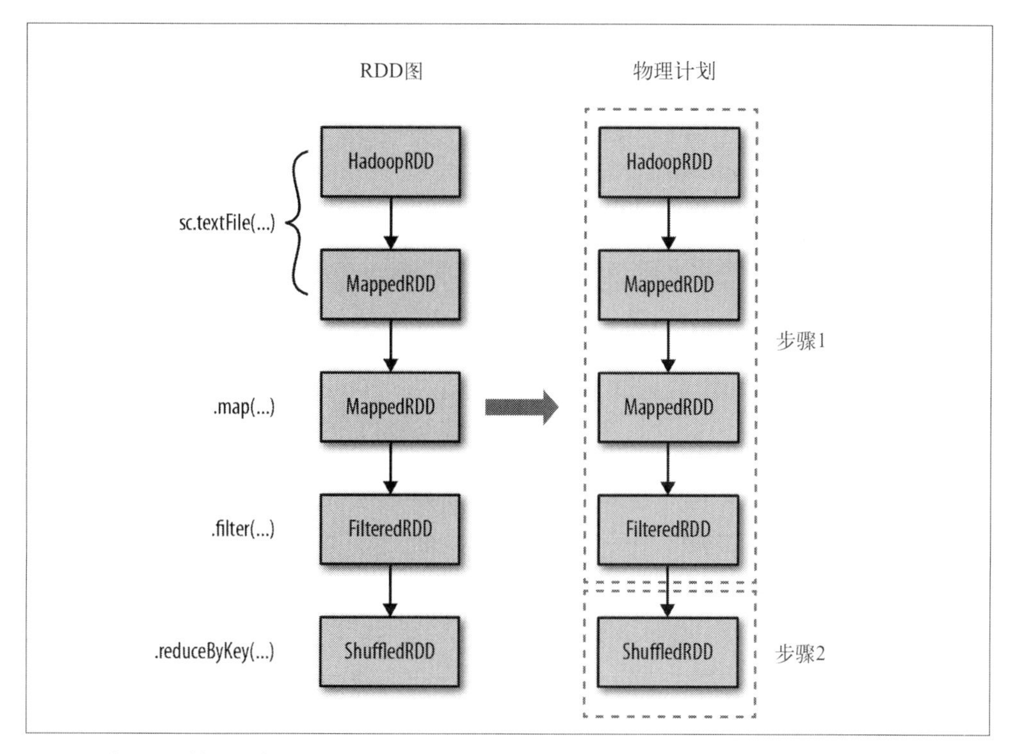


图 8-1：将 RDD 转化操作串联成物理执行步骤

如果访问应用的网页用户界面，你会发现 `collect()` 操作引发了两个步骤。如果你在自己的机器上运行这段示例代码，用户界面可以在（http://localhost:4040）上找到。本章后半部分会更详细地讨论用户界面的细节，现在你只需要简单看看程序运行期间执行了哪些步骤。

除了流水线执行的优化，当一个 RDD 已经缓存在集群内存或磁盘上时，Spark 的内部调度器也会自动截短 RDD 谱系图。在这种情况下，Spark 会"短路"求值，直接基于缓存下来的 RDD 进行计算。还有一种截短 RDD 谱系图的情况发生在当 RDD 已经在之前的数据混洗中作为副产品物化出来时，哪怕该 RDD 并没有被显式调用 `persist()` 方法。这种内部优化是基于 Spark 数据混洗操作的输出均被写入磁盘的特性，同时也充分利用了 RDD 图的某些部分会被多次计算的事实。

下面来看看物理执行中缓存的作用。我们把 `countsRDD` 缓存下来，观察之后的行动操作是怎样被截短的（例 8-10）。如果你再次访问用户界面，你会看到缓存减少了后来执行计算时所需要的步骤。多次调用 collect() 只会产生一个步骤来完成这个行动操作。

**例 8-10：计算一个已经缓存过的 RDD**

```
// 缓存RDD
scala> counts.cache()
// 第一次求值运行仍然需要两个步骤
scala> counts.collect()
res87: Array[(String, Int)] = Array((ERROR,1), (INFO,4), (WARN,2), (##,1),
((empty,2))
// 该次执行只有一个步骤
scala> counts.collect()
res88: Array[(String, Int)] = Array((ERROR,1), (INFO,4), (WARN,2), (##,1),
((empty,2))
```

特定的行动操作所生成的步骤的集合被称为一个作业。我们通过类似 count() 之类的方法触发行动操作，创建出由一个或多个步骤组成的作业。

一旦步骤图确定下来，任务就会被创建出来并发给内部的调度器。该调度器在不同的部署模式下会有所不同。物理计划中的步骤会依赖于其他步骤，如 RDD 谱系图所显示的那样。因此，这些步骤会以特定的顺序执行。例如，一个输出混洗后的数据的步骤一定会依赖于进行数据混洗的那个步骤。

一个物理步骤会启动很多任务，每个任务都是在不同的数据分区上做同样的事情。任务内部的流程是一样的，如下所述。

(1) 从数据存储（如果该 RDD 是一个输入 RDD）或已有 RDD（如果该步骤是基于已经缓存的数据）或数据混洗的输出中获取输入数据。

(2) 执行必要的操作来计算出这些操作所代表的 RDD。例如，对输入数据执行 filter() 和 map() 函数，或者进行分组或归约操作。

(3) 把输出写到一个数据混洗文件中，写入外部存储，或者是发回驱动器程序（如果最终 RDD 调用的是类似 count() 这样的行动操作）。

Spark 的大部分日志信息和工具都是以步骤、任务或数据混洗为单位的。理解用户代码如何编译为物理执行的内容是一个高深的话题，但对调优和调试应用有非常大的帮助。

归纳一下，Spark 执行时有下面所列的这些流程。

- *用户代码定义RDD的有向无环图*

  RDD 上的操作会创建出新的 RDD，并引用它们的父节点，这样就创建出了一个图。

- *行动操作把有向无环图强制转译为执行计划*

  当你调用 RDD 的一个行动操作时，这个 RDD 就必须被计算出来。这也要求计算出该

RDD 的父节点。Spark 调度器提交一个作业来计算所有必要的 RDD。这个作业会包含一个或多个步骤，每个步骤其实也就是一波并行执行的计算任务。一个步骤对应有向无环图中的一个或多个 RDD，一个步骤对应多个 RDD 是因为发生了流水线执行。

- 任务于集群中调度并执行

  步骤是按顺序处理的，任务则独立地启动来计算出 RDD 的一部分。一旦作业的最后一个步骤结束，一个行动操作也就执行完毕了。

在一个给定的 Spark 应用中，由于需要创建一系列新的 RDD，因此上述阶段会连续发生很多次。

## 8.3 查找信息

Spark 在应用执行时记录详细的进度信息和性能指标。这些内容可以在两个地方找到：Spark 的网页用户界面以及驱动器进程和执行器进程生成的日志文件中。

### 8.3.1 Spark网页用户界面

Spark 内建的网页用户界面是了解 Spark 应用的行为和性能表现的第一站。默认情况下，它在驱动器程序所在机器的 4040 端口上。不过对于 YARN 集群模式来说，应用的驱动器程序会运行在集群内部，你应该通过 YARN 的资源管理器来访问用户界面。YARN 的资源管理器会把请求直接转发给驱动器程序。

Spark 用户界面包括几个不同的页面，具体的格式在不同的 Spark 版本间也存在区别。以 Spark 1.2 为例，用户界面主要由四个不同的页面组成，下面一一进行讨论。

#### 1. 作业页面：步骤与任务的进度和指标，以及更多内容

如图 8-2 所示，作业页面包含正在进行的或刚完成不久的 Spark 作业的详细执行情况。其中一个很重要的信息是正在运行的作业、步骤以及任务的进度情况。针对每个步骤，这个页面提供了一些帮助理解物理执行过程的指标。

作业页面是在 Spark 1.2 中才引入的，如果你使用更早版本的话，就看不到了。

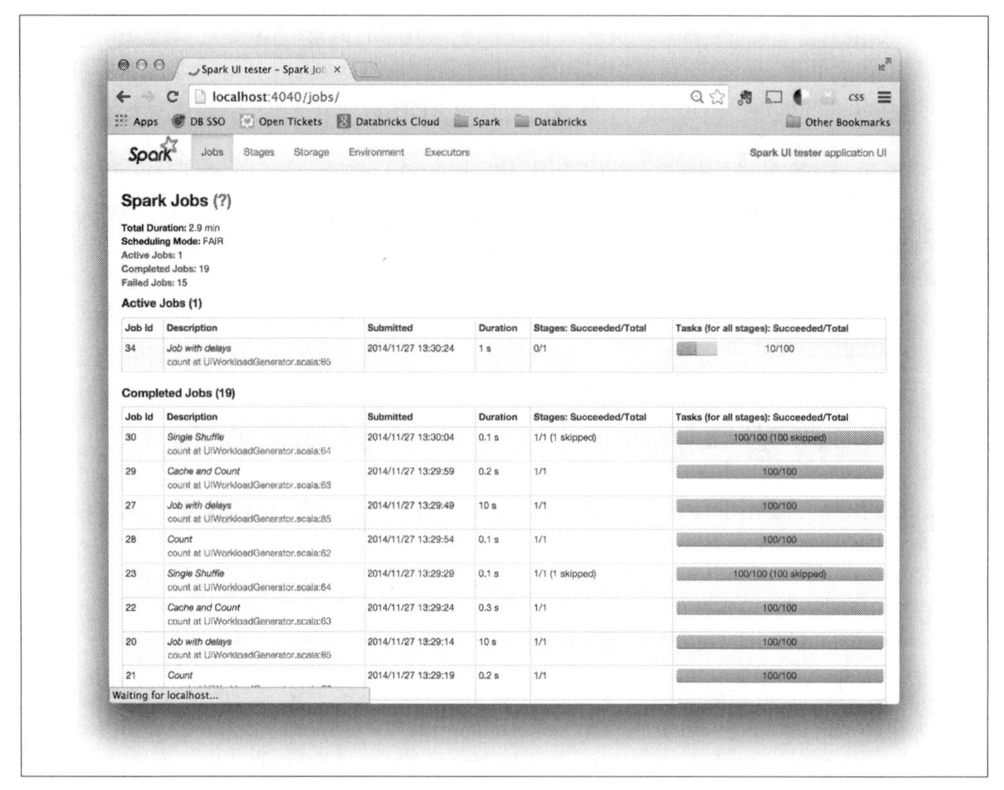


图 8-2：Spark 应用用户界面的作业索引页面

本页面经常用来评估一个作业的性能表现。我们可以着眼于组成作业的所有步骤，看看是不是有一些步骤特别慢，或是在多次运行同一个作业时响应时间差距很大。如果你遇到了格外慢的步骤，你可以点击进去来更好地理解该步骤对应的是哪段用户代码。

确定了需要着重关注的步骤之后，你可以再借助图 8-3 所示的步骤页面来定位性能问题。在 Spark 这样的并行数据系统中，*数据倾斜*是导致性能问题的常见原因之一。当看到少量的任务相对于其他任务需要花费大量时间的时候，一般就是发生了数据倾斜。步骤页面可以帮助我们发现数据倾斜，我们只需要查看所有任务各项指标的分布情况就可以了。我们可以从任务的运行时间开始看。是不是有一部分任务花的时间比别的任务多得多？如果是的话，你可以深挖下去，看到底是什么导致了这些任务运行缓慢。是不是有一小部分任务读取或者输出了比别的任务多得多的数据？是不是运行在某些特定节点上的任务特别慢？这些都可以看作是在对作业进行调试时很有帮助的出发点。

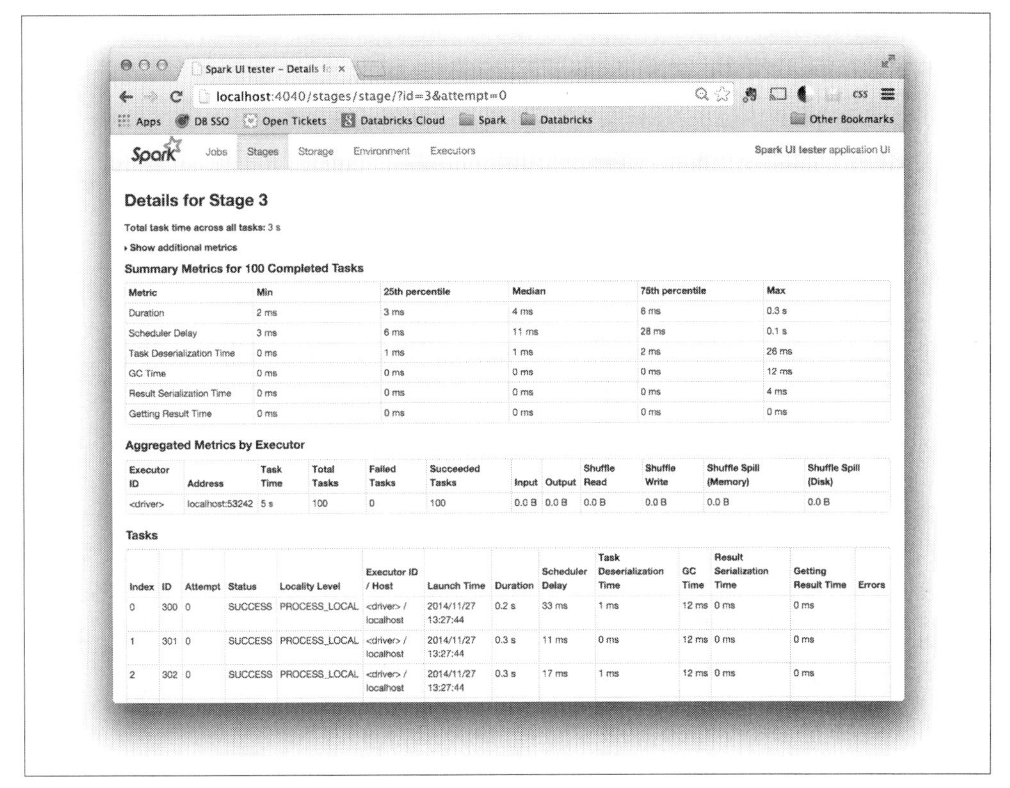


图 8-3：Spark 应用用户界面中的步骤详情页面

除了发现数据倾斜，本页面还可以用来查看任务在其生命周期的各个阶段（读取、计算、输出）分别花费了多少时间。如果任务花了很少的时间读取或输出数据，但是总时间却很长，这就可能表明用户代码本身的执行比较花时间（用户代码优化的例子请参见 6.4 节）。有些任务可能把时间基本都花在从外部存储系统中读取数据这部分了，这样为 Spark 作额外的优化对于提高性能就没有多大用处了，毕竟这些任务的瓶颈在于输入数据的读取。

### 2. 存储页面：已缓存的RDD的信息

存储页面包含了缓存下来的 RDD 的信息。当有人在一个 RDD 上调用了 `persist()` 方法，并且在某个作业中计算了该 RDD 时，这个 RDD 就会被缓存下来。有时，如果我们缓存了许多 RDD，比较老的 RDD 就会从内存中移出来，把空间留给新缓存的 RDD。这个页面可以告诉我们到底各个 RDD 的哪些部分被缓存了，以及在各种不同的存储媒介（磁盘、内存等）中所缓存的数据量。浏览这个页面并理解一些重要的数据集是否被缓存在了内存中，对我们是很有意义的。

### 3. 执行器页面：应用中的执行器进程列表

本页面列出了应用中申请到的执行器实例，以及各执行器进程在数据处理和存储方面的一些指标。本页面的用处之一在于确认应用可以使用你所预期使用的全部资源量。调试问题时也最好先浏览这个页面，因为错误的配置可能会导致启动的执行器进程数量少于我们所预期的，显然也就会影响实际性能。这个页面对于查找行为异常的执行器节点也很有帮助，比如某个执行器节点可能有很高的任务失败率。失败率很高的执行器节点可能表明这个执行器进程所在的物理主机的配置有问题或者出了故障。只要把这台主机从集群中移除，就可以提高性能表现。

执行器页面的另一个功能是使用线程转存（Thread Dump）按钮收集执行器进程的栈跟踪信息（该功能在 Spark 1.2 中引入）。可视化呈现执行器进程的线程调用栈可以精确地即时显示出当前执行的代码。在短时间内使用该功能对一个执行器进程进行多次采样，你就可以发现“热点”，也就是用户代码中消耗代价比较大的代码段。这种信息分析通常可以检测出低效的用户代码。

**4. 环境页面：用来调试Spark配置项**

本页面枚举了你的 Spark 应用所运行的环境中实际生效的配置项集合。这里显示的配置项代表应用实际的配置情况。当你检查哪些配置标记生效时，这个页面很有用，尤其是当你同时使用了多种配置机制时。这个页面也会列出你添加到应用路径中的所有 JAR 包和文件，在追踪类似依赖缺失的问题时可以用到。

## 8.3.2 驱动器进程和执行器进程的日志

在某些情况下，用户需要深入研读驱动器进程和执行器进程所生成的日志来获取更多信息。日志会更详细地记录各种异常事件，例如内部的警告以及用户代码输出的详细异常信息。这些数据对于寻找错误原因很有用。

Spark 日志文件的具体位置取决于以下部署模式。

- 在 Spark 独立模式下，所有日志会在独立模式主节点的网页用户界面中直接显示。这些日志默认存储于各个工作节点的 Spark 目录下的 work/ 目录中。
- 在 Mesos 模式下，日志存储在 Mesos 从节点的 work/ 目录中，可以通过 Mesos 主节点用户界面访问。
- 在 YARN 模式下，最简单的收集日志的方法是使用 YARN 的日志收集工具（运行 `yarn logs -applicationId <app ID>`）来生成一个包含应用日志的报告。这种方法只有在应用已经完全完成之后才能使用，因为 YARN 必须先把这些日志聚合到一起。要查看当前运行在 YARN 上的应用的日志，你可以从资源管理器的用户界面点击进入节点（Nodes）页面，然后浏览特定的节点，再从那里找到特定的容器。YARN 会提供对应容器中 Spark 输出的内容以及相关日志。将来的 Spark 版本有可能会提供直接指向相应日志的链接，使得这一过程显得不再那么迂回。

在默认情况下，Spark 输出的日志包含的信息量比较合适。我们也可以自定义日志行为，改变日志的默认等级或者默认存放位置。Spark 的日志系统是基于广泛使用的 Java 日志库 log4j 实现的，使用 log4j 的配置方式进行配置。log4j 配置的示例文件已经打包在 Spark 中，具体位置是 conf/log4j.properties.template。要想自定义 Spark 的日志，首先需要把这个示例文件复制为 log4j.properties，然后就可以修改日志行为了，比如修改根日志等级（即日志输出的级别门槛），默认值为 `INFO`。如果想要更少的日志输出，可以把该值设为 `WARN` 或者 `ERROR`。当设置了满意的日志等级或格式之后，你可以通过 `spark-submit` 的 `--Files` 标记添加 log4j.properties 文件。如果你在设置日志级别时遇到了困难，请首先确保你没有在应用中引入任何自身包含 log4j.properties 文件的 JAR 包。Log4j 会扫描整个 classpath，以其找到的第一个配置文件为准，因此如果在别处先找到该文件，它就会忽略你自定义的文件。

## 8.4 关键性能考量

读到这里，你应该已经掌握了一些 Spark 的内部工作原理，如何跟踪运行中的 Spark 应用的进度，以及在哪里查看指标和日志信息。本节将进入下一步，讨论运行 Spark 应用时可能会遇到的性能方面的常见问题，以及关于如何调优应用以获取最佳性能的一些小提示。前三小节会介绍如何在代码层面进行改动来提高性能，最后一小节则会讨论如何调优集群设定以及 Spark 的运行环境。

### 8.4.1 并行度

RDD 的逻辑表示其实是一个对象集合。我们在本书中已经多次提到，在物理执行期间，RDD 会被分为一系列的分区，每个分区都是整个数据的子集。当 Spark 调度并运行任务时，Spark 会为每个分区中的数据创建出一个任务。该任务在默认情况下会需要集群中的一个计算核心来执行。Spark 也会针对 RDD 直接自动推断出合适的并行度，这对于大多数用例来说已经足够了。输入 RDD 一般会根据其底层的存储系统选择并行度。例如，从 HDFS 上读数据的输入 RDD 会为数据在 HDFS 上的每个文件区块创建一个分区。从数据混洗后的 RDD 派生下来的 RDD 则会采用与其父 RDD 相同的并行度。

并行度会从两方面影响程序的性能。首先，当并行度过低时，Spark 集群会出现资源闲置的情况。比如，假设你的应用有 1000 个可使用的计算核心，但所运行的步骤只有 30 个任务，你就应该提高并行度来充分利用更多的计算核心。而当并行度过高时，每个分区产生的间接开销累计起来就会更大。评判并行度是否过高的标准包括任务是否是几乎在瞬间（毫秒级）完成的，或者是否观察到任务没有读写任何数据。

Spark 提供了两种方法来对操作的并行度进行调优。第一种方法是在数据混洗操作时，使用参数的方式为混洗后的 RDD 指定并行度。第二种方法是对于任何已有的 RDD，可以进行重新分区来获取更多或者更少的分区数。重新分区操作通过 `repartition()` 实现，该操作会把 RDD 随机打乱并分成设定的分区数目。如果你确定要减少 RDD 分区，可以使用 `coalesce()` 操作。由于没有打乱数据，该操作比 `repartition()` 更为高效。如果你认为当前的并行度过高或者过低，可以利用这些方法对数据分布进行重新调整。

举个例子，假设我们从 S3 上读取了大量数据，然后马上进行 `filter()` 操作筛选掉数据集中的绝大部分数据。默认情况下，`filter()` 返回的 RDD 的分区数和其父节点一样，这样可能会产生很多空的分区或者只有很少数据的分区。在这样的情况下，可以通过合并得到分区更少的 RDD 来提高应用性能，如例 8-11 所示。

**例 8-11：在 PySpark shell 中合并分区过多的 RDD**

```
# 以可以匹配数千个文件的通配字符串作为输入
>>> input = sc.textFile("s3n://log-files/2014/*.log")
>>> input.getNumPartitions()
35154
# 排除掉大部分数据的筛选方法
>>> lines = input.filter(lambda line: line.startswith("2014-10-17"))
>>> lines.getNumPartitions()
35154
# 在缓存lines之前先对其进行合并操作
>>> lines = lines.coalesce(5).cache()
>>> lines.getNumPartitions()
4
# 可以在合并之后的RDD上进行后续分析
>>> lines.count()
```

## 8.4.2 序列化格式

当 Spark 需要通过网络传输数据，或是将数据溢写到磁盘上时，Spark 需要把数据序列化为二进制格式。序列化会在数据进行混洗操作时发生，此时有可能需要通过网络传输大量数据。默认情况下，Spark 会使用 Java 内建的序列化库。Spark 也支持使用第三方序列化库 Kryo（https://github.com/EsotericSoftware/kryo），可以提供比 Java 的序列化工具更短的序列化时间和更高压缩比的二进制表示，但不能直接序列化全部类型的对象。几乎所有的应用都在迁移到 Kryo 后获得了更好的性能。

要使用 Kryo 序列化工具，你需要设置 `spark.serializer` 为 `org.apache.spark.serializer.KryoSerializer`。为了获得最佳性能，你还应该向 Kryo 注册你想要序列化的类，如例 8-12 所示。注册类可以让 Kryo 避免把每个对象的完整的类名写下来，成千上万条记录累计节省的空间相当可观。如果你想强制要求这种注册，可以把 `spark.kryo.registrationRequired` 设置为 `true`，这样 Kryo 会在遇到未注册的类时抛出错误。

**例 8-12：使用 Kryo 序列化工具并注册所需类**

```
val conf = new SparkConf()
conf.set("spark.serializer", "org.apache.spark.serializer.KryoSerializer")
```

```
// 严格要求注册类
conf.set("spark.kryo.registrationRequired", "true")
conf.registerKryoClasses(Array(classOf[MyClass], classOf[MyOtherClass]))
```

不论是选用 Kryo 还是 Java 序列化，如果代码中引用到了一个没有扩展 Java 的 Serializable 接口的类，你都会遇到 NotSerializableException。在这种情况下，要查出引发问题的类是比较困难的，因为用户代码会引用到许许多多不同的类。很多 JVM 都支持通过一个特别的选项来帮助调试这一情况："-Dsun.io.serialization.extended DebugInfo=true"。你可以通过设置 spark-submit 的 --driver-java-options 和 --executor-java-options 标记来打开这个选项。一旦找到了有问题的类，最简单的解决方法就是把这个类改为实现了 Serializable 接口的形式。如果没有办法修改这个产生问题的类，你就需要采用一些高级的变通策略，比如为这个类创建一个子类并实现 Java 的 Externalizable 接口（https://docs.oracle.com/javase/7/docs/api/java/io/Externalizable.html），或者自定义 Kryo 的序列化行为。

## 8.4.3 内存管理

内存对 Spark 来说有几种不同的用途，理解并调优 Spark 的内存使用方法可以帮助优化 Spark 的应用。在各个执行器进程中，内存有以下所列几种用途。

- *RDD存储*

  当调用 RDD 的 persist() 或 cache() 方法时，这个 RDD 的分区会被存储到缓存区中。Spark 会根据 spark.storage.memoryFraction 限制用来缓存的内存占整个 JVM 堆空间的比例大小。如果超出限制，旧的分区数据会被移出内存。

- *数据混洗与聚合的缓存区*

  当进行数据混洗操作时，Spark 会创建出一些中间缓存区来存储数据混洗的输出数据。这些缓存区用来存储聚合操作的中间结果，以及数据混洗操作中直接输出的部分缓存数据。Spark 会尝试根据 spark.shuffle.memoryFraction 限定这种缓存区内存占总内存的比例。

- *用户代码*

  Spark 可以执行任意的用户代码，所以用户的函数可以自行申请大量内存。例如，如果一个用户应用分配了巨大的数组或者其他对象，那这些都会占用总的内存。用户代码可以访问 JVM 堆空间中除分配给 RDD 存储和数据混洗存储以外的全部剩余空间。

在默认情况下，Spark 会使用 60%的空间来存储 RDD，20% 存储数据混洗操作产生的数据，剩下的 20% 留给用户程序。用户可以自行调节这些选项来追求更好的性能表现。如果用户代码中分配了大量的对象，那么降低 RDD 存储和数据混洗存储所占用的空间可以有效避免程序内存不足的情况。

除了调整内存各区域比例，我们还可以为一些工作负载改进缓存行为的某些要素。Spark 默认的 cache() 操作会以 MEMORY_ONLY 的存储等级持久化数据。这意味着如果缓存新的

RDD 分区时空间不够，旧的分区就会直接被删除。当用到这些分区数据时，再进行重算。所以有时以 MEMORY_AND_DISK 的存储等级调用 persist() 方法会获得更好的效果，因为在这种存储等级下，内存中放不下的旧分区会被写入磁盘，当再次需要用到的时候再从磁盘上读取回来。这样的代价有可能比重算各分区要低很多，也可以带来更稳定的性能表现。当 RDD 分区的重算代价很大（比如从数据库中读取数据）时，这种设置尤其有用。可用存储等级的完整列表请参见表 3-6。

对于默认缓存策略的另一个改进是缓存序列化后的对象而非直接缓存。我们可以通过 MEMORY_ONLY_SER 或者 MEMORY_AND_DISK_SER 的存储等级来实现这一点。缓存序列化后的对象会使缓存过程变慢，因为序列化对象也会消耗一些代价，不过这可以显著减少 JVM 的垃圾回收时间，因为很多独立的记录现在可以作为单个序列化的缓存而存储。垃圾回收的代价与堆里的对象数目相关，而不是和数据的字节数相关。这种缓存方式会把大量对象序列化为一个巨大的缓存区对象。如果你需要以对象的形式缓存大量数据（比如数 GB 的数据），或者是注意到了长时间的垃圾回收暂停，可以考虑配置这个选项。这些暂停时间可以在应用用户界面中显示的每个任务的垃圾回收时间那一栏看到。

### 8.4.4　硬件供给

提供给 Spark 的硬件资源会显著影响应用的完成时间。影响集群规模的主要参数包括分配给每个执行器节点的内存大小、每个执行器节点占用的核心数、执行器节点总数，以及用来存储临时数据的本地磁盘数量。

在各种部署模式下，执行器节点的内存都可以通过 spark.executor.memory 配置项或者 spark-submit 的 --executor-memory 标记来设置。而执行器节点的数目以及每个执行器进程的核心数的配置选项则取决于各种部署模式。在 YARN 模式下，你可以通过 spark.executor.cores 或 --executor-cores 标记来设置执行器节点的核心数，通过 --num-executors 设置执行器节点的总数。而在 Mesos 和独立模式中，Spark 则会从调度器提供的资源中获取尽可能多的核心以用于执行器节点。不过，Mesos 和独立模式也支持通过设置 spark.cores.max 项来限制一个应用中所有执行器节点所使用的核心总数。本地磁盘则用来在数据混洗操作中存储临时数据。

一般来说，更大的内存和更多的计算核心对 Spark 应用会更有用处。Spark 的架构允许线性伸缩；双倍的资源通常能使应用的运行时间减半。在调整集群规模时，需要额外考虑的方面还包括是否在计算中把中间结果数据集缓存起来。如果确实要使用缓存，那么内存中缓存的数据越多，应用的表现就会越好。Spark 用户界面中的存储页面会展示所缓存的数据中有哪些部分保留在内存中。你可以从在小集群上只缓存一部分数据开始，然后推算缓存大量数据所需要的总内存量。

除了内存和 CPU 核心，Spark 还要用到本地磁盘来存储数据混洗操作的中间数据，以及溢写到磁盘中的 RDD 分区数据。因此，使用大量的本地磁盘可以帮助提升 Spark 应用的性能。在 YARN 模式下，由于 YARN 提供了自己的指定临时数据存储目录的机制，Spark 的本地磁盘配置项会直接从 YARN 的配置中读取。而在独立模式下，我们可以在部署集群时，在 `spark-env.sh` 文件中设置环境变量 `SPARK_LOCAL_DIRS`，这样 Spark 应用启动时就会自动读取这个配置项的值。如果运行的是 Mesos 模式，或者是在别的模式下需要重载集群默认的存储位置时，可以使用 `spark.local.dir` 选项来实现配置。在所有情况下，本地目录的设置都应当使用由单个逗号隔开的目录列表。一般的做法是在磁盘的每个分卷中都为 Spark 设置一个本地目录。写操作会被均衡地分配到所有提供的目录中。磁盘越多，可以提供的总吞吐量就越高。

切记，"越多越好"的原则在设置执行器节点内存时并不一定适用。使用巨大的堆空间可能会导致垃圾回收的长时间暂停，从而严重影响 Spark 作业的吞吐量。有时，使用较小内存（比如不超过 64GB）的执行器实例可以缓解该问题。Mesos 和 YARN 本身就已经支持在同一个物理主机上运行多个较小的执行器实例，所以使用较小内存的执行器实例不代表应用所使用的总资源一定会减少。而在 Spark 的独立模式中，我们需要启动多个工作节点实例（使用 `SPARK_WORKER_INSTANCES` 指定）来让单个应用在一台主机上运行于多个执行器节点中。这样的限制很有可能会在以后的版本中被去掉。除了给单个执行器实例分配较小的内存，我们还可以用序列化的格式存储数据（参见 8.4.3 节）来减轻垃圾回收带来的影响。

## 8.5 总结

当你读完本章时，相信你已经为处理生产环境中的 Spark 用例作好了充分的准备。我们讲到了 Spark 的配置项管理、执行的组成部分、用户界面中的相关指标，以及对生产环境中的工作负载常用的调优技巧。要深入了解 Spark 调优，请访问官方文档中的调优指南（http://spark.apache.org/docs/latest/tuning.html）。

# 第9章

# Spark SQL

本章介绍 Spark 用来操作结构化和半结构化数据的接口——Spark SQL。结构化数据是指任何有结构信息的数据。所谓结构信息，就是每条记录共用的已知的字段集合。当数据符合这样的条件时，Spark SQL 就会使得针对这些数据的读取和查询变得更加简单高效。具体来说，Spark SQL 提供了以下三大功能（见图 9-1）。

(1) Spark SQL 可以从各种结构化数据源（例如 JSON、Hive、Parquet 等）中读取数据。

(2) Spark SQL 不仅支持在 Spark 程序内使用 SQL 语句进行数据查询，也支持从类似商业智能软件 Tableau 这样的外部工具中通过标准数据库连接器（JDBC/ODBC）连接 Spark SQL 进行查询。

(3) 当在 Spark 程序内使用 Spark SQL 时，Spark SQL 支持 SQL 与常规的 Python/Java/Scala 代码高度整合，包括连接 RDD 与 SQL 表、公开的自定义 SQL 函数接口等。这样一来，许多工作都更容易实现了。

为了实现这些功能，Spark SQL 提供了一种特殊的 RDD，叫作 SchemaRDD。[1]SchemaRDD 是存放 `Row` 对象的 RDD，每个 `Row` 对象代表一行记录。SchemaRDD 还包含记录的结构信息（即数据字段）。SchemaRDD 看起来和普通的 RDD 很像，但是在内部，SchemaRDD 可以利用结构信息更加高效地存储数据。此外，SchemaRDD 还支持 RDD 上所没有的一些新操作，比如运行 SQL 查询。SchemaRDD 可以从外部数据源创建，也可以从查询结果或普通 RDD 中创建。

注 1：1.3.0 及后续版本中，SchemaRDD 已经被 DataFrame 所取代。——译者注

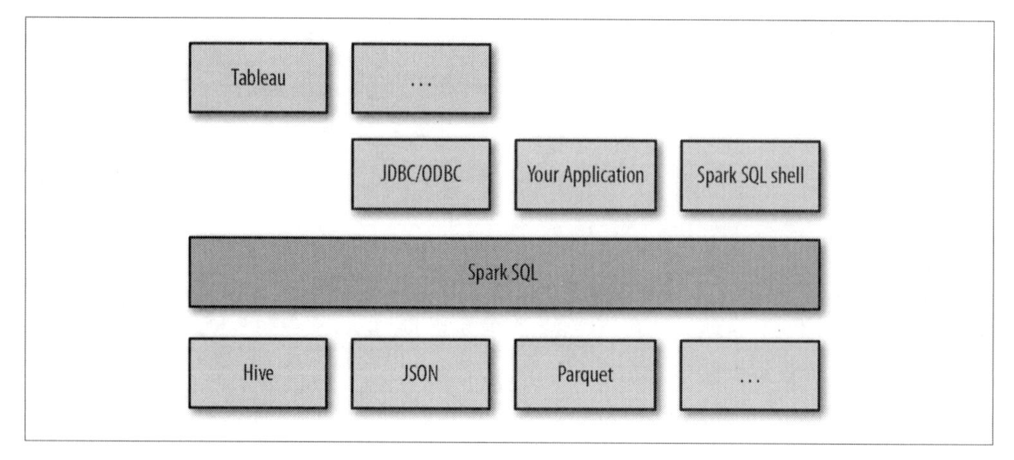


图 9-1：Spark SQL 的用途

本章会先讲解如何在常规 Spark 程序中使用 SchemaRDD，以读取和查询结构化数据。接下来会讲解 Spark SQL 的 JDBC 服务器，它可以让你在一个共享的服务器上运行 Spark SQL，也可以让 SQL shell 或者类似 Tableau 的可视化工具连接它而使用。最后会讨论更多高级特性。Spark SQL 是 Spark 中比较新的组件，在 Spark 1.3 以及后续版本中还会有重大升级，因此要想获取关于 Spark SQL 和 SchemaRDD 的最新信息，请访问最新版本的文档。

在学习本章的过程中，我们会使用 Spark SQL 探索一个包含推文的 JSON 格式的文件。如果你手边没有现成的推文，你可以使用 Databricks 参考应用（http://databricks.gitbooks.io/databricks-spark-reference-applications/content/twitter_classifier/README.html）来下载一些。当然，你也可以直接使用本书 Git 仓库中的 files/testweet.json 文件。

## 9.1　连接Spark SQL

跟 Spark 的其他程序库一样，要在应用中引入 Spark SQL 需要添加一些额外的依赖。这种分离机制使得 Spark 内核的编译无需依赖大量额外的包。

Apache Hive 是 Hadoop 上的 SQL 引擎，Spark SQL 编译时可以包含 Hive 支持，也可以不包含。包含 Hive 支持的 Spark SQL 可以支持 Hive 表访问、UDF（用户自定义函数）、SerDe（序列化格式和反序列化格式），以及 Hive 查询语言（HiveQL/HQL）。需要强调的一点是，如果要在 Spark SQL 中包含 Hive 的库，并不需要事先安装 Hive。一般来说，最好还是在编译 Spark SQL 时引入 Hive 支持，这样就可以使用这些特性了。如果你下载的是二进制版本的 Spark，它应该已经在编译时添加了 Hive 支持。而如果你是从代码编译 Spark，你应该使用 `sbt/sbt -Phive assembly` 编译，以打开 Hive 支持。[2]

注 2：`sbt/sbt` 命令已经被 `build/sbt` 命令替代。——译者注

如果你的应用与Hive之间发生了依赖冲突，并且无法通过依赖排除以及依赖封装解决问题，你也可以使用没有Hive支持的Spark SQL进行编译和连接。那样的话，你要连接的就是另一个Maven工件了。

在Java以及Scala中，连接带有Hive支持的Spark SQL的Maven索引如例9-1所示。

**例9-1：带有Hive支持的Spark SQL的Maven索引**

```
groupId = org.apache.spark
artifactId = spark-hive_2.10
version = 1.2.0
```

如果你不能引入Hive依赖，那就应该使用工件 `spark-sql_2.10` 来代替 `spark-hive_2.10`。

跟其他的Spark程序库一样，在Python中不需要对构建方式进行任何修改。

当使用Spark SQL进行编程时，根据是否使用Hive支持，有两个不同的入口。推荐使用的入口是 `HiveContext`，它可以提供HiveQL以及其他依赖于Hive的功能的支持。更为基础的 `SQLContext` 则支持Spark SQL功能的一个子集，子集中去掉了需要依赖于Hive的功能。这种分离主要是为那些可能会因为引入Hive的全部依赖而陷入依赖冲突的用户而设计的。使用 `HiveContext` 不需要事先部署好Hive。

我们推荐使用HiveQL作为Spark SQL的查询语言。关于HiveQL已经有许多资料面世，包括*Programming Hive*（http://shop.oreilly.com/product/0636920023555.do）以及在线的Hive语言手册（https://cwiki.apache.org/confluence/display/Hive/LanguageManual）。在Spark1.0和1.1中，Spark SQL是基于Hive 0.12的，而在Spark 1.2中，Spark SQL支持Hive 0.13。如果你了解标准SQL，应该也会对HiveQL非常熟悉。

Spark SQL是Spark中一个较新的组件，正在快速发展中。兼容的Hive版本会在将来不断变化，所以请查阅最新版本的文档以获取详细信息。

最后，若要把Spark SQL连接到一个部署好的Hive上，你必须把hive-site.xml复制到Spark的配置文件目录中（$SPARK_HOME/conf）。即使没有部署好Hive，Spark SQL也可以运行。

需要注意的是，如果你没有部署好Hive，Spark SQL会在当前的工作目录中创建出自己的Hive元数据仓库，叫作 `metastore_db`。此外，如果你尝试使用HiveQL中的 `CREATE TABLE`（并非 `CREATE EXTERNAL TABLE`）语句来创建表，这些表会被放在你默认的文件系统中的/user/hive/warehouse目录中（如果你的classpath中有配好的hdfs-site.xml，默认的文件系统就是HDFS，否则就是本地文件系统）。

## 9.2 在应用中使用Spark SQL

Spark SQL 最强大之处就是可以在 Spark 应用内使用。这种方式让我们可以轻松读取数据并使用 SQL 查询，同时还能把这一过程和普通的 Python/Java/Scala 程序代码结合在一起。

要以这种方式使用 Spark SQL，需要基于已有的 SparkContext 创建出一个 HiveContext（如果使用的是去除了 Hive 支持的 Spark 版本，则创建出 SQLContext）。这个上下文环境提供了对 Spark SQL 的数据进行查询和交互的额外函数。使用 HiveContext 可以创建出表示结构化数据的 SchemaRDD，并且使用 SQL 或是类似 `map()` 的普通 RDD 操作来操作这些 SchemaRDD。

### 9.2.1 初始化Spark SQL

要开始使用 Spark SQL，首先要在程序中添加一些 import 声明，如例 9-2 所示。

**例 9-2：Scala 中 SQL 的 import 声明**

```
// 导入Spark SQL
import org.apache.spark.sql.hive.HiveContext
// 如果不能使用hive依赖的话
import org.apache.spark.sql.SQLContext
```

Scala 用户能应该注意到，这里没有用类似在导入 SparkContext 时的方法那样导入 `HiveContext._` 来访问隐式转换。隐式转换被用来把带有类型信息的 RDD 转变为专门用于 Spark SQL 查询的 RDD（也就是 SchemaRDD）。在创建出 `HiveContext` 的实例之后，通过添加如例 9-3 所示的代码导入必要的隐式转换支持。Java 和 Python 版本的 import 声明分别如例 9-4 和例 9-5 所示。

**例 9-3：Scala 中 SQL 需要导入的隐式转换支持**

```
// 创建Spark SQL的HiveContext
val hiveCtx = ...
// 导入隐式转换支持
import hiveCtx._
```

**例 9-4：Java 中 SQL 的 import 声明**

```
// 导入Spark SQL
import org.apache.spark.sql.hive.HiveContext;
// 当不能使用hive依赖时
import org.apache.spark.sql.SQLContext;
// 导入JavaSchemaRDD
import org.apache.spark.sql.SchemaRDD;
import org.apache.spark.sql.Row;
```

**例 9-5：Python 中 SQL 的 import 声明**

```
# 导入Spark SQL
from pyspark.sql import HiveContext, Row
# 当不能引入hive依赖时
from pyspark.sql import SQLContext, Row
```

添加好 import 声明之后，需要创建出一个 HiveContext 对象。而如果无法引入 Hive 依赖，就创建出一个 SQLContext 对象作为 SQL 的上下文环境（如例 9-6 至例 9-8 所示）。这两个类都需要传入一个 SparkContext 对象作为运行的基础。

**例 9-6：在 Scala 中创建 SQL 上下文环境**

```
val sc = new SparkContext(...)
val hiveCtx = new HiveContext(sc)
```

**例 9-7：在 Java 中创建 SQL 上下文环境**

```
JavaSparkContext ctx = new JavaSparkContext(...);
SQLContext sqlCtx = new HiveContext(ctx);
```

**例 9-8：在 Python 中创建 SQL 上下文环境**

```
hiveCtx = HiveContext(sc)
```

有了 HiveContext 或者 SQLContext 之后，我们就可以准备读取数据并进行查询了。

## 9.2.2 基本查询示例

要在一张数据表上进行查询，需要调用 HiveContext 或 SQLContext 中的 `sql()` 方法。要做的第一件事就是告诉 Spark SQL 要查询的数据是什么。因此，需要先从 JSON 文件中读取一些推特数据，把这些数据注册为一张临时表并赋予该表一个名字，然后就可以用 SQL 来查询它了。（9.3 节会更深入地讲解读取数据的细节。）接下来，就可以根据 `retweetCount` 字段（转发计数）选出最热门的推文，如例 9-9 至例 9-11 所示。

**例 9-9：在 Scala 中读取并查询推文**

```
val input = hiveCtx.jsonFile(inputFile)
// 注册输入的SchemaRDD
input.registerTempTable("tweets")
// 依据retweetCount(转发计数)选出推文
val topTweets = hiveCtx.sql("SELECT text, retweetCount FROM
  tweets ORDER BY retweetCount LIMIT 10")
```

**例 9-10：在 Java 中读取并查询推文**

```
SchemaRDD input = hiveCtx.jsonFile(inputFile);
// 注册输入的SchemaRDD
input.registerTempTable("tweets");
// 依据retweetCount(转发计数)选出推文
SchemaRDD topTweets = hiveCtx.sql("SELECT text, retweetCount FROM
  tweets ORDER BY retweetCount LIMIT 10");
```

**例 9-11：在 Python 中读取并查询推文**

```
input = hiveCtx.jsonFile(inputFile)
# 注册输入的SchemaRDD
input.registerTempTable("tweets")
# 依据retweetCount(转发计数)选出推文
topTweets = hiveCtx.sql("""SELECT text, retweetCount FROM
  tweets ORDER BY retweetCount LIMIT 10""")
```

如果你已经有安装好的 Hive，并且已经把你的 hive-site.xml 文件复制到了 $SPARK_HOME/conf 目录下，那么你也可以直接运行 `hiveCtx.sql` 来查询已有的 Hive 表。

### 9.2.3 SchemaRDD

读取数据和执行查询都会返回 SchemaRDD。SchemaRDD 和传统数据库中的表的概念类似。从内部机理来看，SchemaRDD 是一个由 `Row` 对象组成的 RDD，附带包含每列数据类型的结构信息。`Row` 对象只是对基本数据类型（如整型和字符串型等）的数组的封装。我们会在下一部分中进一步探讨 `Row` 对象的细节。

需要特别注意的是，在今后的 Spark 版本中（1.3 及以后），SchemaRDD 这个名字可能会被改为 DataFrame。这一重命名举动在本书编写完成时仍在讨论中。

SchemaRDD 仍然是 RDD，所以你可以对其应用已有的 RDD 转化操作，比如 `map()` 和 `filter()`。然而，SchemaRDD 也提供了一些额外的功能支持。最重要的是，你可以把任意 SchemaRDD 注册为临时表，这样就可以使用 HiveContext.sql 或 SQLContext.sql 来对它进行查询了。你可以通过 SchemaRDD 的 `registerTempTable()` 方法这么做，如例 9-9 到例 9-11 所示。

临时表是当前使用的 HiveContext 或 SQLContext 中的临时变量，在你的应用退出时这些临时表就不再存在了。

SchemaRDD 可以存储一些基本数据类型，也可以存储由这些类型组成的结构体和数组。SchemaRDD 使用 HiveQL 语法（https://cwiki.apache.org/confluence/display/Hive/LanguageManual+DDL）定义的类型。表 9-1 列出了支持的数据类型。[3]

表9-1：SchemaRDD中可以存储的数据类型

| Spark SQL/HiveQL类型 | Scala类型 | Java类型 | Python |
|---|---|---|---|
| TINYINT | Byte | Byte/byte | int/long（在 –128 到 127 之间） |
| SMALLINT | Short | Short/short | int/long（在 –32768 到 32767 之间） |
| INT | Int | Int/int | int 或 long |
| BIGINT | Long | Long/long | long |
| FLOAT | Float | Float /float | float |
| DOUBLE | Double | Double/double | float |

注 3：编译时除通过 `-Phive` 打开 Hive 支持外，还需打开 `-Phive-thriftserver` 选项。——译者注

（续）

| Spark SQL/HiveQL类型 | Scala类型 | Java类型 | Python |
| --- | --- | --- | --- |
| DECIMAL | Scala.math.BigDecimal | java.math.BigDecimal | decimal.Decimal |
| STRING | String | String | string |
| BINARY | Array[Byte] | byte[] | bytearray |
| BOOLEAN | Boolean | Boolean/boolean | bool |
| TIMESTAMP | java.sql.timestamp | java.sql.timestamp | datetime.datetime |
| ARRAY<DATA_TYPE> | Seq | List | list、tuple 或 array |
| MAP<KEY_TYPE, VAL_TYPE> | Map | Map | dict |
| STRUCT<COL1: COL1_TYPE, ...> | Row | Row | Row |

最后一种类型，也就是结构体，在 Spark SQL 中直接被表示为其他的 Row 对象。所有这些复杂类型都可以互相嵌套。比如，你可以有结构体组成的数组，或包含结构体的映射表。

#### 使用Row对象

Row 对象表示 SchemaRDD 中的记录，其本质就是一个定长的字段数组。在 Scala/Java 中，Row 对象有一系列 getter 方法，可以通过下标获取每个字段的值。标准的取值方法 get（或 Scala 中的 apply），读入一个列的序号然后返回一个 Object 类型（或 Scala 中的 Any 类型）的对象，然后由我们把对象转为正确的类型。对于 Boolean、Byte、Double、Float、Int、Long、Short 和 String 类型，都有对应的 getType() 方法，可以把值直接作为相应的类型返回。例如，getString(0) 会把字段 0 的值作为字符串返回，如例 9-12 和例 9-13 所示。

**例 9-12：在 Scala 中访问 topTweet 这个 SchemaRDD 中的 text 列（也就是第一列）**

```
val topTweetText = topTweets.map(row => row.getString(0))
```

**例 9-13：在 Java 中访问 topTweet 这个 SchemaRDD 中的 text 列（也就是第一列）**

```
JavaRDD<String> topTweetText = topTweets.toJavaRDD().map(new Function<Row, String>() {
    public String call(Row row) {
      return row.getString(0);
    }});
```

在 Python 中，由于没有显式的类型系统，Row 对象变得稍有不同。我们使用 row[i] 来访问第 *i* 个元素。除此之外，Python 中的 Row 还支持以 row.*column_name* 的形式使用名字来访问其中的字段，如例 9-14 所示。如果你不确定具体的列名，我们会在 9.3.3 节中讲到如何输出结构信息。

**例 9-14：在 Python 中访问 topTweet 这个 SchemaRDD 中的 text 列**

```
topTweetText = topTweets.map(lambda row: row.text)
```

## 9.2.4 缓存

Spark SQL 的缓存机制与 Spark 中的稍有不同。由于我们知道每个列的类型信息，所以 Spark 可以更加高效地存储数据。为了确保使用更节约内存的表示方式进行缓存而不是储存整个对象，应当使用专门的 `hiveCtx.cacheTable("tableName")` 方法。当缓存数据表时，Spark SQL 使用一种列式存储格式在内存中表示数据。这些缓存下来的表只会在驱动器程序的生命周期里保留在内存中，所以如果驱动器进程退出，就需要重新缓存数据。和缓存 RDD 时的动机一样，如果想在同样的数据上多次运行任务或查询时，就应把这些数据表缓存起来。

在 Spark 1.2 中，RDD 上原有的 `cache()` 方法也会引发一次对 `cacheTable()` 方法的调用。

你也可以使用 HiveQL/SQL 语句来缓存表。只需要运行 `CACHE TABLE`*`tableName`* 或 `UNCACHE TABLE`*`tableName`* 来缓存表或者删除已有的缓存即可。这种使用方式在 JDBC 服务器的命令行客户端中很常用。

被缓存的 SchemaRDD 以与其他 RDD 相似的方式在 Spark 的应用用户界面中呈现，如图 9-2 所示。

图 9-2：Spark SQL 的 SchemaRDD 用户界面

我们会在 9.6 节讨论 Spark SQL 中的缓存机制对性能的影响。

## 9.3 读取和存储数据

Spark SQL 支持很多种结构化数据源，可以让你跳过复杂的读取过程，轻松从各种数据源中读取到 `Row` 对象。这些数据源包括 Hive 表、JSON 和 Parquet 文件。此外，当你使用 SQL 查询这些数据源中的数据并且只用到了一部分字段时，Spark SQL 可以智能地只扫描这些用到的字段，而不是像 `SparkContext.hadoopFile` 中那样简单粗暴地扫描全部数据。

除这些数据源之外，你也可以在程序中通过指定结构信息，将常规的 RDD 转化为 SchemaRDD。这使得在 Python 或者 Java 对象上运行 SQL 查询更加简单。当需要计算许多数值时，SQL 查询往往更加简洁（比如要同时求出平均年龄、最大年龄、不重复的用户 ID 数目等）。不仅如此，你还可以自如地将这些 RDD 和来自其他 Spark SQL 数据源的 SchemaRDD 进行连接操作。在本节中，我们会讲解外部数据源以及这种使用 RDD 的方式。

### 9.3.1 Apache Hive

当从 Hive 中读取数据时，Spark SQL 支持任何 Hive 支持的存储格式（SerDe），包括文本文件、RCFiles、ORC、Parquet、Avro，以及 Protocol Buffer。

要把 Spark SQL 连接到已经部署好的 Hive 上，你需要提供一份 Hive 配置。你只需要把你的 hive-site.xml 文件复制到 Spark 的 ./conf/ 目录下即可。如果你只是想探索一下 Spark SQL 而没有配置 hive-site.xml 文件，那么 Spark SQL 则会使用本地的 Hive 元数据仓，并且同样可以轻松地将数据读取到 Hive 表中进行查询。

例 9-15 至例 9-17 展示了如何查询一张 Hive 表。Hive 示例表有两列，分别是 key（一个整型值）和 value（一个字符串）。我们会在本章稍后介绍如何创建这样的表。

**例 9-15：使用 Python 从 Hive 读取**

```
from pyspark.sql import HiveContext

hiveCtx = HiveContext(sc)
rows = hiveCtx.sql("SELECT key, value FROM mytable")
keys = rows.map(lambda row: row[0])
```

**例 9-16：使用 Scala 从 Hive 读取**

```
import org.apache.spark.sql.hive.HiveContext

val hiveCtx = new HiveContext(sc)
val rows = hiveCtx.sql("SELECT key, value FROM mytable")
val keys = rows.map(row => row.getInt(0))
```

**例 9-17：使用 Java 从 Hive 读取**

```
import org.apache.spark.sql.hive.HiveContext;
import org.apache.spark.sql.Row;
import org.apache.spark.sql.SchemaRDD;
```

```
HiveContext hiveCtx = new HiveContext(sc);
SchemaRDD rows = hiveCtx.sql("SELECT key, value FROM mytable");
JavaRDD<Integer> keys = rdd.toJavaRDD().map(new Function<Row, Integer>() {
  public Integer call(Row row) { return row.getInt(0); }
});
```

### 9.3.2 Parquet

Parquet（http://parquet.apache.org/）是一种流行的列式存储格式，可以高效地存储具有嵌套字段的记录。Parquet 格式经常在 Hadoop 生态圈中被使用，它也支持 Spark SQL 的全部数据类型。Spark SQL 提供了直接读取和存储 Parquet 格式文件的方法。

首先，你可以通过 `HiveContext.parquetFile` 或者 `SQLContext.parquetFile` 来读取数据，如例 9-18 所示。

**例 9-18：Python 中的 Parquet 数据读取**

```
# 从一个有name和favouriteAnimal字段的Parquet文件中读取数据
rows = hiveCtx.parquetFile(parquetFile)
names = rows.map(lambda row: row.name)
print "Everyone"
print names.collect()
```

你也可以把 Parquet 文件注册为 Spark SQL 的临时表，并在这张表上运行查询语句。在例 9-18 中我们读取了数据，接下来可以参照例 9-19 所示的对数据进行查询。

**例 9-19：Python 中的 Parquet 数据查询**

```
# 寻找熊猫爱好者
tbl = rows.registerTempTable("people")
pandaFriends = hiveCtx.sql("SELECT name FROM people WHERE favouriteAnimal =
\"panda\"")
print "Panda friends"
print pandaFriends.map(lambda row: row.name).collect()
```

最后，你可以使用 `saveAsParquetFile()` 把 SchemaRDD 的内容以 Parquet 格式保存，如例 9-20 所示。

**例 9-20：Python 中的 Parquet 文件保存**

```
pandaFriends.saveAsParquetFile("hdfs://...")
```

### 9.3.3 JSON

如果你有一个 JSON 文件，其中的记录遵循同样的结构信息，那么 Spark SQL 就可以通过扫描文件推测出结构信息，并且让你可以使用名字访问对应字段（如例 9-21 所示）。如果你在一个包含大量 JSON 文件的目录中进行尝试，你就会发现 Spark SQL 的结构信息推断可以让你非常高效地操作数据，而无需编写专门的代码来读取不同结构的文件。

要读取 JSON 数据，只要调用 hiveCtx 中的 jsonFile() 方法即可，如例 9-22 至例 9-24 所示。如果你想获得从数据中推断出来的结构信息，可以在生成的 SchemaRDD 上调用 printSchema 方法（见例 9-25）。

**例 9-21：输入记录**

```
{"name": "Holden"}
{"name": "Sparky The Bear", "lovesPandas":true,"knows": {"friends":["holden"]}}
```

**例 9-22：在 Python 中使用 Spark SQL 读取 JSON 数据**

```
input = hiveCtx.jsonFile(inputFile)
```

**例 9-23：在 Scala 中使用 Spark SQL 读取 JSON 数据**

```
val input = hiveCtx.jsonFile(inputFile)
```

**例 9-24：在 Java 中使用 Spark SQL 读取 JSON 数据**

```
SchemaRDD input = hiveCtx.jsonFile(jsonFile);
```

**例 9-25：printSchema() 输出的结构信息**

```
root
 |-- knows: struct (nullable = true)
 |    |-- friends: array (nullable = true)
 |    |    |-- element: string (containsNull = false)
 |-- lovesPandas: boolean (nullable = true)
 |-- name: string (nullable = true)
```

你可以在例 9-26 中看到以某些推文生成的结构信息。

**例 9-26：推文的部分结构**

```
root
 |-- contributorsIDs: array (nullable = true)
 |    |-- element: string (containsNull = false)
 |-- createdAt: string (nullable = true)
 |-- currentUserRetweetId: integer (nullable = true)
 |-- hashtagEntities: array (nullable = true)
 |    |-- element: struct (containsNull = false)
 |    |    |-- end: integer (nullable = true)
 |    |    |-- start: integer (nullable = true)
 |    |    |-- text: string (nullable = true)
 |-- id: long (nullable = true)
 |-- inReplyToScreenName: string (nullable = true)
 |-- inReplyToStatusId: long (nullable = true)
 |-- inReplyToUserId: long (nullable = true)
 |-- isFavorited: boolean (nullable = true)
 |-- isPossiblySensitive: boolean (nullable = true)
 |-- isTruncated: boolean (nullable = true)
 |-- mediaEntities: array (nullable = true)
 |    |-- element: struct (containsNull = false)
 |    |    |-- displayURL: string (nullable = true)
 |    |    |-- end: integer (nullable = true)
```

```
 |    |    |-- expandedURL: string (nullable = true)
 |    |    |-- id: long (nullable = true)
 |    |    |-- mediaURL: string (nullable = true)
 |    |    |-- mediaURLHttps: string (nullable = true)
 |    |    |-- sizes: struct (nullable = true)
 |    |    |    |-- 0: struct (nullable = true)
 |    |    |    |    |-- height: integer (nullable = true)
 |    |    |    |    |-- resize: integer (nullable = true)
 |    |    |    |    |-- width: integer (nullable = true)
 |    |    |    |-- 1: struct (nullable = true)
 |    |    |    |    |-- height: integer (nullable = true)
 |    |    |    |    |-- resize: integer (nullable = true)
 |    |    |    |    |-- width: integer (nullable = true)
 |    |    |    |-- 2: struct (nullable = true)
 |    |    |    |    |-- height: integer (nullable = true)
 |    |    |    |    |-- resize: integer (nullable = true)
 |    |    |    |    |-- width: integer (nullable = true)
 |    |    |    |-- 3: struct (nullable = true)
 |    |    |    |    |-- height: integer (nullable = true)
 |    |    |    |    |-- resize: integer (nullable = true)
 |    |    |    |    |-- width: integer (nullable = true)
 |    |    |-- start: integer (nullable = true)
 |    |    |-- type: string (nullable = true)
 |    |    |-- url: string (nullable = true)
 |-- retweetCount: integer (nullable = true)
...
```

看到这样的结构，我们会自然而然地想到如何访问嵌套字段和数组字段这个问题。如果你使用 Python，或已经把数据注册为了一张 SQL 表，你可以通过 . 来访问各个嵌套层级的嵌套元素（比如 *toplevel.nextlevel*）。而在 SQL 中可以通过用 [*element*] 指定下标来访问数组中的元素，如例 9-27 所示。

**例 9-27：用 SQL 查询嵌套数据以及数组元素**

```
select hashtagEntities[0].text from tweets LIMIT 1;
```

### 9.3.4 基于RDD

除了读取数据，也可以基于 RDD 创建 SchemaRDD。在 Scala 中，带有 case class 的 RDD 可以隐式转换成 SchemaRDD。

在 Python 中，可以创建一个由 `Row` 对象组成的 RDD，然后调用 `inferSchema()`，如例 9-28 所示。

**例 9-28：在 Python 中使用 `Row` 和具名元组创建 SchemaRDD**

```
happyPeopleRDD = sc.parallelize([Row(name="holden", favouriteBeverage="coffee")])
happyPeopleSchemaRDD = hiveCtx.inferSchema(happyPeopleRDD)
happyPeopleSchemaRDD.registerTempTable("happy_people")
```

使用 Scala 的话，我们的老朋友隐式转换会帮我们处理好结构信息的推断（见例 9-29）。

**例 9-29：在 Scala 中基于 case class 创建 SchemaRDD**

```
case class HappyPerson(handle: String, favouriteBeverage: String)
...
// 创建了一个人的对象，并且把它转成SchemaRDD
val happyPeopleRDD = sc.parallelize(List(HappyPerson("holden", "coffee")))
// 注意：此处发生了隐式转换
// 该转换等价于sqlCtx.createSchemaRDD(happyPeopleRDD)
happyPeopleRDD.registerTempTable("happy_people")
```

在 Java 中，可以调用 `applySchema()` 把 RDD 转为 SchemaRDD，只需要这个 RDD 中的数据类型带有公有的 getter 和 setter 方法，并且可以被序列化，如例 9-30 所示。

**例 9-30：在 Java 中基于 JavaBean 创建 SchemaRDD**

```
class HappyPerson implements Serializable {
  private String name;
  private String favouriteBeverage;
  public HappyPerson() {}
  public HappyPerson(String n, String b) {
    name = n; favouriteBeverage = b;
  }
  public String getName() { return name; }
  public void setName(String n) { name = n; }
  public String getFavouriteBeverage() { return favouriteBeverage; }
  public void setFavouriteBeverage(String b) { favouriteBeverage = b; }
};
...
ArrayList<HappyPerson> peopleList = new ArrayList<HappyPerson>();
peopleList.add(new HappyPerson("holden", "coffee"));
JavaRDD<HappyPerson> happyPeopleRDD = sc.parallelize(peopleList);
SchemaRDD happyPeopleSchemaRDD = hiveCtx.applySchema(happyPeopleRDD,
  HappyPerson.class);
happyPeopleSchemaRDD.registerTempTable("happy_people");
```

## 9.4 JDBC/ODBC服务器

Spark SQL 也提供 JDBC 连接支持，这对于让商业智能（BI）工具连接到 Spark 集群上以及在多用户间共享一个集群的场景都非常有用。JDBC 服务器作为一个独立的 Spark 驱动器程序运行，可以在多用户之间共享。任意一个客户端都可以在内存中缓存数据表，对表进行查询。集群的资源以及缓存数据都在所有用户之间共享。

Spark SQL 的 JDBC 服务器与 Hive 中的 HiveServer2 相一致。由于使用了 Thrift 通信协议，它也被称为“Thrift server”。注意，JDBC 服务器支持需要 Spark 在打开 Hive 支持的选项下编译。[4]

服务器可以通过 Spark 目录中的 `sbin/start-thriftserver.sh` 启动（见例 9-31）。这个脚本接受的参数选项大多与 `spark-submit` 相同（见 7.3 节）。默认情况下，服务器会

注 4：codegen 打开时，查询有可能会变慢，因为 Spark SQL 需要动态分析并编译代码，因此，短作业并不能真正体现 codegen 所带来的性能提升。——译者注

在 localhost:10000 上进行监听，我们可以通过环境变量（HIVE_SERVER2_THRIFT_PORT 和 HIVE_SERVER2_THRIFT_BIND_HOST）修改这些设置，也可以通过 Hive 配置选项（hive.server2.thrift.port 和 hive.server2.thrift.bind.host）来修改。你也可以通过命令行参数 --hiveconf property=value 来设置 Hive 选项。

**例 9-31：启动 JDBC 服务器**

```
./sbin/start-thriftserver.sh --master sparkMaster
```

Spark 也自带了 Beeline 客户端程序，我们可以使用它连接 JDBC 服务器，如例 9-32 和图 9-3 所示。这个简易的 SQL shell 可以让我们在服务器上运行命令。

**例 9-32：使用 Beeline 连接 JDBC 服务器**

```
holden@hmbp2:~/repos/spark$ ./bin/beeline -u jdbc:hive2://localhost:10000
Spark assembly has been built with Hive, including Datanucleus jars on classpath
scan complete in 1ms
Connecting to jdbc:hive2://localhost:10000
Connected to: Spark SQL (version 1.2.0-SNAPSHOT)
Driver: spark-assembly (version 1.2.0-SNAPSHOT)
Transaction isolation: TRANSACTION_REPEATABLE_READ
Beeline version 1.2.0-SNAPSHOT by Apache Hive
0: jdbc:hive2://localhost:10000> show tables;
+---------+
| result  |
+---------+
| pokes   |
+---------+
1 row selected (1.182 seconds)
0: jdbc:hive2://localhost:10000>
```

```
holden@hmbp2: ~/repos/spark
holden@hmbp2: ~/repos/1230000000573    holden@hmbp2: ~/repos/spark
derby.log        LICENSE                 README.md       yarn
dev              logs                    repl
docker           make-distribution.sh    sbin
docs             metastore_db            sbt
holden@hmbp2:~/repos/spark$ ./sbin/start-thriftserver.sh --master local[*]
starting org.apache.spark.sql.hive.thriftserver.HiveThriftServer2, logging to /h
ome/holden/repos/spark/sbin/../logs/spark-holden-org.apache.spark.sql.hive.thrif
tserver.HiveThriftServer2-1-hmbp2.out
holden@hmbp2:~/repos/spark$ ./bin/beeline -u jdbc:hive2://localhost:10000
Spark assembly has been built with Hive, including Datanucleus jars on classpath
scan complete in 1ms
Connecting to jdbc:hive2://localhost:10000
Connected to: Spark SQL (version 1.2.0-SNAPSHOT)
Driver: spark-assembly (version 1.2.0-SNAPSHOT)
Transaction isolation: TRANSACTION_REPEATABLE_READ
Beeline version 1.2.0-SNAPSHOT by Apache Hive
0: jdbc:hive2://localhost:10000> show tables;
+---------+
| result  |
+---------+
| pokes   |
+---------+
1 row selected (1.473 seconds)
0: jdbc:hive2://localhost:10000>
```

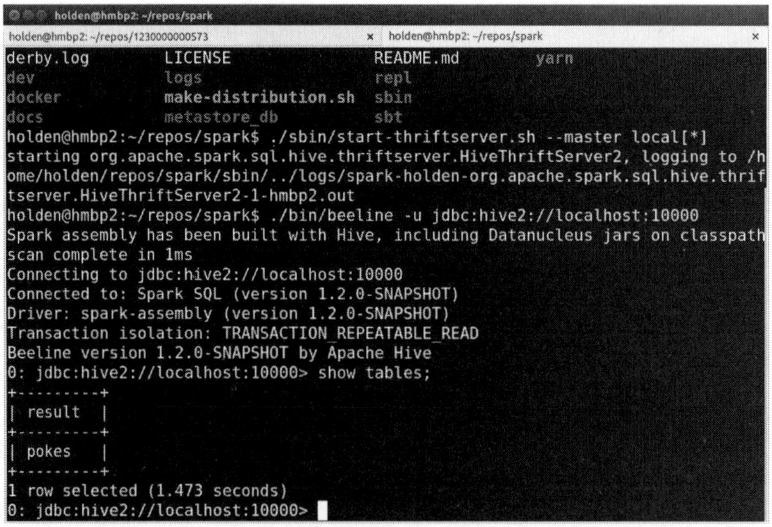

图 9-3：启动 JDBC 服务器并使用 Beeline 客户端连接

当启动 JDBC 服务器时，JDBC 服务器会在后台运行并且将所有输出重定向到一个日志文件中。如果你在使用 JDBC 服务器进行查询的过程中遇到了问题，可以查看日志寻找更为完整的报错信息。

许多外部工具也可以通过 ODBC 连接 Spark SQL。Spark SQL 的 ODBC 驱动由 Simba（http://www.simba.com/）制作，可以从很多 Spark 供应商处下载到（比如 DataBricks Cloud、Datastax 以及 MapR）。它经常会被像 Microstrategy 或 Tableau 这样的商务智能工具所用到；你可以查一查如何把你的工具连接到 Spark SQL 上。由于 Spark SQL 使用了和 Hive 相同的查询语言以及服务器，大多数可以连接到 Hive 的商务智能工具也可以通过已有的 Hive 连接器来连接到 Spark SQL 上。

## 9.4.1 使用Beeline

在 Beeline 客户端中，你可以使用标准的 HiveQL 命令来创建、列举以及查询数据表。你可以从 Hive 语言手册（https://cwiki.apache.org/confluence/display/Hive/LanguageManual）中找到关于 HiveQL 的所有语法细节，这里只展示一些常见的操作。

首先，要从本地数据创建一张数据表，可以使用 `CREATE TABLE` 命令。然后使用 `LOAD DATA` 命令进行数据读取。Hive 支持读取带有固定分隔符的文本文件，比如 CSV 等格式的文件，如例 9-33 所示。

**例 9-33：读取数据表**

```
> CREATE TABLE IF NOT EXISTS mytable (key INT, value STRING)
  ROW FORMAT DELIMITED FIELDS TERMINATED BY ',';
> LOAD DATA LOCAL INPATH 'learning-spark-examples/files/int_string.csv'
  INTO TABLE mytable;
```

要列举数据表，可以使用 `SHOW TABLES` 语句（如例 9-34 所示）。你也可以通过 `DESCRIBE` *`tableName`* 查看每张表的结构信息。

**例 9-34：列举数据表**

```
> SHOW TABLES;
mytable
Time taken: 0.052 seconds
```

如果你想要缓存数据表，使用 `CACHE TABLE` *`tableName`* 语句。缓存之后你可以使用 `UNCACHE TABLE` *`tableName`* 命令取消对表的缓存。需要注意的是，之前也提到过，缓存的表会在这个 JDBC 服务器上的所有客户端之间共享。

最后，在 Beeline 中查看查询计划很简单，对查询语句运行 `EXPLAIN` 即可，如例 9-35 所示。

**例 9-35：Spark SQL shell 执行 EXPLAIN**

```
spark-sql> EXPLAIN SELECT * FROM mytable where key = 1;
== Physical Plan ==
Filter (key#16 = 1)
 HiveTableScan [key#16,value#17], (MetastoreRelation default, mytable, None), None
Time taken: 0.551 seconds
```

对于这个查询计划来说，Spark SQL 在一个 HiveTableScan 节点上使用了筛选操作。

在这里，你也可以直接写 SQL 语句对数据进行查询。Beeline shell 对于在多用户间共享的缓存数据表上进行快速的数据探索是非常有用的。

### 9.4.2 长生命周期的表与查询

使用 Spark SQL 的 JDBC 服务器的优点之一就是我们可以在多个不同程序之间共享缓存下来的数据表。JDBC Thrift 服务器是一个单驱动器程序，这就使得共享成为了可能。如前一节中所述，你只需要注册该数据表并对其运行 CACHE 命令，就可以利用缓存了。

Spark SQL 独立 shell

除了 JDBC 服务器，Spark SQL 也支持一个可以作为单独的进程使用的简易 shell，可以通过 ./bin/spark-sql 启动。这个 shell 会连接到你设置在 conf/hive-site.xml 中的 Hive 的元数据仓。如果不存在这样的元数据仓，Spark SQL 也会在本地新建一个。这个脚本主要对于本地开发比较有用。在共享的集群上，你应该使用 JDBC 服务器，让各用户通过 beeline 进行连接。

## 9.5 用户自定义函数

用户自定义函数，也叫 UDF，可以让我们使用 Python/Java/Scala 注册自定义函数，并在 SQL 中调用。这种方法很常用，通常用来给机构内的 SQL 用户们提供高级功能支持，这样这些用户就可以直接调用注册的函数而无需自己去通过编程来实现了。在 Spark SQL 中，编写 UDF 尤为简单。Spark SQL 不仅有自己的 UDF 接口，也支持已有的 Apache Hive UDF。

### 9.5.1 Spark SQL UDF

我们可以使用 Spark 支持的编程语言编写好函数，然后通过 Spark SQL 内建的方法传递进来，非常便捷地注册我们自己的 UDF。在 Scala 和 Python 中，可以利用语言原生的函数和 lambda 语法的支持，而在 Java 中，则需要扩展对应的 UDF 类。UDF 能够支持各种数据类型，返回类型也可以与调用时的参数类型完全不一样。

在 Python 和 Java 中，还需要用表 9-1 中列出的 SchemaRDD 对应的类型来指定返回值类型。Java 中的对应类型可以在 org.apache.spark.sql.api.java.DataType 中找到，而在 Python 中则需要导入 DataType 支持。

在例 9-36 和例 9-37 中，我们可以看到一个用来计算字符串长度的非常简易的 UDF，可以用它来计算推文的长度。

**例 9-36：Python 版本的字符串长度 UDF**

```
# 写一个求字符串长度的UDF
hiveCtx.registerFunction("strLenPython", lambda x: len(x), IntegerType())
lengthSchemaRDD = hiveCtx.sql("SELECT strLenPython('text') FROM tweets LIMIT 10")
```

**例 9-37：Scala 版本的字符串长度 UDF**

```
registerFunction("strLenScala", (_: String).length)
val tweetLength = hiveCtx.sql("SELECT strLenScala('tweet') FROM tweets LIMIT 10")
```

在 Java 中定义 UDF 需要一些额外的 import 声明。和在定义 RDD 函数时一样，根据我们要实现的 UDF 的参数个数，需要扩展特定的类，如例 9-38 和例 9-39 所示。

**例 9-38：Java UDF import 声明**

```
// 导入UDF函数类以及数据类型
// 注意：这些import路径可能会在将来的发行版中改变
import org.apache.spark.sql.api.java.UDF1;
import org.apache.spark.sql.types.DataTypes;
```

**例 9-39：Java 版本的字符串长度 UDF**

```
hiveCtx.udf().register("stringLengthJava", new UDF1<String, Integer>() {
    @Override
      public Integer call(String str) throws Exception {
      return str.length();
    }
  }, DataTypes.IntegerType);
SchemaRDD tweetLength = hiveCtx.sql(
  "SELECT stringLengthJava('text') FROM tweets LIMIT 10");
List<Row> lengths = tweetLength.collect();
for (Row row : result) {
  System.out.println(row.get(0));
}
```

## 9.5.2 Hive UDF

Spark SQL 也支持已有的 Hive UDF。标准的 Hive UDF 已经自动包含在了 Spark SQL 中。如果需要支持自定义的 Hive UDF，我们要确保该 UDF 所在的 JAR 包已经包含在了应用中。需要注意的是，如果使用的是 JDBC 服务器，也可以使用 --jars 命令行标记来添加 JAR。开发 Hive UDF 不在本书的讨论范围之中，所以我们只会介绍一下如何使用已有的 Hive UDF。

要使用 Hive UDF，应该使用 HiveContext，而不能使用常规的 SQLContext。要注册一个 Hive UDF，只需调用 hiveCtx.sql("CREATE TEMPORARY FUNCTION name AS class.function")。

## 9.6 Spark SQL性能

就像本章开头所说的那样，Spark SQL 提供的高级查询语言及附加的类型信息可以使 Spark SQL 数据查询更加高效。

Spark SQL 不仅是给熟悉 SQL 的用户使用的。Spark SQL 使有条件的聚合操作变得非常容易，比如对多个列进行求值（如例 9-40 所示）。利用 Spark SQL 则不再需要像第 6 章中讨论的那样创建一些特殊的对象来进行这种操作。

**例 9-40：Spark SQL 多列求和**

```
SELECT SUM(user.favouritesCount), SUM(retweetCount), user.id FROM tweets
  GROUP BY user.id
```

Spark SQL 可以利用其对类型的了解来高效地表示数据。当缓存数据时，Spark SQL 使用内存式的列式存储。这不仅仅节约了缓存的空间，而且尽可能地减少了后续查询中针对某几个字段查询时的数据读取。

谓词下推可以让 Spark SQL 将查询中的一些部分工作“下移”到查询引擎上。如果我们只需在 Spark 中读取某些特定的记录，标准的方法是读入整个数据集，然后在上面执行筛选条件。然而，在 Spark SQL 中，如果底层的数据存储支持只读取键值在一个范围内的记录，或是其他某些限制条件，Spark SQL 就可以把查询语句中的筛选限制条件推到数据存储层，从而大大减少需要读取的数据。

### 性能调优选项

Spark SQL 的性能调优选项有很多，见表 9-2 所列。

表9-2：Spark SQL中的性能选项

| 选项 | 默认值 | 用途 |
|---|---|---|
| spark.sql.codegen | false | 设为 true 时，Spark SQL 会把每条查询语句在运行时编译为 Java 二进制代码。这可以提高大型查询的性能，但在进行小规模查询时会变慢 |
| spark.sql.inMemoryColumnarStorage.compressed | false | 自动对内存中的列式存储进行压缩 |
| spark.sql.inMemoryColumnarStorage.batchSize | 1000 | 列式缓存时的每个批处理的大小。把这个值调大可能会导致内存不够的异常 |
| spark.sql.parquet.compression.codec | snappy | 使用哪种压缩编码器。可选的选项包括 uncompressed/snappy/gzip/lzo |

使用 JDBC 连接接口和 Beeline shell 时，可以通过 set 命令设置包括这些性能选项在内的各种选项，如例 9-41 所示。

例 9-41：打开 codegen 选项的 Beeline 命令

```
beeline> set spark.sql.codegen=true;
SET spark.sql.codegen=true
spark.sql.codegen=true
Time taken: 1.196 seconds
```

在一个传统的 Spark SQL 应用中，可以在 Spark 配置中设置这些 Spark 属性，如例 9-42 所示。

例 9-42：在 Scala 中打开 codegen 选项的代码

```
conf.set("spark.sql.codegen", "true")
```

一些选项的配置需要给予特别的考量。第一个是 `spark.sql.codegen`，这个选项可以让 Spark SQL 把每条查询语句在运行前编译为 Java 二进制代码。由于生成了专门运行指定查询的代码，codegen 可以让大型查询或者频繁重复的查询明显变快。然而，在运行特别快（1 ～ 2 秒）的即时查询语句时，codegen 有可能会增加额外开销，因为 codegen 需要让每条查询走一遍编译的过程。[5]codegen 还是一个试验性的功能，但是我们推荐在所有大型的或者是重复运行的查询中使用 codegen。

调优时可能需要考虑的第二个选项是 `spark.sql.inMemoryColumnarStorage.batchSize`。在缓存 SchemaRDD 时，Spark SQL 会按照这个选项制定的大小（默认值是 1000）把记录分组，然后分批压缩。太小的批处理大小会导致压缩比过低，而批处理大小过大的话，比如当每个批次处理的数据超过内存所能容纳的大小时，也有可能会引发问题。如果你表中的记录比较大（包含数百个字段或者包含像网页这样非常大的字符串字段），你就可能需要调低批处理大小来避免内存不够（OOM）的错误。如果不是在这样的场景下，默认的批处理大小是比较合适的，因为压缩超过 1000 条记录时也基本无法获得更高的压缩比了。

# 9.7 总结

现在，我们学完了 Spark 利用 Spark SQL 进行结构化和半结构化数据处理的方式。除了本章探索过的查询语句，第 3 章到第 6 章中讲到的操作 RDD 的方法同样适用于 Spark SQL 中的 SchemaRDD。很多时候，我们会把 SQL 与其他的编程语言结合起来使用，以充分利用 SQL 的简洁性和编程语言擅长表达复杂逻辑的优点。而在使用 Spark SQL 时，Spark 执行引擎也能根据数据的结构信息对查询进行优化，让我们从中获益。

注 5：注意，codegen 打开时最开始的几条查询会格外慢，因为 Spark SQL 需要初始化它的编译器。所以在测试 codegen 的额外开销之前你应该先运行 4 ～ 5 条查询语句。

# 第10章 Spark Streaming

许多应用需要即时处理收到的数据，例如用来实时追踪页面访问统计的应用、训练机器学习模型的应用，还有自动检测异常的应用。Spark Streaming 是 Spark 为这些应用而设计的模型。它允许用户使用一套和批处理非常接近的 API 来编写流式计算应用，这样就可以大量重用批处理应用的技术甚至代码。

和 Spark 基于 RDD 的概念很相似，Spark Streaming 使用离散化流（discretized stream）作为抽象表示，叫作 DStream。DStream 是随时间推移而收到的数据的序列。在内部，每个时间区间收到的数据都作为 RDD 存在，而 DStream 是由这些 RDD 所组成的序列（因此得名“离散化”）。DStream 可以从各种输入源创建，比如 Flume、Kafka 或者 HDFS。创建出来的 DStream 支持两种操作，一种是转化操作（transformation），会生成一个新的 DStream，另一种是输出操作（output operation），可以把数据写入外部系统中。DStream 提供了许多与 RDD 所支持的操作相类似的操作支持，还增加了与时间相关的新操作，比如滑动窗口。

和批处理程序不同，Spark Streaming 应用需要进行额外配置来保证 24/7 不间断工作。本章会讨论检查点（checkpointing）机制，也就是把数据存储到可靠文件系统（比如 HDFS）上的机制，这也是 Spark Streaming 用来实现不间断工作的主要方式。此外，还会讲到在遇到失败时如何重启应用，以及如何把应用设置为自动重启模式。

最后，就 Spark 1.1 来说，Spark Streaming 只可以在 Java 和 Scala 中使用。试验性的 Python 支持在 Spark 1.2 中引入，不过只支持文本数据。本章就只用 Java 和 Scala 来展示所有的 API，不过类似的概念对 Python 也是适用的。

## 10.1　一个简单的例子

在开始讲解 Spark Streaming 的细节之前，让我们先来看一个简单的例子。我们会从一台服务器的 7777 端口上收到一个以换行符分隔的多行文本，要从中筛选出包含单词 error 的行，并打印出来。

Spark Streaming 程序最好以使用 Maven 或者 sbt 编译出来的独立应用的形式运行。Spark Streaming 虽然是 Spark 的一部分，它在 Maven 中也以独立工件的形式提供，你也需要在工程中添加一些额外的 import 声明，如例 10-1 至例 10-3 所示。

**例 10-1：Spark Streaming 的 Maven 索引**

```
groupId = org.apache.spark
artifactId = spark-streaming_2.10
version = 1.2.0
```

**例 10-2：Scala 流计算 import 声明**

```
import org.apache.spark.streaming.StreamingContext
import org.apache.spark.streaming.StreamingContext._
import org.apache.spark.streaming.dstream.DStream
import org.apache.spark.streaming.Duration
import org.apache.spark.streaming.Seconds
```

**例 10-3：Java 流计算 import 声明**

```
import org.apache.spark.streaming.api.java.JavaStreamingContext;
import org.apache.spark.streaming.api.java.JavaDStream;
import org.apache.spark.streaming.api.java.JavaPairDStream;
import org.apache.spark.streaming.Duration;
import org.apache.spark.streaming.Durations;
```

让我们从创建 StreamingContext 开始，它是流计算功能的主要入口。StreamingContext 会在底层创建出 SparkContext，用来处理数据。其构造函数还接收用来指定多长时间处理一次新数据的*批次间隔*（batch interval）作为输入，这里我们把它设为 1 秒。接着，调用 `socketTextStream()` 来创建出基于本地 7777 端口上收到的文本数据的 DStream。然后把 DStream 通过 `filter()` 进行转化，只得到包含“error”的行。最后，使用输出操作 `print()` 把一些筛选出来的行打印出来。（如例 10-4 和例 10-5 所示。）

**例 10-4：用 Scala 进行流式筛选，打印出包含“error”的行**

```
// 从SparkConf创建StreamingContext并指定1秒钟的批处理大小
val ssc = new StreamingContext(conf, Seconds(1))
// 连接到本地机器7777端口上后,使用收到的数据创建DStream
val lines = ssc.socketTextStream("localhost", 7777)
// 从DStream中筛选出包含字符串"error"的行
val errorLines = lines.filter(_.contains("error"))
// 打印出有"error"的行
errorLines.print()
```

**例 10-5：用 Java 进行流式筛选，打印出包含“error”的行**

```
// 从SparkConf创建StreamingContext并指定1秒钟的批处理大小
JavaStreamingContext jssc = new JavaStreamingContext(conf, Durations.seconds(1));
// 以端口7777作为输入来源创建DStream
JavaDStream<String> lines = jssc.socketTextStream("localhost", 7777);
// 从DStream中筛选出包含字符串"error"的行
JavaDStream<String> errorLines = lines.filter(new Function<String, Boolean>() {
  public Boolean call(String line) {
    return line.contains("error");
  }});
// 打印出有"error"的行
errorLines.print();
```

这只是设定好了要进行的计算，系统收到数据时计算就会开始。要开始接收数据，必须显式调用 StreamingContext 的 `start()` 方法。这样，Spark Streaming 就会开始把 Spark 作业不断交给下面的 SparkContext 去调度执行。执行会在另一个线程中进行，所以需要调用 `awaitTermination` 来等待流计算完成，来防止应用退出。（见例 10-6 和例 10-7。）

**例 10-6：用 Scala 进行流式筛选，打印出包含“error”的行**

```
// 启动流计算环境StreamingContext并等待它"完成"
ssc.start()
// 等待作业完成
ssc.awaitTermination()
```

**例 10-7：用 Java 进行流式筛选，打印出包含“error”的行**

```
// 启动流计算环境StreamingContext并等待它"完成"
jssc.start();
// 等待作业完成
jssc.awaitTermination();
```

请注意，一个 Streaming context 只能启动一次，所以只有在配置好所有 DStream 以及所需要的输出操作之后才能启动。

现在我们有了一个简易的流计算应用，让我们来运行它，如例 10-8 所示。

**例 10-8：在 Linux/Mac 操作系统上运行流计算应用并提供数据**

```
$ spark-submit --class com.oreilly.learningsparkexamples.scala.StreamingLogInput \
$ASSEMBLY_JAR local[4]

$ nc localhost 7777 # 使你可以键入输入的行来发送给服务器
<此处是你的输入>
```

Windows 用户可以使用 `ncat`（http://nmap.org/ncat/）命令来替代这里的 `nc` 命令。`ncat` 是 `nmap`（http://nmap.org/）工具的一部分。

接下来我们会把这个例子加以扩展以处理 Apache 日志文件。如果你需要生成一些假的日志，可以运行本书 Git 仓库中的脚本 `./bin/fakelogs.sh` 或者 `./bin/fakelogs.cmd` 来把日志发给 7777 端口。

## 10.2 架构与抽象

Spark Streaming 使用"微批次"的架构，把流式计算当作一系列连续的小规模批处理来对待。Spark Streaming 从各种输入源中读取数据，并把数据分组为小的批次。新的批次按均匀的时间间隔创建出来。在每个时间区间开始的时候，一个新的批次就创建出来，在该区间内收到的数据都会被添加到这个批次中。在时间区间结束时，批次停止增长。时间区间的大小是由批次间隔这个参数决定的。批次间隔一般设在 500 毫秒到几秒之间，由应用开发者配置。每个输入批次都形成一个 RDD，以 Spark 作业的方式处理并生成其他的 RDD。处理的结果可以以批处理的方式传给外部系统。高层次的架构如图 10-1 所示。

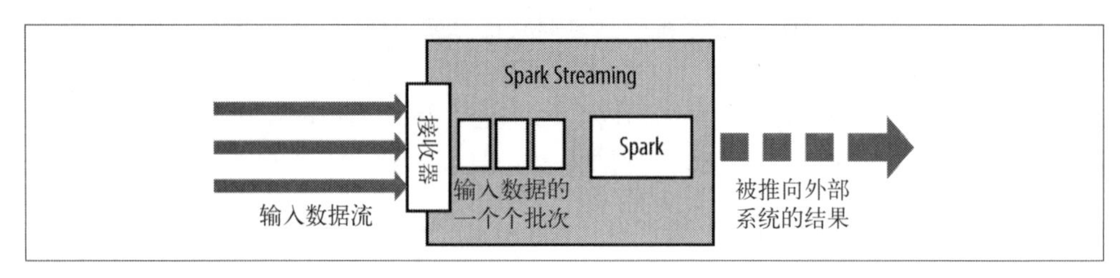


图 10-1：Spark Streaming 的高层次架构

我们已经讲到过，Spark Streaming 的编程抽象是离散化流，也就是 DStream（如图 10-2 所示）。它是一个 RDD 序列，每个 RDD 代表数据流中一个时间片内的数据。

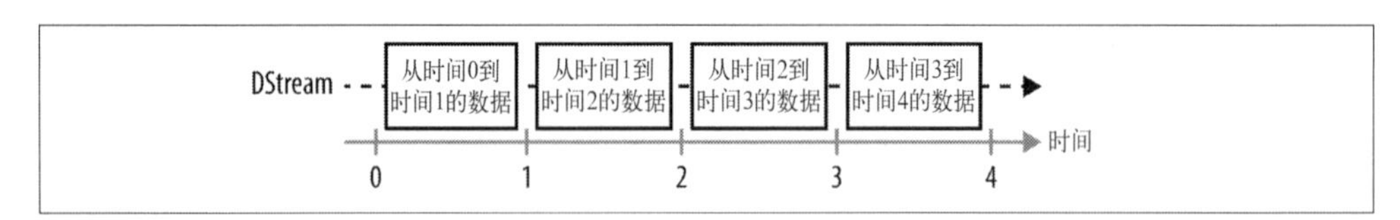


图 10-2：DStream 是一个持续的 RDD 序列

你可以从外部输入源创建 DStream，也可以对其他 DStream 应用进行转化操作得到新的 DStream。DStream 支持许多第 3 章中所讲到的 RDD 支持的转化操作。另外，DStream 还有"有状态"的转化操作，可以用来聚合不同时间片内的数据。我们会在后面几节进一步讲解。

在列举的简单的例子中，我们以从套接字中收到的数据创建出 DStream，然后对其应用 `filter()` 转化操作。这会在内部创建出如图 10-3 所示的 RDD。

如果运行例 10-8，你会看到与例 10-9 所示近似的输出。

**例 10-9：运行例 10-8 的日志输出**

```
-------------------------------------------
Time: 1413833674000 ms
-------------------------------------------
71.19.157.174 - - [24/Sep/2014:22:26:12 +0000] "GET /error78978 HTTP/1.1" 404 505
...
```

```
-------------------------------------------
Time: 1413833675000 ms
-------------------------------------------
71.19.164.174 - - [24/Sep/2014:22:27:10 +0000] "GET /error78978 HTTP/1.1" 404 505
...
```

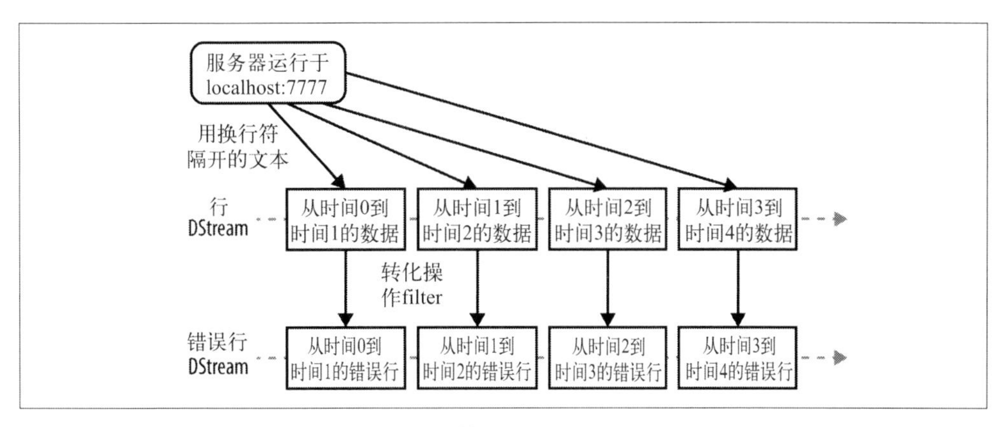


图 10-3：例 10-4 至例 10-8 中的 DStream 及其转化关系

这样的输出清晰地展示了 Spark Streaming 的微批次架构。我们可以看到筛选过的日志每秒钟都被打印一次，这是因为我们创建 StreamingContext 时设定的批次间隔为 1 秒。Spark 用户界面也显示 Spark Streaming 执行了许多小规模作业，如图 10-4 所示。

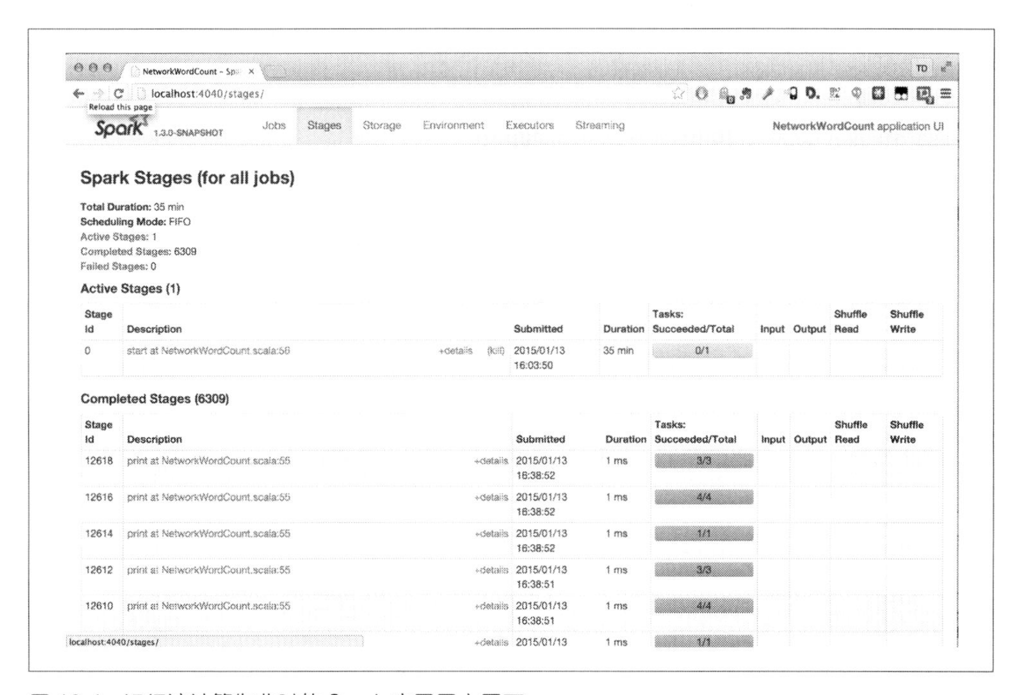


图 10-4：运行流计算作业时的 Spark 应用用户界面

除了转化操作以外，DStream 还支持输出操作，比如在示例中使用的 `print()`。输出操作和 RDD 的行动操作的概念类似。Spark 在行动操作中将数据写入外部系统中，而 Spark Streaming 的输出操作在每个时间区间中周期性执行，每个批次都生成输出。

Spark Streaming 在 Spark 的驱动器程序—工作节点的结构的执行过程如图 10-5 所示（参照本书前面在图 2-3 中对 Spark 组成部分的描述）。Spark Streaming 为每个输入源启动对应的接收器。接收器以任务的形式运行在应用的执行器进程中，从输入源收集数据并保存为 RDD。它们收集到输入数据后会把数据复制到另一个执行器进程来保障容错性（默认行为）。数据保存在执行器进程的内存中，和缓存 RDD 的方式一样[1]。驱动器程序中的 StreamingContext 会周期性地运行 Spark 作业来处理这些数据，把数据与之前时间区间中的 RDD 进行整合。

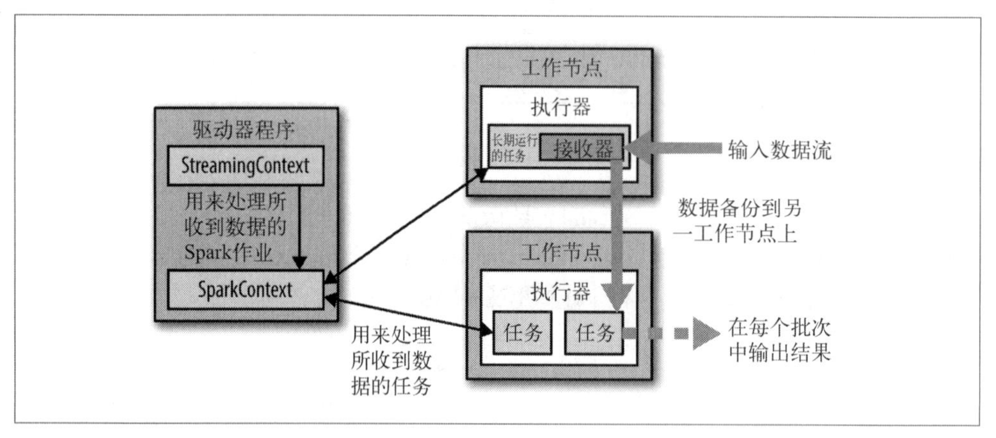


图 10-5：Spark Streaming 在 Spark 各组件中的执行过程

Spark Streaming 对 DStream 提供的容错性与 Spark 为 RDD 所提供的容错性一致：只要输入数据还在，它就可以使用 RDD 谱系重算出任意状态（比如重新执行处理输入数据的操作）。默认情况下，收到的数据分别存在于两个节点上，这样 Spark 可以容忍一个工作节点的故障。不过，如果只用谱系图来恢复的话，重算有可能会花很长时间，因为需要处理从程序启动以来的所有数据。因此，Spark Streaming 也提供了检查点机制，可以把状态阶段性地存储到可靠文件系统中（例如 HDFS 或者 S3）。一般来说，你需要每处理 5-10 个批次的数据就保存一次。在恢复数据时，Spark Streaming 只需要回溯到上一个检查点即可。

接下来会详细探究 Spark Streaming 中的转化操作、输出操作，以及各种输入源。然后，我们会回到容错性和检查点机制，讨论如何为 24/7 不间断运行配置程序。

注 1：在 Spark 1.2 中，接收器也可以把数据备份到 HDFS 上。而且，对于一些输入源，比如 HDFS，天生就是多份存储，所以 Spark Streaming 不会再作一次备份。

## 10.3　转化操作

DStream 的转化操作可以分为无状态（stateless）和有状态（stateful）两种。

- 在无状态转化操作中，每个批次的处理不依赖于之前批次的数据。第 3 章和第 4 章中所讲的常见的 RDD 转化操作，例如 `map()`、`filter()`、`reduceByKey()` 等，都是无状态转化操作。
- 相对地，有状态转化操作需要使用之前批次的数据或者是中间结果来计算当前批次的数据。有状态转化操作包括基于滑动窗口的转化操作和追踪状态变化的转化操作。

### 10.3.1　无状态转化操作

无状态转化操作就是把简单的 RDD 转化操作应用到每个批次上，也就是转化 DStream 中的每一个 RDD。部分无状态转化操作列在了表 10-1 中。我们已经在图 10-3 中看到了 `filter()` 的例子。第 3 章和第 4 章讨论的 RDD 转化操作中有不少都可以用于 DStream。注意，针对键值对的 DStream 转化操作（比如 `reduceByKey()`）要添加 `import StreamingContext._` 才能在 Scala 中使用。和 RDD 一样，在 Java 中需要通过 `mapToPair()` 创建出一个 `JavaPairDStream` 才能使用。

表10-1：DStream无状态转化操作的例子（不完整列表）

| 函数名称 | 目　的 | Scala示例 | 用来操作DStream[T]的用户自定义函数的函数签名 |
| --- | --- | --- | --- |
| `map()` | 对 DStream 中的每个元素应用给定函数，返回由各元素输出的元素组成的 DStream。 | `ds.map(x => x + 1)` | `f: (T) -> U` |
| `flatMap()` | 对 DStream 中的每个元素应用给定函数，返回由各元素输出的迭代器组成的 DStream。 | `ds.flatMap(x => x.split(" "))` | `f: T -> Iterable[U]` |
| `filter()` | 返回由给定 DStream 中通过筛选的元素组成的 DStream。 | `ds.filter(x => x != 1)` | `f: T -> Boolean` |
| `repartition()` | 改变 DStream 的分区数。 | `ds.repartition(10)` | N/A |
| `reduceByKey()` | 将每个批次中键相同的记录归约。 | `ds.reduceByKey((x, y) => x + y)` | `f: T, T -> T` |
| `groupByKey()` | 将每个批次中的记录根据键分组。 | `ds.groupByKey()` | N/A |

需要记住的是，尽管这些函数看起来像作用在整个流上一样，但事实上每个 DStream 在内部是由许多 RDD（批次）组成，且无状态转化操作是分别应用到每个 RDD 上的。例如，`reduceByKey()` 会归约每个时间区间中的数据，但不会归约不同区间之间的数据。我们稍后会讲的有状态转化操作则会整合不同时间区间内的数据。

举个例子，在之前的日志处理程序中，我们可以使用 `map()` 和 `reduceByKey()` 在每个时间区间中对日志根据 IP 地址进行计数，如例 10-10 和例 10-11 所示。

**例 10-10：在 Scala 中对 DStream 使用 map() 和 reduceByKey()**

```
// 假设ApacheAccessingLog是用来从Apache日志中解析条目的工具类
val accessLogDStream = logData.map(line => ApacheAccessLog.parseFromLogLine(line))
val ipDStream = accessLogsDStream.map(entry => (entry.getIpAddress(), 1))
val ipCountsDStream = ipDStream.reduceByKey((x, y) => x + y)
```

**例 10-11：在 Java 中对 DStream 使用 map() 和 reduceByKey()**

```
// 假设ApacheAccessingLog是用来从Apache日志中解析条目的工具类
static final class IpTuple implements PairFunction<ApacheAccessLog, String, Long> {
  public Tuple2<String, Long> call(ApacheAccessLog log) {
    return new Tuple2<>(log.getIpAddress(), 1L);
  }
}

JavaDStream<ApacheAccessLog> accessLogsDStream =
  logData.map(new ParseFromLogLine());
JavaPairDStream<String, Long> ipDStream =
  accessLogsDStream.mapToPair(new IpTuple());
JavaPairDStream<String, Long> ipCountsDStream =
  ipDStream.reduceByKey(new LongSumReducer());
```

无状态转化操作也能在多个 DStream 间整合数据，不过也是在各个时间区间内。例如，键值对 DStream 拥有和 RDD 一样的与连接相关的转化操作，也就是 cogroup()、join()、leftOuterJoin() 等（见 4.3.3 节）。我们可以在 DStream 上使用这些操作，这样就对每个批次分别执行了对应的 RDD 操作。

让我们来看看对两个 DStream 使用连接的一个具体例子。在例 10-12 和例 10-13 中，我们以 IP 地址为键，把请求计数的数据和传输数据量的数据连接起来。

**例 10-12：在 Scala 中连接两个 DStream**

```
val ipBytesDStream =
  accessLogsDStream.map(entry => (entry.getIpAddress(), entry.getContentSize()))
val ipBytesSumDStream =
  ipBytesDStream.reduceByKey((x, y) => x + y)
val ipBytesRequestCountDStream =
  ipCountsDStream.join(ipBytesSumDStream)
```

**例 10-13：在 Java 中连接两个 DStream**

```
JavaPairDStream<String, Long> ipBytesDStream =
  accessLogsDStream.mapToPair(new IpContentTuple());
JavaPairDStream<String, Long> ipBytesSumDStream =
  ipBytesDStream.reduceByKey(new LongSumReducer());
JavaPairDStream<String, Tuple2<Long, Long>> ipBytesRequestCountDStream =
  ipCountsDStream.join(ipBytesSumDStream);
```

我们还可以像在常规的 Spark 中一样使用 DStream 的 union() 操作将它和另一个 DStream 的内容合并起来，也可以使用 StreamingContext.union() 来合并多个流。

最后，如果这些无状态转化操作不够用，DStream 还提供了一个叫作 transform() 的高级操作符，可以让你直接操作其内部的 RDD。这个 `transform()` 操作允许你对 DStream 提供任意一个 RDD 到 RDD 的函数。这个函数会在数据流中的每个批次中被调用，生成一个新的流。`transform()` 的一个常见应用就是重用你为 RDD 写的批处理代码。例如，如果你有一个叫作 `extractOutliers()` 的函数，用来从一个日志记录的 RDD 中提取出异常值的 RDD（可能通过对消息进行一些统计），你就可以在 `transform()` 中重用它，如例 10-14 和例 10-15 所示。

**例 10-14：在 Scala 中对 DStream 使用 `transform()`**

```
val outlierDStream = accessLogsDStream.transform { rdd =>
  extractOutliers(rdd)
}
```

**例 10-15：在 Java 中对 DStream 使用 `transform()`**

```
JavaPairDStream<String, Long> ipRawDStream = accessLogsDStream.transform(
  new Function<JavaRDD<ApacheAccessLog>, JavaRDD<ApacheAccessLog>>() {
    public JavaPairRDD<ApacheAccessLog> call(JavaRDD<ApacheAccessLog> rdd) {
      return extractOutliers(rdd);
    }
});
```

你也可以通过 `StreamingContext.transform` 或 `DStream.transformWith(otherStream, func)` 来整合与转化多个 DStream。

## 10.3.2 有状态转化操作

DStream 的有状态转化操作是跨时间区间跟踪数据的操作；也就是说，一些先前批次的数据也被用来在新的批次中计算结果。主要的两种类型是滑动窗口和 `updateStateByKey()`，前者以一个时间阶段为滑动窗口进行操作，后者则用来跟踪每个键的状态变化（例如构建一个代表用户会话的对象）。

有状态转化操作需要在你的 StreamingContext 中打开检查点机制来确保容错性。我们会在 10.6 节中更详细地讨论检查点机制，现在你只需要知道可以通过传递一个目录作为参数给 `ssc.checkpoint()` 来打开它，如例 10-16 所示。

**例 10-16：设置检查点**

```
ssc.checkpoint("hdfs://...")
```

进行本地开发时，你也可以使用本地路径（例如 /tmp）取代 HDFS。

#### 基于窗口的转化操作

基于窗口的操作会在一个比 StreamingContext 的批次间隔更长的时间范围内，通过整合多个批次的结果，计算出整个窗口的结果。本节会展示如何使用这种转化操作来跟踪网络服务器访问日志中的一些信息，比如常见的一些响应代码、内容大小，以及客户端类型。

所有基于窗口的操作都需要两个参数，分别为窗口时长以及滑动步长，两者都必须是 StreamContext 的批次间隔的整数倍。窗口时长控制每次计算最近的多少个批次的数据，其实就是最近的 `windowDuration/batchInterval` 个批次。如果有一个以 10 秒为批次间隔的源 DStream，要创建一个最近 30 秒的时间窗口（即最近 3 个批次），就应当把 `windowDuration` 设为 30 秒。而滑动步长的默认值与批次间隔相等，用来控制对新的 DStream 进行计算的间隔。如果源 DStream 批次间隔为 10 秒，并且我们只希望每两个批次计算一次窗口结果，就应该把滑动步长设置为 20 秒。图 10-6 展示了一个例子。

对 DStream 可以用的最简单窗口操作是 `window()`，它返回一个新的 DStream 来表示所请求的窗口操作的结果数据。换句话说，`window()` 生成的 DStream 中的每个 RDD 会包含多个批次中的数据，可以对这些数据进行 `count()`、`transform()` 等操作（见例 10-17 和例 10-18）。

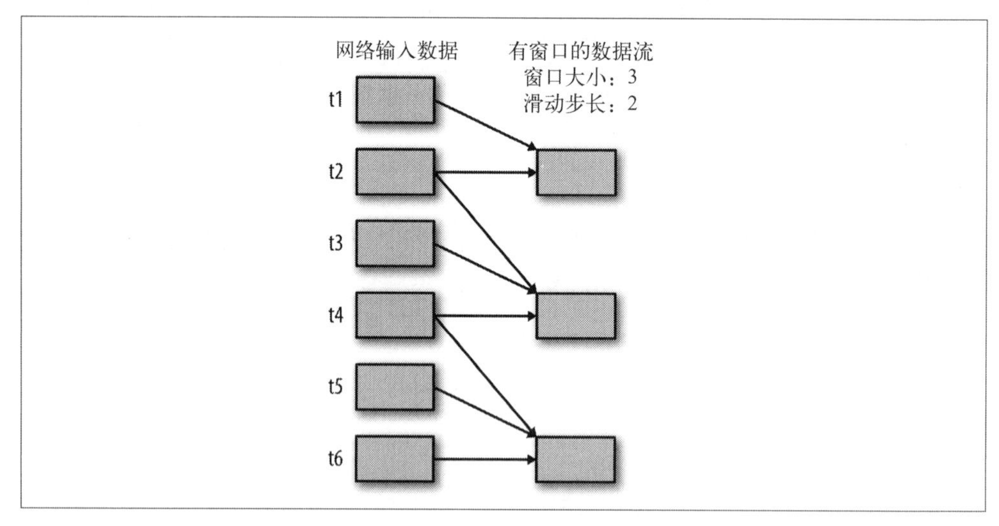


图 10-6：一个基于窗口的流数据，窗口时长为 3 个批次，滑动步长为 2 个批次；每隔 2 个批次就对前 3 个批次的数据进行一次计算

**例 10-17：如何在 Scala 中使用 `window()` 对窗口进行计数**

```
val accessLogsWindow = accessLogsDStream.window(Seconds(30), Seconds(10))
val windowCounts = accessLogsWindow.count()
```

**例 10-18：如何在 Java 中使用 `window()` 对窗口进行计数**

```
JavaDStream<ApacheAccessLog> accessLogsWindow = accessLogsDStream.window(
    Durations.seconds(30), Durations.seconds(10));
JavaDStream<Integer> windowCounts = accessLogsWindow.count();
```

尽管可以使用 `window()` 写出所有的窗口操作，Spark Streaming 还是提供了一些其他的窗口操作，让用户可以高效而方便地使用。首先，`reduceByWindow()` 和 `reduceByKeyAndWindow()` 让我们可以对每个窗口更高效地进行归约操作。它们接收一个归约函数，在整个窗口上执

行，比如 +。除此以外，它们还有一种特殊形式，通过只考虑新进入窗口的数据和离开窗口的数据，让 Spark 增量计算归约结果。这种特殊形式需要提供归约函数的一个逆函数，比如 + 对应的逆函数为 -。对于较大的窗口，提供逆函数可以大大提高执行效率（见图 10-7）。

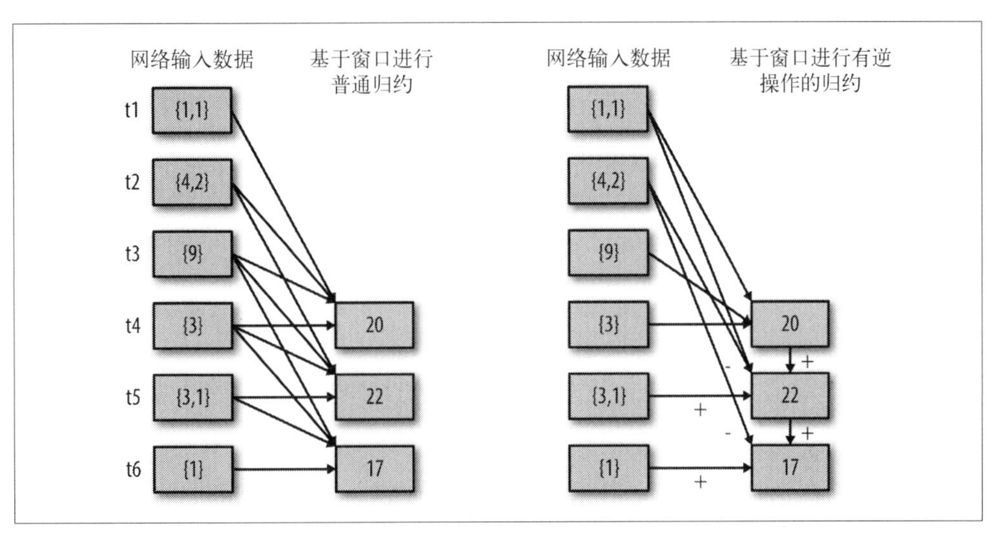


图 10-7：普通的 reduceByWindow() 与使用逆函数的增量式 reduceByWindow() 的区别

在日志处理的例子中，我们可以使用这两个函数来更高效地对每个 IP 地址访问量进行计数，如例 10-19 和例 10-20 所示。

**例 10-19：Scala 版本的每个 IP 地址的访问量计数**

```
val ipDStream = accessLogsDStream.map(logEntry => (logEntry.getIpAddress(), 1))
val ipCountDStream = ipDStream.reduceByKeyAndWindow(
  {(x, y) => x + y}, // 加上新进入窗口的批次中的元素
  {(x, y) => x - y}, // 移除离开窗口的老批次中的元素
  Seconds(30),       // 窗口时长
  Seconds(10))       // 滑动步长
```

**例 10-20：Java 版本的每个 IP 地址的访问量计数**

```
class ExtractIp extends PairFunction<ApacheAccessLog, String, Long> {
  public Tuple2<String, Long> call(ApacheAccessLog entry) {
    return new Tuple2(entry.getIpAddress(), 1L);
  }
}
class AddLongs extends Function2<Long, Long, Long>() {
  public Long call(Long v1, Long v2) { return v1 + v2; }
}
class SubtractLongs extends Function2<Long, Long, Long>() {
  public Long call(Long v1, Long v2) { return v1 - v2; }
}

JavaPairDStream<String, Long> ipAddressPairDStream = accessLogsDStream.mapToPair(
  new ExtractIp());
```

```
JavaPairDStream<String, Long> ipCountDStream = ipAddressPairDStream.
  reduceByKeyAndWindow(
  new AddLongs(), // 加上新进入窗口的批次中的元素
  new SubtractLongs()
  // 移除离开窗口的老批次中的元素
  Durations.seconds(30),  // 窗口时长
  Durations.seconds(10)); // 滑动步长
```

最后，DStream 还提供了 countByWindow() 和 countByValueAndWindow() 作为对数据进行计数操作的简写。countByWindow() 返回一个表示每个窗口中元素个数的 DStream，而 countByValueAndWindow() 返回的 DStream 则包含窗口中每个值的个数，如例 10-21 和例 10-22 所示。

**例 10-21：Scala 中的窗口计数操作**

```
val ipDStream = accessLogsDStream.map{entry => entry.getIpAddress()}
val ipAddressRequestCount = ipDStream.countByValueAndWindow(Seconds(30), Seconds(10))
val requestCount = accessLogsDStream.countByWindow(Seconds(30), Seconds(10))
```

**例 10-22：Java 中的窗口计数操作**

```
JavaDStream<String> ip = accessLogsDStream.map(
  new Function<ApacheAccessLog, String>() {
    public String call(ApacheAccessLog entry) {
      return entry.getIpAddress();
    }});
JavaDStream<Long> requestCount = accessLogsDStream.countByWindow(
  Dirations.seconds(30), Durations.seconds(10));
JavaPairDStream<String, Long> ipAddressRequestCount = ip.countByValueAndWindow(
  Dirations.seconds(30), Durations.seconds(10));
```

#### UpdateStateByKey转化操作

有时，我们需要在 DStream 中跨批次维护状态（例如跟踪用户访问网站的会话）。针对这种情况，updateStateByKey() 为我们提供了对一个状态变量的访问，用于键值对形式的 DStream。给定一个由（键，事件）对构成的 DStream，并传递一个指定如何根据新的事件更新每个键对应状态的函数，它可以构建出一个新的 DStream，其内部数据为（键，状态）对。例如，在网络服务器日志中，事件可能是对网站的访问，此时键是用户的 ID。使用 updateStateByKey() 可以跟踪每个用户最近访问的 10 个页面。这个列表就是"状态"对象，我们会在每个事件到来时更新这个状态。

要使用 updateStateByKey()，提供了一个 update(events, oldState) 函数，接收与某键相关的事件以及该键之前对应的状态，返回这个键对应的新状态。这个函数的签名如下所示。

- events：是在当前批次中收到的事件的列表（可能为空）。
- oldState：是一个可选的状态对象，存放在 Option 内；如果一个键没有之前的状态，这个值可以空缺。
- newState：由函数返回，也以 Option 形式存在；我们可以返回一个空的 Option 来表示

想要删除该状态。

updateStateByKey() 的结果会是一个新的 DStream，其内部的 RDD 序列是由每个时间区间对应的（键，状态）对组成的。

举个简单的例子，使用 updateStateByKey() 来跟踪日志消息中各 HTTP 响应代码的计数。这里的键是响应代码，状态是代表各响应代码计数的整数，事件则是页面访问。请注意，跟之前的窗口例子不同的是，例 10-23 和例 10-24 会进行自程序启动开始就"无限增长"的计数。

**例 10-23：在 Scala 中使用 updateStateByKey() 运行响应代码的计数**

```scala
def updateRunningSum(values: Seq[Long], state: Option[Long]) = {
  Some(state.getOrElse(0L) + values.size)
}

val responseCodeDStream = accessLogsDStream.map(log => (log.getResponseCode(), 1L))
val responseCodeCountDStream = responseCodeDStream.updateStateByKey(updateRunningSum _)
```

**例 10-24：在 Java 中使用 updateStateByKey() 运行响应代码的计数**

```java
class UpdateRunningSum implements Function2<List<Long>,
    Optional<Long>, Optional<Long>> {
  public Optional<Long> call(List<Long> nums, Optional<Long> current) {
    long sum = current.or(0L);
    return Optional.of(sum + nums.size());
  }
};

JavaPairDStream<Integer, Long> responseCodeCountDStream = accessLogsDStream.mapToPair(
    new PairFunction<ApacheAccessLog, Integer, Long>() {
      public Tuple2<Integer, Long> call(ApacheAccessLog log) {
        return new Tuple2(log.getResponseCode(), 1L);
    }})
  .updateStateByKey(new UpdateRunningSum());
```

## 10.4 输出操作

输出操作指定了对流数据经转化操作得到的数据所要执行的操作（例如把结果推入外部数据库或输出到屏幕上）。

与 RDD 中的惰性求值类似，如果一个 DStream 及其派生出的 DStream 都没有被执行输出操作，那么这些 DStream 就都不会被求值。如果 StreamingContext 中没有设定输出操作，整个 context 就都不会启动。

常用的一种调试性输出操作是 print()，它会在每个批次中抓取 DStream 的前十个元素打印出来。

一旦调试好了程序，就可以使用输出操作来保存结果了。Spark Streaming 对于 DStream 有与 Spark 类似的 save() 操作，它们接受一个目录作为参数来存储文件，还支持通过可选参数来设置文件的后缀名。每个批次的结果被保存在给定目录的子目录中，且文件名中含有时间和后缀名。我们可以把 IP 地址计数保存起来，如例 10-25 所示。

**例 10-25：在 Scala 中将 DStream 保存为文本文件**

```
ipAddressRequestCount.saveAsTextFiles("outputDir", "txt")
```

还有一个更为通用的 saveAsHadoopFiles() 函数，接收一个 Hadoop 输出格式作为参数。例如，Spark Streaming 没有内建的 saveAsSequenceFile() 函数，但是我们可以使用例 10-26 和例 10-27 中的方法来保存 SequenceFile 文件。

**例 10-26：在 Scala 中将 DStream 保存为 SequenceFile**

```
val writableIpAddressRequestCount = ipAddressRequestCount.map {
  (ip, count) => (new Text(ip), new LongWritable(count)) }
writableIpAddressRequestCount.saveAsHadoopFiles[
  SequenceFileOutputFormat[Text, LongWritable]]("outputDir", "txt")
```

**例 10-27：在 Java 中将 DStream 保存为 SequenceFile**

```
JavaPairDStream<Text, LongWritable> writableDStream = ipDStream.mapToPair(
  new PairFunction<Tuple2<String, Long>, Text, LongWritable>() {
    public Tuple2<Text, LongWritable> call(Tuple2<String, Long> e) {
      return new Tuple2(new Text(e._1()), new LongWritable(e._2()));
  }});
class OutFormat extends SequenceFileOutputFormat<Text, LongWritable> {};
writableDStream.saveAsHadoopFiles(
  "outputDir", "txt", Text.class, LongWritable.class, OutFormat.class);
```

最后，还有一个通用的输出操作 foreachRDD()，它用来对 DStream 中的 RDD 运行任意计算。这和 transform() 有些类似，都可以让我们访问任意 RDD。在 foreachRDD() 中，可以重用我们在 Spark 中实现的所有行动操作。比如，常见的用例之一是把数据写到诸如 MySQL 的外部数据库中。对于这种操作，Spark 没有提供对应的 saveAs() 函数，但可以使用 RDD 的 eachPartition() 方法来把它写出去。为了方便，foreachRDD() 也可以提供给我们当前批次的时间，允许我们把不同时间的输出结果存到不同的位置。参见例 10-28。

**例 10-28：在 Scala 中使用 foreachRDD() 将数据存储到外部系统中**

```
ipAddressRequestCount.foreachRDD { rdd =>
  rdd.foreachPartition { partition =>
    // 打开到存储系统的连接(比如一个数据库的连接)
    partition.foreach { item =>
      // 使用连接把item存到系统中
    }
    // 关闭连接
  }
}
```

## 10.5 输入源

Spark Streaming 原生支持一些不同的数据源。一些“核心”数据源已经被打包到 Spark Streaming 的 Maven 工件中，而其他的一些则可以通过 `spark-streaming-kafka` 等附加工件获取。

本节会对部分数据源进行一些概述。我们假定你已经安装好了这些数据源，并且不会介绍这些系统中与 Spark 无关的组件。如果你在设计一个新的应用，我们建议你从使用 HDFS 或 Kafka 这种简单的输入源开始。

### 10.5.1 核心数据源

所有用来从核心数据源创建 DStream 的方法都位于 StreamingContext 中。我们已经在示例中用过其中一个：套接字。这里再讨论两个：文件和 Akka actor。

#### 1. 文件流

因为 Spark 支持从任意 Hadoop 兼容的文件系统中读取数据，所以 Spark Streaming 也就支持从任意 Hadoop 兼容的文件系统目录中的文件创建数据流。由于支持多种后端，这种方式广为使用，尤其是对于像日志这样始终要复制到 HDFS 上的数据。要让 Spark Streaming 来处理数据，我们需要为目录名字提供统一的日期格式，文件也必须原子化创建（比如把文件移入 Spark 监控的目录）。[2] 可以修改例 10-4 和例 10-5 来处理新出现在一个目录下的日志文件，如例 10-29 和例 10-30 所示。

**例 10-29：用 Scala 读取目录中的文本文件流**

```
val logData = ssc.textFileStream(logDirectory)
```

**例 10-30：用 Java 读取目录中的文本文件流**

```
JavaDStream<String> logData = jssc.textFileStream(logsDirectory);
```

我们可以使用所提供的 ./bin/fakelogs_directory.sh 脚本来造出假日志。如果有真实日志数据的话，也可以用 `mv` 命令将日志文件循环移入所监控的目录中。

除了文本数据，也可以读入任意 Hadoop 输入格式。与 5.2.6 节所讲的一样，只需要将 `Key`、`Value` 以及 `InputFormat` 类提供给 Spark Streaming 即可。例如，如果先前已经有了一个流处理作业来处理日志，并已经将得到的每个时间区间内传输的数据分别存储成了一个 SequenceFile，就可以如例 10-31 中所示的那样来读取数据。

---

注 2：原子化表示整个操作一次完成。如果 Spark Streaming 将要处理文件时，更多的数据出现了，Spark Streaming 就会无法注意到新添加的数据，因此原子化在这里很重要。在文件系统中，文件重命名操作一般是原子化的。

**例 10-31：用 Scala 读取目录中的 SequenceFile 流**

```
ssc.fileStream[LongWritable, IntWritable,
    SequenceFileInputFormat[LongWritable, IntWritable]](inputDirectory).map {
    case (x, y) => (x.get(), y.get())
}
```

#### 2. Akka actor流

另一个核心数据源接收器是 `actorStream`，它可以把 Akka actor（http://akka.io/）作为数据流的源。要创建出一个 actor 流，需要创建一个 Akka actor，然后实现 `org.apache.spark.streaming.receiver.ActorHelper` 接口。要把输入数据从 actor 复制到 Spark Streaming 中，需要在收到新数据时调用 actor 的 `store()` 函数。Akka actor 流不是很常见，所以我们不会对其进行深入探究。你可以阅读流计算的文档（http://spark.apache.org/docs/latest/streaming-custom-receivers.html）以及 Spark 中的 ActorWordCount（https://github.com/apache/spark/blob/master/examples/src/main/scala/org/apache/spark/examples/streaming/ActorWordCount.scala）的例子来学习如何使用它们。

### 10.5.2 附加数据源

除核心数据源外，还可以用附加数据源接收器来从一些知名数据获取系统中接收的数据，这些接收器都作为 Spark Streaming 的组件进行独立打包了。它们仍然是 Spark 的一部分，不过你需要在构建文件中添加额外的包才能使用它们。现有的接收器包括 Twitter、Apache Kafka、Amazon Kinesis、Apache Flume，以及 ZeroMQ。可以通过添加与 Spark 版本匹配的 Maven 工件 `spark-streaming-[projectname]_2.10` 来引入这些附加接收器。

#### 1. Apache Kafka

Apache Kafka（http://kafka.apache.org/）因其速度与弹性成为了一个流行的输入源。使用 Kafka 原生的支持，可以轻松处理许多主题的消息。在工程中需要引入 Maven 工件 `spark-streaming-kafka_2.10` 来使用它。包内提供的 `KafkaUtils` 对象可以在 StreamingContext 和 JavaStreamingContext 中以你的 Kafka 消息创建出 DStream。由于 `KafkaUtils` 可以订阅多个主题，因此它创建出的 DStream 由成对的主题和消息组成。要创建出一个流数据，需要使用 StreamingContext 实例、一个由逗号隔开的 ZooKeeper 主机列表字符串、消费者组的名字（唯一名字），以及一个从主题到针对这个主题的接收器线程数的映射表来调用 `createStream()` 方法（如例 10-32 和例 10-33 所示）。

**例 10-32：在 Scala 中用 Apache Kafka 订阅 Panda 主题**

```
import org.apache.spark.streaming.kafka._
...
// 创建一个从主题到接收器线程数的映射表
val topics = List(("pandas", 1), ("logs", 1)).toMap
val topicLines = KafkaUtils.createStream(ssc, zkQuorum, group, topics)
StreamingLogInput.processLines(topicLines.map(_._2))
```

**例 10-33：在 Java 中用 Apache Kafka 订阅 Panda 主题**

```
import org.apache.spark.streaming.kafka.*;
...
// 创建一个从主题到接收器线程数的映射表
Map<String, Integer> topics = new HashMap<String, Integer>();
topics.put("pandas", 1);
topics.put("logs", 1);
JavaPairDStream<String, String> input =
  KafkaUtils.createStream(jssc, zkQuorum, group, topics);
input.print();
```

### 2. Apache Flume

Spark 提供两个不同的接收器来使用 Apache Flume（http://flume.apache.org/，见图 10-8）。两个接收器简介如下。

- 推式接收器

  该接收器以 Avro 数据池的方式工作，由 Flume 向其中推数据。

- 拉式接收器

  该接收器可以从自定义的中间数据池中拉数据，而其他进程可以使用 Flume 把数据推进该中间数据池。

两种方式都需要重新配置 Flume，并在某个节点配置的端口上运行接收器（不是已有的 Spark 或者 Flume 使用的端口）。要使用其中任何一种方法，都需要在工程中引入 Maven 工件 `spark-streaming-flume_2.10`。

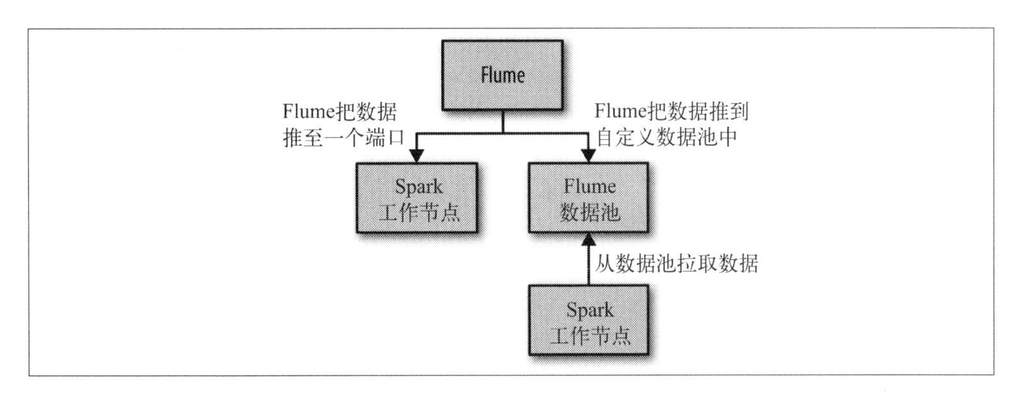


图 10-8：Flume 接收器选项

### 3. 推式接收器

推式接收器的方法设置起来很容易，但是它不使用事务来接收数据。在这种方式中，接收器以 Avro 数据池的方式工作，我们需要配置 Flume 来把数据发到 Avro 数据池（见例 10-34）。我们提供的 `FlumeUtils` 对象会把接收器配置在一个特定的工作节点的主机名及端口号上（见例 10-35 和例 10-36）。这些设置必须和 Flume 配置相匹配。

**例 10-34：Flume 对 Avro 池的配置**

```
a1.sinks = avroSink
a1.sinks.avroSink.type = avro
a1.sinks.avroSink.channel = memoryChannel
a1.sinks.avroSink.hostname = receiver-hostname
a1.sinks.avroSink.port = port-used-for-avro-sink-not-spark-port
```

**例 10-35：Scala 中的 FlumeUtils 代理**

```
val events = FlumeUtils.createStream(ssc, receiverHostname, receiverPort)
```

**例 10-36：Java 中的 FlumeUtils 代理**

```
JavaDStream<SparkFlumeEvent> events = FlumeUtils.createStream(ssc, receiverHostname,
                                      receiverPort)
```

虽然这种方式很简洁，但缺点是没有事务支持。这会增加运行接收器的工作节点发生错误时丢失少量数据的几率。不仅如此，如果运行接收器的工作节点发生故障，系统会尝试从另一个位置启动接收器，这时需要重新配置 Flume 才能将数据发给新的工作节点。这样配置会比较麻烦。

#### 4. 拉式接收器

较新的方式是拉式接收器（在 Spark 1.1 中引入），它设置了一个专用的 Flume 数据池供 Spark Streaming 读取，并让接收器主动从数据池中拉取数据。这种方式的优点在于弹性较好，Spark Streaming 通过事务从数据池中读取并复制数据。在收到事务完成的通知前，这些数据还保留在数据池中。

我们需要先把自定义数据池配置为 Flume 的第三方插件。安装插件的最新方法请参考 Flume 文档的相关部分（https://flume.apache.org/FlumeUserGuide.html#installing-third-party-plugins）。由于插件是用 Scala 写的，因此需要把插件本身以及 Scala 库都添加到 Flume 插件中。Spark 1.1 中对应的 Maven 索引如例 10-37 所示。

**例 10-37：Flume 数据池的 Maven 索引**

```
groupId = org.apache.spark
artifactId = spark-streaming-flume-sink_2.10
version = 1.2.0

groupId = org.scala-lang
artifactId = scala-library
version = 2.10.4
```

当你把自定义 Flume 数据池添加到一个节点上之后，就需要配置 Flume 来把数据推送到这个数据池中，如例 10-38 所示。

**例 10-38：Flume 对自定义数据池的配置**

```
a1.sinks = spark
a1.sinks.spark.type = org.apache.spark.streaming.flume.sink.SparkSink
```

```
a1.sinks.spark.hostname = receiver-hostname
a1.sinks.spark.port = port-used-for-sync-not-spark-port
a1.sinks.spark.channel = memoryChannel
```

等到数据已经在数据池中缓存起来，就可以调用 FlumeUtils 来读取数据了，如例 10-39 和 10-40 所示。

**例 10-39：在 Scala 中使用 FlumeUtils 读取自定义数据池**

```
val events = FlumeUtils.createPollingStream(ssc, receiverHostname, receiverPort)
```

**例 10-40：在 Java 中使用 FlumeUtils 读取自定义数据池**

```
JavaDStream<SparkFlumeEvent> events = FlumeUtils.createPollingStream(ssc,
  receiverHostname, receiverPort)
```

在这两个例子中，DStream 是由 SparkFlumeEvent（https://spark.apache.org/docs/latest/api/java/org/apache/spark/streaming/flume/SparkFlumeEvent.html）组成的。可以通过 event 访问下层的 AvroFlumeEvent。如果事件主体是 UTF-8 字符串，就可以用例 10-41 所示的方式获取其内容。

**例 10-41：Scala 中的 SparkFlumeEvent**

```
// 假定flume事件是UTF-8编码的日志记录
val lines = events.map{e => new String(e.event.getBody().array(), "UTF-8")}
```

#### 5. 自定义输入源

除了上述这些源，你也可以实现自己的接收器来支持别的输入源。详细信息请参考 Spark 文档中的“自定义流计算接收器指南”（Streaming Custom Receivers guide，http://spark.apache.org/docs/latest/streaming-custom-receivers.html）。

### 10.5.3 多数据源与集群规模

如前文所述，可以使用类似 union() 这样的操作将多个 DStream 合并。通过这些操作符，可以把多个输入的 DStream 合并起来。有时，使用多个接收器对于提高聚合操作中的数据获取的吞吐量非常必要（如果只用一个接收器，可能会成为性能瓶颈）。另外，有时我们需要用不同的接收器来从不同的输入源中接收各种数据，然后使用 join 或 cogroup 进行整合。

理解接收器是如何在 Spark 集群中运行的，对于我们使用多个接收器至关重要。每个接收器都以 Spark 执行器程序中一个长期运行的任务的形式运行，因此会占据分配给应用的 CPU 核心。此外，我们还需要有可用的 CPU 核心来处理数据。这意味着如果要运行多个接收器，就必须至少有和接收器数目相同的核心数，还要加上用来完成计算所需要的核心数。例如，如果我们想要在流计算应用中运行 10 个接收器，那么至少需要为应用分配 11 个 CPU 核心。

不要在本地模式下把主节点配置为"local"或"local[1]"来运行 Spark Streaming 程序。这种配置只会分配一个 CPU 核心给任务，如果接收器运行在这样的配置里，就没有剩余的资源来处理收到的数据了。至少要使用"local[2]"来利用更多的核心。

## 10.6 24/7不间断运行

Spark Streaming 的一大优势在于它提供了强大的容错性保障。只要输入数据存储在可靠的系统中，Spark Streaming 就可以根据输入计算出正确的结果，提供"精确一次"执行的语义（就好像所有的数据都是在没有任何节点失败的情况下处理的一样），即使是工作节点或者驱动器程序发生了失败。

要不间断运行 Spark Streaming 应用，需要一些特别的配置。第一步是设置好诸如 HDFS 或 Amazon S3 等可靠存储系统中的检查点机制。[3] 不仅如此，我们还需要考虑驱动器程序的容错性（需要特别的配置代码）以及对不可靠输入源的处理。本节会介绍如何进行这些配置。

### 10.6.1 检查点机制

检查点机制是我们在 Spark Streaming 中用来保障容错性的主要机制。它可以使 Spark Streaming 阶段性地把应用数据存储到诸如 HDFS 或 Amazon S3 这样的可靠存储系统中，以供恢复时使用。具体来说，检查点机制主要为以下两个目的服务。

- 控制发生失败时需要重算的状态数。我们在 10.2 节中讨论过，Spark Streaming 可以通过转化图的谱系图来重算状态，检查点机制则可以控制需要在转化图中回溯多远。
- 提供驱动器程序容错。如果流计算应用中的驱动器程序崩溃了，你可以重启驱动器程序并让驱动器程序从检查点恢复，这样 Spark Streaming 就可以读取之前运行的程序处理数据的进度，并从那里继续。

出于这些原因，检查点机制对于任何生产环境中的流计算应用都至关重要。你可以通过向 ssc.checkpoint() 方法传递一个路径参数（HDFS、S3 或者本地路径均可）来配置检查点机制，如例 10-42 所示。

**例 10-42：配置检查点**

```
ssc.checkpoint("hdfs://...")
```

注意，即便是在本地模式下，如果你尝试运行一个有状态操作而没有打开检查点机制，Spark Streaming 也会给出提示。此时，你需要使用一个本地文件系统中的路径来打开检查

注 3：我们不会介绍如何配置这些文件系统，不过它们一般都会在 Hadoop 环境或者云环境中已经配好。如果你在部署自己的集群，配置 HDFS 可能是最容易的。

点。不过，在所有的生产环境配置中，你都应当使用诸如 HDFS、S3 或者网络文件系统这样的带备份的系统。

## 10.6.2 驱动器程序容错

驱动器程序的容错要求我们以特殊的方式创建 StreamingContext。我们需要把检查点目录提供给 StreamingContext。与直接调用 `new StreamingContext` 不同，应该使用 `StreamingContext.getOrCreate()` 函数。应把之前的示例中的代码改成如例 10-43 和例 10-44 所示的那样。

**例 10-43：用 Scala 配置一个可以从错误中恢复的驱动器程序**

```
def createStreamingContext() = {
  ...
  val sc = new SparkContext(conf)
  // 以1秒作为批次大小创建StreamingContext
  val ssc = new StreamingContext(sc, Seconds(1))
  ssc.checkpoint(checkpointDir)
}
...
val ssc = StreamingContext.getOrCreate(checkpointDir, createStreamingContext _)
```

**例 10-44：用 Java 配置一个可以从错误中恢复的驱动器程序**

```
JavaStreamingContextFactory fact = new JavaStreamingContextFactory() {
  public JavaStreamingContext call() {
    ...
    JavaSparkContext sc = new JavaSparkContext(conf);
    // 以1秒作为批次大小创建StreamingContext
    JavaStreamingContext jssc = new JavaStreamingContext(sc, Durations.seconds(1));
    jssc.checkpoint(checkpointDir);
    return jssc;
  }};
JavaStreamingContext jssc = JavaStreamingContext.getOrCreate(checkpointDir, fact);
```

当这段代码第一次运行时，假设检查点目录还不存在，那么 StreamingContext 会在你调用工厂函数（在 Scala 中为 `createStreamingContext()`，在 Java 中为 `JavaStreamingContextFactory()`）时把目录创建出来。此处你需要设置检查点目录。在驱动器程序失败之后，如果你重启驱动器程序并再次执行代码，`getOrCreate()` 会重新从检查点目录中初始化出 StreamingContext，然后继续处理。

除了用 `getOrCreate()` 来实现初始化代码以外，你还需要编写在驱动器程序崩溃时重启驱动器进程的代码。在大多数集群管理器中，Spark 不会在驱动器程序崩溃时自动重启驱动器进程，所以你需要使用诸如 `monit` 这样的工具来监视驱动器进程并进行重启。最佳的实现方式往往取决于你的具体环境。Spark 在独立集群管理器中提供了更丰富的支持，可以在提交驱动器程序时使用 `--supervise` 标记来让 Spark 重启失败的驱动器程序。你还要传递 `--deploy-mode cluster` 参数来确保驱动器程序在集群中运行，而不是在本地机器上运行，如例 10-45 所示。

**例 10-45：使用监管模式启动驱动器程序**

```
./bin/spark-submit --deploy-mode cluster --supervise --master spark://... App.jar
```

在使用这个选项时，如果你希望 Spark 独立模式集群的主节点也是容错的，就可以通过 ZooKeeper 来配置主节点的容错性，详细信息请参考 Spark 的文档（https://spark.apache.org/docs/latest/spark-standalone.html#high-availability）。这样配置之后，就不用再担心你的应用会出现单个节点失败的情况。

最后需要说明的是，当驱动器程序崩溃时，Spark 的执行器进程也会重启。这有可能会在以后的 Spark 版本中有所改变，不过这是 1.2 以及更早版本的 Spark 的预期的行为，因为执行器程序不能在没有驱动器程序的情况下继续处理数据。重启驱动器程序会启动新的执行器进程来继续之前的计算。

### 10.6.3 工作节点容错

为了应对工作节点失败的问题，Spark Streaming 使用与 Spark 的容错机制相同的方法。所有从外部数据源中收到的数据都在多个工作节点上备份。所有从备份数据转化操作的过程中创建出来的 RDD 都能容忍一个工作节点的失败，因为根据 RDD 谱系图，系统可以把丢失的数据从幸存的输入数据备份中重算出来。

### 10.6.4 接收器容错

运行接收器的工作节点的容错也是很重要的。如果这样的节点发生错误，Spark Streaming 会在集群中别的节点上重启失败的接收器。然而，这种情况会不会导致数据的丢失取决于数据源的行为（数据源是否会重发数据）以及接收器的实现（接收器是否会向数据源确认收到数据）。举个例子，使用 Flume 作为数据源时，两种接收器的主要区别在于数据丢失时的保障。在“接收器从数据池中拉取数据”的模型中，Spark 只会在数据已经在集群中备份时才会从数据池中移除元素。而在“向接收器推数据”的模型中，如果接收器在数据备份之前失败，一些数据可能就会丢失。总的来说，对于任意一个接收器，你必须同时考虑上游数据源的容错性（是否支持事务）来确保零数据丢失。

总的来说，接收器提供以下保证。

- 所有从可靠文件系统中读取的数据（比如通过 `StreamingContext.hadoopFiles` 读取的）都是可靠的，因为底层的文件系统是有备份的。Spark Streaming 会记住哪些数据存放到了检查点中，并在应用崩溃后从检查点处继续执行。

- 对于像 Kafka、推式 Flume、Twitter 这样的不可靠数据源，Spark 会把输入数据复制到其他节点上，但是如果接收器任务崩溃，Spark 还是会丢失数据。在 Spark 1.1 以及更早的版本中，收到的数据只被备份到执行器进程的内存中，所以一旦驱动器程序崩溃（此时所有的执行器进程都会丢失连接），数据也会丢失。在 Spark 1.2 中，收到的数据被记录到诸如 HDFS 这样的可靠的文件系统中，这样即使驱动器程序重启也不会导致数据丢失。

综上所述，确保所有数据都被处理的最佳方式是使用可靠的数据源（例如 HDFS、拉式 Flume 等）。如果你还要在批处理作业中处理这些数据，使用可靠数据源是最佳方式，因为这种方式确保了你的批处理作业和流计算作业能读取到相同的数据，因而可以得到相同的结果。

### 10.6.5　处理保证

由于 Spark Streaming 工作节点的容错保障，Spark Streaming 可以为所有的转化操作提供"精确一次"执行的语义，即使一个工作节点在处理部分数据时发生失败，最终的转化结果（即转化操作得到的 RDD）仍然与数据只被处理一次得到的结果一样。

然而，当把转化操作得到的结果使用输出操作推入外部系统中时，写结果的任务可能因故障而执行多次，一些数据可能也就被写了多次。由于这引入了外部系统，因此我们需要专门针对各系统的代码来处理这样的情况。我们可以使用事务操作来写入外部系统（即原子化地将一个 RDD 分区一次写入），或者设计幂等的更新操作（即多次运行同一个更新操作仍生成相同的结果）。比如 Spark Streaming 的 `saveAs...File` 操作会在一个文件写完时自动将其原子化地移动到最终位置上，以此确保每个输出文件只存在一份。

## 10.7　Streaming用户界面

Spark Streaming 提供了一个特殊的用户界面，可以让我们查看应用在干什么。这个界面在常规的 Spark 用户界面（一般为 http://:4040）上的 Streaming 标签页里。图 10-9 是 Streaming 用户界面的一个截屏。

Streaming 用户界面展示了批处理和接收器的统计信息。在所列举的例子中，有一个网络接收器，借此可以看到消息处理的速率。如果处理速度缓慢，就可以看到每个接收器可以处理多少条数据，也可以看到接收器是否发生了故障。批处理的统计信息则向我们呈现批处理已经占用的时长，以及调度作业时的延迟情况。如果集群遇到了资源竞争，那么调度的延迟会增长。

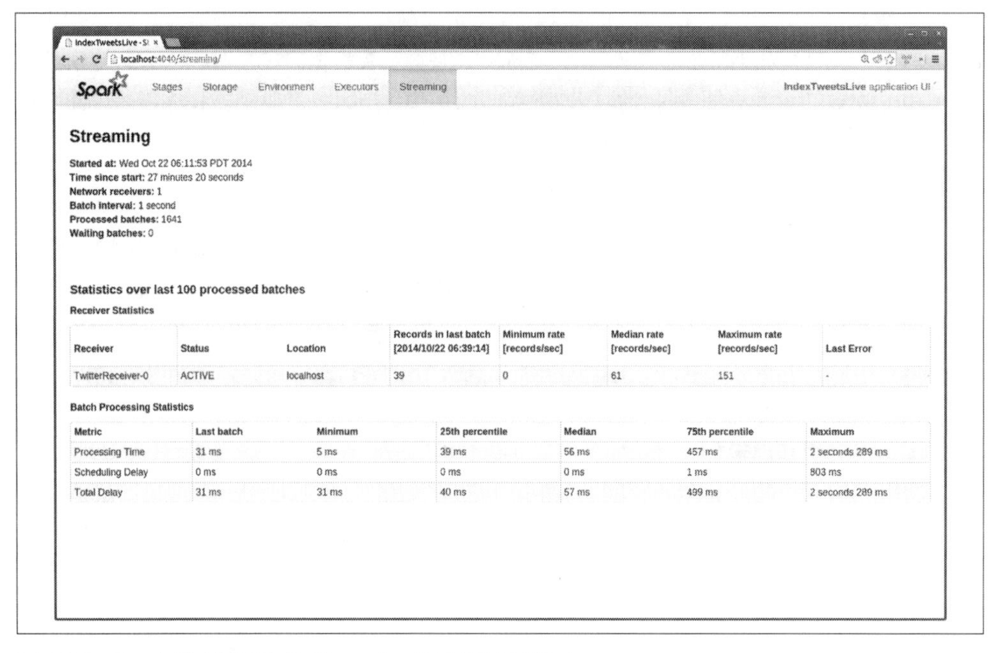


图 10-9：Spark 用户界面中的 Streaming 用户界面标签页

## 10.8 性能考量

除了我们已经针对一般的 Spark 应用讨论过的性能考量以外，Spark Streaming 应用还有一些特殊的调优选项。

### 10.8.1 批次和窗口大小

最常见的问题是 Spark Streaming 可以使用的最小批次间隔是多少。总的来说，500 毫秒已经被证实为对许多应用而言是比较好的最小批次大小。寻找最小批次大小的最佳实践是从一个比较大的批次大小（10 秒左右）开始，不断使用更小的批次大小。如果 Streaming 用户界面中显示的处理时间保持不变，你就可以进一步减小批次大小。如果处理时间开始增加，你可能已经达到了应用的极限。

相似地，对于窗口操作，计算结果的间隔（也就是滑动步长）对于性能也有巨大的影响。当计算代价巨大并成为系统瓶颈时，就应该考虑提高滑动步长了。

### 10.8.2 并行度

减少批处理所消耗时间的常见方式还有提高并行度。有以下三种方式可以提高并行度。

- *增加接收器数目*

  有时如果记录太多导致单台机器来不及读入并分发的话，接收器会成为系统瓶颈。这时你就需要通过创建多个输入 DStream（这样会创建多个接收器）来增加接收器数目，然后使用 `union` 来把数据合并为一个数据源。

- *将收到的数据显式地重新分区*

  如果接收器数目无法再增加，你可以通过使用 `DStream.repartition` 来显式重新分区输入流（或者合并多个流得到的数据流）来重新分配收到的数据。

- *提高聚合计算的并行度*

  对于像 `reduceByKey()` 这样的操作，你可以在第二个参数中指定并行度，我们在介绍 RDD 时提到过类似的手段。

### 10.8.3 垃圾回收和内存使用

Java 的垃圾回收机制（简称 GC）也可能会引起问题。你可以通过打开 Java 的并发标志—清除收集器（Concurrent Mark-Sweep garbage collector）来减少 GC 引起的不可预测的长暂停。并发标志—清除收集器总体上会消耗更多的资源，但是会减少暂停的发生。

可以通过在配置参数 `spark.executor.extraJavaOptions` 中添加 `-XX:+UseConcMarkSweepGC` 来控制选择并发标志—清除收集器。例 10-46 展示了使用 `spark-submit` 时的配置方法。

**例 10-46：打开并发标志—清除收集器**

```
spark-submit --conf spark.executor.extraJavaOptions=-XX:+UseConcMarkSweepGC App.jar
```

除了使用较少引发暂停的垃圾回收器，你还可以通过减轻 GC 的压力来大幅度改善性能。把 RDD 以序列化的格式缓存（而不使用原生的对象）也可以减轻 GC 的压力，这也是为什么默认情况下 Spark Streaming 生成的 RDD 都以序列化后的格式存储。使用 Kryo 序列化工具可以进一步减少缓存在内存中的数据所需要的内存大小。

Spark 也允许我们控制缓存下来的 RDD 以怎样的策略从缓存中移除。默认情况下，Spark 使用 LRU 缓存。如果你设置了 `spark.cleaner.ttl`，Spark 也会显式移除超出给定时间范围的老 RDD。主动从缓存中移除不大可能再用到的 RDD，可以减轻 GC 的压力。

## 10.9 总结

本章我们学习了如何使用 DStream 操作流数据。由于 DStream 是由 RDD 组成的，从前面的章节中学到的技术和知识仍然适用于流式计算与实时应用。下一章我们来讲解如何运用 Spark 进行机器学习。

# 第11章

# 基于MLlib的机器学习

MLlib 是 Spark 中提供机器学习函数的库。它是专为在集群上并行运行的情况而设计的。MLlib 中包含许多机器学习算法，可以在 Spark 支持的所有编程语言中使用。本章会展示如何在你的程序中调用 MLlib，并且给出一些常用的使用技巧。

机器学习本身是一个很大的话题，足够写很多本书，[1] 所以本章不会介绍机器学习本身。不过，如果你对机器学习很熟悉的话，你可以从本章学到如何在 Spark 中使用机器学习；即使你是机器学习的初学者，你也能够把本章的内容与其他关于机器学习的介绍性文字联系起来。如果你是有机器学习背景的数据科学家或者是与机器学习专家共事的工程师，并且正在尝试使用 Spark，那么你就应该读读本章内容。

## 11.1 概述

MLlib 的设计理念非常简单：把数据以 RDD 的形式表示，然后在分布式数据集上调用各种算法。MLlib 引入了一些数据类型（比如点和向量），不过归根结底，MLlib 就是 RDD 上一系列可供调用的函数的集合。比如，如果要用 MLlib 来完成文本分类的任务（例如识别垃圾邮件），你只需要按如下步骤操作。

(1) 首先用字符串 RDD 来表示你的消息。

(2) 运行 MLlib 中的一个特征提取（feature extraction）算法来把文本数据转换为数值特征（适合机器学习算法处理）；该操作会返回一个向量 RDD。

注 1：如 O'Reilly 出版的 *Machine Learning with R* 和 *Machine Learning for Hackers* 等。

(3) 对向量 RDD 调用分类算法（比如逻辑回归）；这步会返回一个模型对象，可以使用该对象对新的数据点进行分类。

(4) 使用 MLlib 的评估函数在测试数据集上评估模型。

需要注意的是，MLlib 中只包含能够在集群上运行良好的并行算法，这一点很重要。有些经典的机器学习算法没有包含在其中，就是因为它们不能并行执行。相反地，一些较新的研究得出的算法因为适用于集群，也被包含在 MLlib 中，例如分布式随机森林算法（distributed random forests）、K-means|| 聚类、交替最小二乘算法（alternating least squares）等。这样的选择使得 MLlib 中的每一个算法都适用于大规模数据集。如果你要在许多小规模数据集上训练各机器学习模型，最好还是在各节点上使用单节点的机器学习算法库（例如 Weka，http://www.cs.waikato.ac.nz/ml/weka/，或 SciKit-Learn，http://scikit-learn.org/stable/）实现，比如可以用 Spark 的 `map()` 操作在各节点上并行使用。类似地，我们在机器学习流水线中也常常用同一算法的不同参数对小规模数据集分别训练，来选出最好的一组参数。在 Spark 中，你可以通过把参数列表传给 `parallelize()` 来在不同的节点上分别运行不同的参数，而在每个节点上则使用单节点的机器学习库来实现。只有当你需要在一个大规模分布式数据集上训练模型时，MLlib 的优势才能突显出来。

最后，在 Spark 1.0 和 Spark 1.1 中，MLlib 的接口相对来说比较底层，提供给你的是不同任务应调用的函数，而不是高层的机器学习流水线所需要的工作流程（例如把输入数据分为训练数据和测试数据，或者尝试参数的多种组合）。在 Spark 1.2 中，MLlib 引入了流水线 API（在本书成书之际还是试验性功能[2]），可以用来构建这样的流水线。这套 API 和类似 SciKit-Learn 这样的高层库很像，可以让人很容易地写出完整的、可自动调节的机器学习流水线。本章还是以低级 API 为主，我们会在本章最后简要介绍一下这套 API。

## 11.2 系统要求

MLlib 需要你的机器预装一些线性代数的库。首先，你需要为操作系统安装 `gfortran` 运行库。如果 MLlib 警告找不到 `gfortran` 库的话，可以按 MLlib 网站（http://spark.apache.org/docs/latest/mllib-guide.html）上说明的步骤处理。其次，如果你要在 Python 中使用 MLlib，你需要安装 NumPy（http://www.numpy.org/）。如果你的 Python 没有安装 NumPy（即你无法使用 `import numpy`），最简单的办法就是使用 Linux 的包管理工具来安装 `python-numpy` 包或 `numpy` 包，或者使用第三方定制的 Python 版本，比如 Anaconda（http://continuum.io/downloads）。

MLlib 支持的算法也在随着时间推移不断发展。本章讨论的是 Spark 1.2 中 MLlib 支持的算法，有一些可能在早期的 Spark 版本中不存在。

注 2：在 1.4.0 中已成为正式接口。——译者注

# 11.3　机器学习基础

在开始讲 MLlib 中的函数之前，先来简单回顾一下机器学习的相关概念。

机器学习算法尝试根据训练数据（training data）使得表示算法行为的数学目标最大化，并以此来进行预测或作出决定。机器学习问题分为几种，包括分类、回归、聚类，每种都有不一样的目标。拿分类（classification）作为一个简单的例子：分类是基于已经被标记的其他数据点（比如一些已经分别被标记为垃圾邮件或非垃圾邮件的邮件）作为例子来识别一个数据点属于几个类别中的哪一种（比如判断一封邮件是不是垃圾邮件）。

所有的学习算法都需要定义每个数据点的特征（feature）集，也就是传给学习函数的值。举个例子，对于一封邮件来说，一些特征可能包括其来源服务器、提到 free 这个单词的次数、字体颜色等。在很多情况下，正确地定义特征才是机器学习中最有挑战性的部分。例如，在产品推荐的任务中，仅仅加上一个额外的特征（例如我们意识到推荐给用户的书籍可能也取决于用户看过的电影），就有可能极大地改进结果。

大多数算法都只是专为数值特征（具体来说，就是一个代表各个特征值的数字向量）定义的，因此提取特征并转化为特征向量是机器学习过程中很重要的一步。例如，在文本分类中（比如垃圾邮件和非垃圾邮件的例子），有好几个提取文本特征的方法，比如对各个单词出现的频率进行计数。

当数据已经成为特征向量的形式后，大多数机器学习算法都会根据这些向量优化一个定义好的数学函数。例如，某个分类算法可能会在特征向量的空间中定义出一个平面，使得这个平面能“最好”地分隔垃圾邮件和非垃圾邮件。这里需要为“最好”给出定义（比如大多数数据点都被这个平面正确分类）。算法会在运行结束时返回一个代表学习决定的模型（比如这个选中的平面），而这个模型就可以用来对新的点进行预测（例如根据新邮件的特征向量在平面的哪一边来决定它是不是垃圾邮件）。图 11-1 展示了一个机器学习流水线的示例。

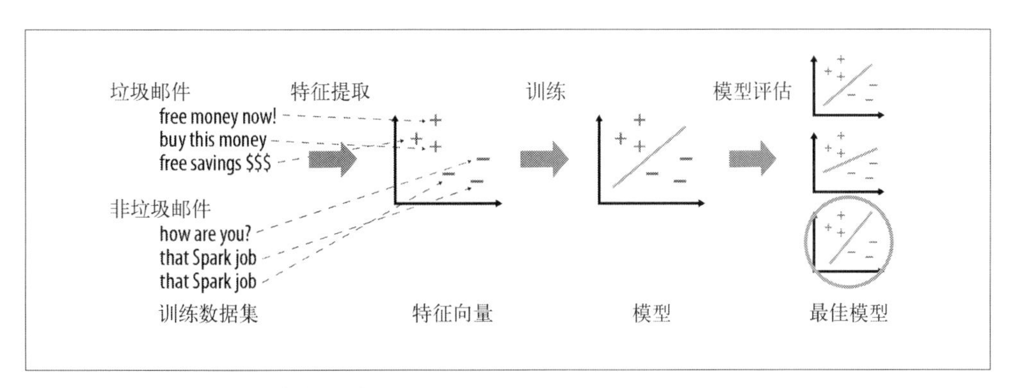


图 11-1：机器学习流水线中的典型步骤

最后，大多数机器学习算法都有多个会影响结果的参数，所以现实中的机器学习流水线会训练出多个不同版本的模型，然后分别对其进行评估（evaluate）。要这么做的话，通常需要把输入数据分为“训练集”和“测试集”，并且只使用前者进行训练，这样就可以用后者来检验模型是否过度拟合（overfit）了训练数据。MLlib 提供了几个算法来进行模型评估。

## 示例：垃圾邮件分类

举一个用来快速了解 MLlib 的例子，我们会展示一个构建垃圾邮件分类器的简单程序（见例 11-1 至例 11-3）。这个程序使用了 MLlib 中的两个函数：`HashingTF` 与 `LogisticRegressionWithSGD`，前者从文本数据构建词频（term frequency）特征向量，后者使用随机梯度下降法（Stochastic Gradient Descent，简称 SGD）实现逻辑回归。假设我们从两个文件 spam.txt 与 normal.txt 开始，两个文件分别包含垃圾邮件和非垃圾邮件的例子，每行一个。接下来我们就根据词频把每个文件中的文本转化为特征向量，然后训练出一个可以把两类消息分开的逻辑回归模型。代码和数据文件可以在本书的 Git 仓库中找到。

**例 11-1：Python 版垃圾邮件分类器**

```
from pyspark.mllib.regression import LabeledPoint
from pyspark.mllib.feature import HashingTF
from pyspark.mllib.classification import LogisticRegressionWithSGD

spam = sc.textFile("spam.txt")
normal = sc.textFile("normal.txt")

# 创建一个HashingTF实例来把邮件文本映射为包含10000个特征的向量
tf = HashingTF(numFeatures = 10000)
# 各邮件都被切分为单词,每个单词被映射为一个特征
spamFeatures = spam.map(lambda email: tf.transform(email.split(" ")))
normalFeatures = normal.map(lambda email: tf.transform(email.split(" ")))

# 创建LabeledPoint数据集分别存放阳性(垃圾邮件)和阴性(正常邮件)的例子
positiveExamples = spamFeatures.map(lambda features: LabeledPoint(1, features))
negativeExamples = normalFeatures.map(lambda features: LabeledPoint(0, features))
trainingData = positiveExamples.union(negativeExamples)
trainingData.cache() # 因为逻辑回归是迭代算法,所以缓存训练数据RDD

# 使用SGD算法运行逻辑回归
model = LogisticRegressionWithSGD.train(trainingData)

# 以阳性(垃圾邮件)和阴性(正常邮件)的例子分别进行测试。首先使用
# 一样的HashingTF特征来得到特征向量,然后对该向量应用得到的模型
posTest = tf.transform("O M G GET cheap stuff by sending money to ...".split(" "))
negTest = tf.transform("Hi Dad, I started studying Spark the other ...".split(" "))
print "Prediction for positive test example: %g" % model.predict(posTest)
print "Prediction for negative test example: %g" % model.predict(negTest)
```

**例 11-2：Scala 版垃圾邮件分类器**

```
import org.apache.spark.mllib.regression.LabeledPoint
import org.apache.spark.mllib.feature.HashingTF
```

```
import org.apache.spark.mllib.classification.LogisticRegressionWithSGD

val spam = sc.textFile("spam.txt")
val normal = sc.textFile("normal.txt")

// 创建一个HashingTF实例来把邮件文本映射为包含10000个特征的向量
val tf = new HashingTF(numFeatures = 10000)
// 各邮件都被切分为单词,每个单词被映射为一个特征
val spamFeatures = spam.map(email => tf.transform(email.split(" ")))
val normalFeatures = normal.map(email => tf.transform(email.split(" ")))

// 创建LabeledPoint数据集分别存放阳性(垃圾邮件)和阴性(正常邮件)的例子
val positiveExamples = spamFeatures.map(features => LabeledPoint(1, features))
val negativeExamples = normalFeatures.map(features => LabeledPoint(0, features))
val trainingData = positiveExamples.union(negativeExamples)
trainingData.cache() // 因为逻辑回归是迭代算法,所以缓存训练数据RDD

// 使用SGD算法运行逻辑回归
val model = new LogisticRegressionWithSGD().run(trainingData)

// 以阳性(垃圾邮件)和阴性(正常邮件)的例子分别进行测试
val posTest = tf.transform(
  "O M G GET cheap stuff by sending money to ...".split(" "))
val negTest = tf.transform(
  "Hi Dad, I started studying Spark the other ...".split(" "))
println("Prediction for positive test example: " + model.predict(posTest))
println("Prediction for negative test example: " + model.predict(negTest))
```

**例 11-3：Java 版垃圾邮件分类器**

```
import org.apache.spark.mllib.classification.LogisticRegressionModel;
import org.apache.spark.mllib.classification.LogisticRegressionWithSGD;
import org.apache.spark.mllib.feature.HashingTF;
import org.apache.spark.mllib.linalg.Vector;
import org.apache.spark.mllib.regression.LabeledPoint;

JavaRDD<String> spam = sc.textFile("spam.txt");
JavaRDD<String> normal = sc.textFile("normal.txt");

// 创建一个HashingTF实例来把邮件文本映射为包含10000个特征的向量
final HashingTF tf = new HashingTF(10000);

// 创建LabeledPoint数据集分别存放阳性(垃圾邮件)和阴性(正常邮件)的例子
JavaRDD<LabeledPoint> posExamples = spam.map(new Function<String, LabeledPoint>() {
  public LabeledPoint call(String email) {
    return new LabeledPoint(1, tf.transform(Arrays.asList(email.split(" "))));
  }
});
JavaRDD<LabeledPoint> negExamples = normal.map(new Function<String, LabeledPoint>() {
  public LabeledPoint call(String email) {
    return new LabeledPoint(0, tf.transform(Arrays.asList(email.split(" "))));
  }
});
JavaRDD<LabeledPoint> trainData = positiveExamples.union(negativeExamples);
trainData.cache(); // 因为逻辑回归是迭代算法,所以缓存训练数据RDD
```

```
// 使用SGD算法运行逻辑回归
LogisticRegressionModel model = new LogisticRegressionWithSGD().run(trainData.rdd());

// 以阳性(垃圾邮件)和阴性(正常邮件)的例子分别进行测试
Vector posTest = tf.transform(
  Arrays.asList("O M G GET cheap stuff by sending money to ...".split(" ")));
Vector negTest = tf.transform(
  Arrays.asList("Hi Dad, I started studying Spark the other ...".split(" ")));
System.out.println("Prediction for positive example: " + model.predict(posTest));
System.out.println("Prediction for negative example: " + model.predict(negTest));
```

如你所见，这段代码在各种语言中都很相似。代码直接操作 RDD——在本例中，所操作的是字符串 RDD（即原始文本）和 `LabeledPoints`（MLlib 中用来存放特征向量和对应标签的数据类型）RDD。

## 11.4 数据类型

MLlib 包含一些特有的数据类型，它们位于 `org.apache.spark.mllib` 包（Java/Scala）或 `pyspark.mllib`（Python）内。主要的几个如下所列。

- `Vector`

  一个数学向量。MLlib 既支持稠密向量也支持稀疏向量，前者表示向量的每一位都存储下来，后者则只存储非零位以节约空间。后面会简单讨论不同种类的向量。向量可以通过 `mllib.linalg.Vectors` 类创建出来。

- `LabeledPoint`

  在诸如分类和回归这样的监督式学习（supervised learning）算法中，`LabeledPoint` 用来表示带标签的数据点。它包含一个特征向量与一个标签（由一个浮点数表示），位置在 `mllib.regression` 包中。

- `Rating`

  用户对一个产品的评分，在 `mllib.recommendation` 包中，用于产品推荐。

- 各种`Model`类

  每个 `Model` 都是训练算法的结果，一般有一个 `predict()` 方法可以用来对新的数据点或数据点组成的 RDD 应用该模型进行预测。

大多数算法直接操作由 `Vector`、`LabeledPoint` 或 `Rating` 对象组成的 RDD。你可以用任意方式创建出这些对象，不过一般来说你需要通过对外部数据进行转化操作来构建出 RDD——例如，通过读取一个文本文件或者运行一条 Spark SQL 命令。接下来，使用 `map()` 将你的数据对象转为 MLlib 的数据类型。

## 操作向量

作为 MLlib 中最常用的数据类型，Vector 类有一些需要注意的地方。

第一，向量有两种：稠密向量与稀疏向量。稠密向量把所有维度的值存放在一个浮点数数组中。例如，一个 100 维的向量会存储 100 个双精度浮点数。相比之下，稀疏向量只把各维度中的非零值存储下来。当最多只有 10% 的元素为非零元素时，我们通常更倾向于使用稀疏向量（不仅是出于对内存使用的考虑，也是出于对速度的考虑）。许多特征提取技术都会生成非常稀疏的向量，所以这种方式常常是一种很关键的优化手段。

第二，创建向量的方式在各种语言中有一些细微的差别。在 Python 中，你在 MLlib 中任意地方传递的 NumPy 数组都表示一个稠密向量，你也可以使用 mllib.linalg.Vectors 类创建其他类型的向量（如例 11-4 所示）。[3] 而在 Java 和 Scala 中，都需要使用 mllib.linalg.Vectors 类（如例 11-5 和例 11-6 所示）。

**例 11-4：用 Python 创建向量**

```
from numpy import array
from pyspark.mllib.linalg import Vectors

# 创建稠密向量<1.0, 2.0, 3.0>
denseVec1 = array([1.0, 2.0, 3.0]) # NumPy数组可以直接传给MLlib
denseVec2 = Vectors.dense([1.0, 2.0, 3.0]) # 或者使用Vectors类来创建

# 创建稀疏向量<1.0, 0.0, 2.0, 0.0>;该方法只接收
# 向量的维度(4)以及非零位的位置和对应的值
# 这些数据可以用一个dictionary来传递,或使用两个分别代表位置和值的list
sparseVec1 = Vectors.sparse(4, {0: 1.0, 2: 2.0})
sparseVec2 = Vectors.sparse(4, [0, 2], [1.0, 2.0])
```

**例 11-5：用 Scala 创建向量**

```
import org.apache.spark.mllib.linalg.Vectors

// 创建稠密向量<1.0, 2.0, 3.0>;Vectors.dense接收一串值或一个数组
val denseVec1 = Vectors.dense(1.0, 2.0, 3.0)
val denseVec2 = Vectors.dense(Array(1.0, 2.0, 3.0))

// 创建稀疏向量<1.0, 0.0, 2.0, 0.0>;该方法只接收
// 向量的维度(这里是4)以及非零位的位置和对应的值
val sparseVec1 = Vectors.sparse(4, Array(0, 2), Array(1.0, 2.0))
```

**例 11-6：用 Java 创建向量**

```
import org.apache.spark.mllib.linalg.Vector;
import org.apache.spark.mllib.linalg.Vectors;

// 创建稠密向量<1.0, 2.0, 3.0>;Vectors.dense接收一串值或一个数组
Vector denseVec1 = Vectors.dense(1.0, 2.0, 3.0);
```

注 3：如果你使用的是 SciPy，Spark 也能够将大小为 $N \times 1$ 的 scipy.sparse 矩阵识别为长度为 $N$ 的向量。

```
Vector denseVec2 = Vectors.dense(new double[] {1.0, 2.0, 3.0});

// 创建稀疏向量<1.0, 0.0, 2.0, 0.0>；该方法只接收
// 向量的维度(这里是4)以及非零位的位置和对应的值
Vector sparseVec1 = Vectors.sparse(4, new int[] {0, 2}, new double[]{1.0, 2.0});
```

最后，在 Java 和 Scala 中，MLlib 的 `Vector` 类只是用来为数据表示服务的，而没有在用户 API 中提供加法和减法这样的向量的算术操作。（在 Python 中，你可以对稠密向量使用 NumPy 来进行这些数学操作，也可以把这些操作传给 MLlib。）这主要是为了让 MLlib 保持在较小规模内，因为实现一套完整的线性代数库超出了本工程的范围。如果你想在你的程序中进行向量的算术操作，可以使用一些第三方的库，比如 Scala 中的 Breeze（https://github.com/scalanlp/breeze）或者 Java 中的 MTJ（https://github.com/fommil/matrix-toolkits-java），然后再把数据转为 MLlib 向量。

# 11.5 算法

本节会介绍 MLlib 中主要的算法，以及它们的输入和输出类型。我们没有足够的篇幅来解释各个算法的数学原理，因此只能专注于如何调用并配置这些算法。

## 11.5.1 特征提取

`mllib.feature` 包中包含一些用来进行常见特征转化的类。这些类中有从文本（或其他表示）创建特征向量的算法，也有对特征向量进行正规化和伸缩变换的方法。

### TF-IDF

词频—逆文档频率（简称 TF-IDF）是一种用来从文本文档（例如网页）中生成特征向量的简单方法。它为文档中的每个词计算两个统计值：一个是词频（TF），也就是每个词在文档中出现的次数，另一个是逆文档频率（IDF），用来衡量一个词在整个文档语料库中出现的（逆）频繁程度。这些值的积，也就是 TF × IDF，展示了一个词与特定文档的相关程度（比如这个词在某文档中很常见，但在整个语料库中却很少见）。

MLlib 有两个算法可以用来计算 TF-IDF：`HashingTF` 和 `IDF`，都在 `mllib.feature` 包内。`HashingTF` 从一个文档中计算出给定大小的词频向量。为了将词与向量顺序对应起来，它使用了*哈希法*（hasing trick）。在类似英语这样的语言中，有几十万个单词，因此将每个单词映射到向量中的一个独立的维度上需要付出很大代价。而 `HashingTF` 使用每个单词对所需向量的长度 $S$ 取模得出的哈希值，把所有单词映射到一个 0 到 $S$-1 之间的数字上。由此我们可以保证生成一个 $S$ 维的向量。在实践中，即使有多个单词被映射到同一个哈希值上，算法依然适用。MLlib 开发者推荐将 $S$ 设置在 $2^{18}$ 到 $2^{20}$ 之间。

`HashingTF` 可以一次只运行于一个文档中，也可以运行于整个 RDD 中。它要求每个“文档”都使用对象的可迭代序列来表示——例如 Python 中的 `list` 或 Java 中的 `Collection`。

例 11-7 在 Python 中使用了 HashingTF。

**例 11-7：在 Python 中使用 HashingTF**

```
>>> from pyspark.mllib.feature import HashingTF

>>> sentence = "hello hello world"
>>> words = sentence.split() # 将句子切分为一串单词
>>> tf = HashingTF(10000) # 创建一个向量,其尺寸S = 10,000
>>> tf.transform(words)
SparseVector(10000, {3065: 1.0, 6861: 2.0})

>>> rdd = sc.wholeTextFiles("data").map(lambda (name, text): text.split())
>>> tfVectors = tf.transform(rdd)   # 对整个RDD进行转化操作
```

在真实流水线中，你可能需要在把文档传给 TF 之前，对文档进行预处理并提炼单词。例如，你可能需要把所有的单词转为小写、去除标点、去除 ing 这样的后缀。为了得到最佳结果，你可以在 map() 中调用一些类似 NLTK（http://www.nltk.org/）这样的单节点自然语言处理库。

当你构建好词频向量之后，你就可以使用 IDF 来计算逆文档频率，然后将它们与词频相乘来计算 TF-IDF。你首先要对 IDF 对象调用 fit() 方法来获取一个 IDFModel，它代表语料库中的逆文档频率。接下来，对模型调用 transform() 来把 TF 向量转为 IDF 向量。例 11-8 展示了如何从例 11-7 中计算 IDF。

**例 11-8：在 Python 中使用 TF-IDF**

```
from pyspark.mllib.feature import HashingTF, IDF

# 将若干文本文件读取为TF向量
rdd = sc.wholeTextFiles("data").map(lambda (name, text): text.split())
tf = HashingTF()
tfVectors = tf.transform(rdd).cache()

# 计算IDF,然后计算TF-IDF向量
idf = IDF()
idfModel = idf.fit(tfVectors)
tfIdfVectors = idfModel.transform(tfVectors)
```

注意，我们对 RDDtfVectors 调用了 cache() 方法，因为它被使用了两次（一次是训练 IDF 模型时，一次是用 IDF 乘以 TF 向量时）。

### 1. 缩放

大多数机器学习算法都要考虑特征向量中各元素的幅值，并且在特征缩放调整为平等对待时表现得最好（例如所有的特征平均值为 0，标准差为 1）。当构建好特征向量之后，你可以使用 MLlib 中的 StandardScaler 类来进行这样的缩放，同时控制均值和标准差。你需要创建一个 StandardScaler，对数据集调用 fit() 函数来获取一个 StandardScalerModel（也

就是为每一列计算平均值和标准差），然后使用这个模型对象的 transform() 方法来缩放一个数据集，如例 11-9 所示。

**例 11-9：在 Python 中缩放向量**

```
from pyspark.mllib.feature import StandardScaler

vectors = [Vectors.dense([-2.0, 5.0, 1.0]), Vectors.dense([2.0, 0.0, 1.0])]
dataset = sc.parallelize(vectors)
scaler = StandardScaler(withMean=True, withStd=True)
model = scaler.fit(dataset)
result = model.transform(dataset)

# 结果:{[-0.7071, 0.7071, 0.0], [0.7071, -0.7071, 0.0]}
```

#### 2. 正规化

在一些情况下，在准备输入数据时，把向量正规化为长度 1 也是有用的。使用 Normalizer 类可以实现，只要使用 Normalizer.transform(rdd) 就可以了。默认情况下，Normalizer 使用 $L^2$ 范式（也就是欧几里得距离），不过你可以给 Normalizer 传递一个参数 $p$ 来使用 $L^p$ 范式。

#### 3. Word2Vec

Word2Vec（https://code.google.com/p/word2vec/）[4] 是一个基于神经网络的文本特征化算法，可以用来将数据传给许多下游算法。Spark 在 mllib.feature.Word2Vec 类中引入了该算法的一个实现。

要训练 Word2Vec，你需要传给它一个用 String 类（每个单词用一个）的 Iterable 表示的语料库。和前面的“TF-IDF”一节所讲的很像，Word2Vec 也推荐对单词进行正规化处理（例如全部转为小写、去除标点和数字）。当你训练好模型（通过 Word2Vec.fit(rdd)）之后，你会得到一个 Word2VecModel，塔可以用来将每个单词通过 transform() 转为一个向量。注意，Word2Vec 算法中模型的大小等于你的词库中的单词数乘以向量的大小（向量大小默认为 100）。你可能希望筛选掉不在标准字典中的单词来控制模型大小。一般来说，比较合适的词库大小约为 100 000 个词。

### 11.5.2 统计

不论是在即时的探索中，还是在机器学习的数据理解中，基本的统计都是数据分析的重要部分。MLlib 通过 mllib.stat.Statistics 类中的方法提供了几种广泛使用的统计函数，这些函数可以直接在 RDD 上使用。一些常用的函数如下所列。

- Statistics.colStats(*rdd*)

  计算由向量组成的 RDD 的统计性综述，保存着向量集合中每列的最小值、最大值、平

---

注 4：引用 Mikolov 等人所写文章“Efficient Estimation of Word Representations in Vector Space,” 2013。

均值和方差。这可以用来在一次执行中获取丰富的统计信息。

- `Statistics.corr(`*`rdd, method`*`)`

  计算由向量组成的 RDD 中的列间的相关矩阵，使用皮尔森相关（Pearson correlation）或斯皮尔曼相关（Spearman correlation）中的一种（*method* 必须是 `pearson` 或 `spearman` 中的一个）。

- `Statistics.corr(`*`rdd1, rdd2, method`*`)`

  计算两个由浮点值组成的 RDD 的相关矩阵，使用皮尔森相关或斯皮尔曼相关中的一种（*method* 必须是 `pearson` 或 `spearman` 中的一个）。

- `Statistics.chiSqTest(`*`rdd`*`)`

  计算由 `LabeledPoint` 对象组成的 RDD 中每个特征与标签的皮尔森独立性测试（Pearson's independence test）结果。返回一个 `ChiSqTestResult` 对象，其中有 p 值（p-value）、测试统计及每个特征的自由度。标签和特征值必须是分类的（即离散值）。

除了这些算法以外，数值 RDD 还提供几个基本的统计函数，例如 `mean()`、`stdev()` 以及 `sum()`，我们在 6.6 节中有所提及。除此以外，RDD 还支持 `sample()` 和 `sampleByKey()`，使用它们可以构建出简单而分层的数据样本。

### 11.5.3 分类与回归

分类与回归是*监督式学习*的两种主要形式。监督式学习指算法尝试使用有标签的训练数据（也就是已知结果的数据点）根据对象的特征预测结果。分类和回归的区别在于预测的变量的类型：在分类中，预测出的变量是离散的（也就是一个在有限集中的值，叫作*类别*）；比如，分类可能是将邮件分为垃圾邮件和非垃圾邮件，也有可能是文本所使用的语言。在回归中，预测出的变量是*连续的*（例如根据年龄和体重预测一个人的身高）。

分类和回归都会使用 MLlib 中的 `LabeledPoint` 类。11.4 节中提过，这个类在 `mllib.regression` 包中。一个 `LabeledPoint` 其实就是由一个 `label`（`label` 总是一个 `Double` 值，不过可以为分类算法设为离散整数）和一个 `features` 向量组成。

对于二元分类，MLlib 预期的标签为 0 或 1。在某些情况下可能会使用 –1 和 1，但这会导致错误的结果。对于多元分类，MLlib 预期标签范围是从 0 到 *C*–1，其中 *C* 表示类别数量。

MLlib 包含多种分类与回归的算法，其中包括简单的线性算法以及决策树和森林算法。

### 1. 线性回归

线性回归是回归中最常用的方法之一，是指用特征的线性组合来预测输出值。MLlib 也支持 $L^1$ 和 $L^2$ 的正则的回归，通常称为 Lasso 和 ridge 回归。

线性回归算法可以使用的类包括 `mllib.regression.LinearRegressionWithSGD`、`LassoWithSGD` 以及 `RidgeRegressionWithSGD`。这遵循了 MLlib 中常用的命名模式，即对于涉及多个算法的问题，在类名中使用"With"来表明所使用的算法。这里，SGD 代表的是随机梯度下降法。

这些类都有几个可以用来对算法进行调优的参数。

- `numIterations`

  要运行的迭代次数（默认值：`100`）。

- `stepSize`

  梯度下降的步长（默认值：`1.0`）。

- `intercept`

  是否给数据加上一个干扰特征或者偏差特征——也就是一个值始终为 1 的特征（默认值：`false`）。

- `regParam`

  Lasso 和 ridge 的正规化参数（默认值：`1.0`）。

调用算法的方式在不同语言中略有不同。在 Java 和 Scala 中，你需要创建一个 `LinearRegressionWithSGD` 对象，调用它的 setter 方法来设置参数，然后调用 `run()` 来训练模型。在 Python 中，你需要使用类的方法 `LinearRegressionWithSGD.train()`，并对其传递键值对参数。在这两种情况中，你都需要传递一个由 `LabeledPoint` 组成的 RDD，如例 11-10 至例 11-12 所示。

**例 11-10：Python 中的线性回归**

```python
from pyspark.mllib.regression import LabeledPoint
from pyspark.mllib.regression import LinearRegressionWithSGD

points = # (创建LabeledPoint组成的RDD)
model = LinearRegressionWithSGD.train(points, iterations=200, intercept=True)
print "weights: %s, intercept: %s" % (model.weights, model.intercept)
```

**例 11-11：Scala 中的线性回归**

```scala
import org.apache.spark.mllib.regression.LabeledPoint
import org.apache.spark.mllib.regression.LinearRegressionWithSGD

val points: RDD[LabeledPoint] = // ...
val lr = new LinearRegressionWithSGD().setNumIterations(200).setIntercept(true)
val model = lr.run(points)
println("weights: %s, intercept: %s".format(model.weights, model.intercept))
```

**例 11-12：Java 中的线性回归**

```
import org.apache.spark.mllib.regression.LabeledPoint;
import org.apache.spark.mllib.regression.LinearRegressionWithSGD;
import org.apache.spark.mllib.regression.LinearRegressionModel;

JavaRDD<LabeledPoint> points = // ...
LinearRegressionWithSGD lr =
  new LinearRegressionWithSGD().setNumIterations(200).setIntercept(true);
LinearRegressionModel model = lr.run(points.rdd());
System.out.printf("weights: %s, intercept: %s\n",
  model.weights(), model.intercept());
```

注意，在 Java 中，需要通过调用 `.rdd()` 方法把 JavaRDD 转为 Scala 中的 `RDD` 类。这种模式在 MLlib 中随处可见，因为 MLlib 方法被设计为既可以用 Java 调用，也可以用 Scala 调用。

一旦训练完成，所有语言中返回的 `LinearRegressionModel` 都会包含一个 `predict()` 函数，可以用来对单个特征向量预测一个值。`RidgeRegressionWithSGD` 和 `LassoWithSGD` 的行为类似，并且也会返回一个类似的模型类。事实上，这种通过 setter 方法调节算法参数，然后返回一个带有 `predict()` 方法的 `Model` 对象的模式，在 MLlib 中很常见。

### 2. 逻辑回归

逻辑回归是一种二元分类方法，用来寻找一个分隔阴性和阳性示例的线性分割平面。在 MLlib 中，它接收一组标签为 0 或 1 的 `LabeledPoint`，返回可以预测新点的分类的 `LogisticRegressionModel` 对象。

逻辑回归算法的 API 和前小一节中讲的线性回归十分相似。两者的区别之一在于，有两种可以用来解决逻辑回归问题的算法：SGD 和 LBFGS[5]。LBFGS 一般是最好的选择，但是在早期的 MLlib 版本（早于 Spark 1.2）中不可用。这些算法通过 `mllib.classification.LogisticRegressionWithLBFGS` 和 `WithSGD` 类提供给用户，接口和 `LinearRegressionWithSGD` 相似。它们接收的参数和线性回归完全一样（详见前一小节）。

这两个算法中得出的 `LogisticRegressionModel` 可以为每个点求出一个在 0 到 1 之间的得分，之后会基于一个阈值返回 `0` 或 `1`：默认情况下，对于 0.5，它会返回 `1`。你可以通过 `setThreshold()` 改变阈值，也可以通过 `clearThreshold()` 去除阈值设置，这样的话 `predict()` 就会返回原始得分。对于阴性阳性示例各半的均衡数据集，我们推荐保留 0.5 作为阈值。对于不平衡的数据集，你可以通过提升阈值来减少假阳性数据的数量（也就是提高精确率，但是也降低了召回率），也可以通过降低阈值来减少假阴性数据的数量。

---

注 5：LBFGS 是牛顿法的近似，它可以在比随机梯度下降更少的迭代次数内收敛。详见 http://en.wikipedia.org/wiki/Limited-memory_BFGS。

在使用逻辑回归时，将特征提前缩放到相同范围内通常比较重要。你可以使用 MLlib 的 StandardScaler 来实现特征缩放，如 11.5.1 节中的“缩放”小节所述。

### 3. 支持向量机

支持向量机（简称 SVM）算法是另一种使用线性分割平面的二元分类算法，同样只预期 0 或者 1 的标签。通过 `SVMWithSGD` 类，我们可以访问这种算法，它的参数与线性回归和逻辑回归的参数差不多。返回的 `SVMModel` 与 `LogisticRegressionModel` 一样使用阈值的方式进行预测。

### 4. 朴素贝叶斯

朴素贝叶斯（Naive Bayes）算法是一种多元分类算法，它使用基于特征的线性函数计算将一个点分到各类中的得分。这种算法通常用于使用 TF-IDF 特征的文本分类，以及其他一些应用。MLlib 实现了多项朴素贝叶斯算法，需要非负的频次（比如词频）作为输入特征。

在 MLlib 中，你可以通过 `mllib.classification.NaiveBayes` 类来使用朴素贝叶斯算法。它支持一个参数 `lambda`（Python 中是 `lambda_`），用来进行平滑化。你可以对一个由 `LabeledPoint` 组成的 RDD 调用朴素贝叶斯算法，对于 $C$ 个分类，标签值范围在 0 至 $C$–1 之间。

返回的 `NaiveBayesModel` 让我们可以使用 `predict()` 预测对某点最合适的分类，也可以访问训练好的模型的两个参数：各特征与各分类的可能性矩阵 `theta`（对于 $C$ 个分类和 $D$ 个特征的情况，矩阵大小为 $C \times D$），以及表示先验概率的 $C$ 维向量 `pi`。

### 5. 决策树与随机森林

决策树是一个灵活的模型，可以用来进行分类，也可以用来进行回归。决策树以节点树的形式表示，每个节点基于数据的特征作出一个二元决定（比如，这个人的年龄是否大于 20？），而树的每个叶节点则包含一种预测结果（例如，这个人是不是会买一个产品？）。决策树的吸引力在于模型本身容易检查，而且决策树既支持分类的特征，也支持连续的特征。图 11-2 展示了一个决策树的示例。

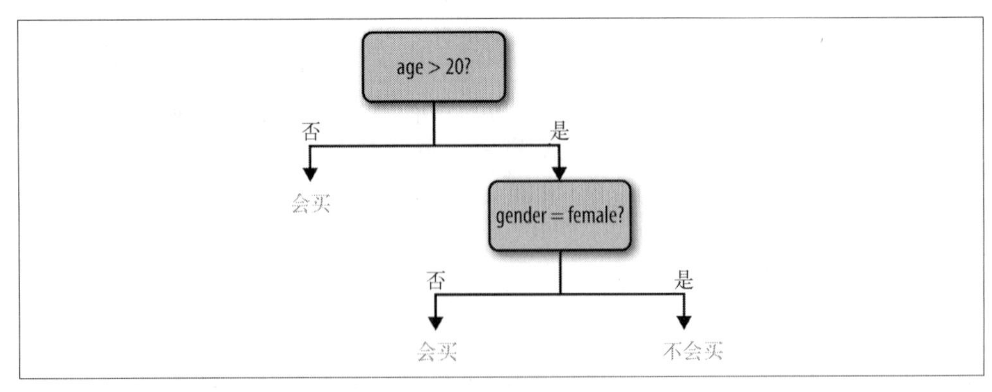


图 11-2：一个预测用户是否会购买一件产品的决策树示例

在 MLlib 中，你可以使用 mllib.tree.DecisionTree 类中的静态方法 trainClassifier() 和 trainRegressor() 来训练决策树。和其他有些算法不同的是，Java 和 Scala 的 API 也使用静态方法，而不使用 setter 方法定制的 DecisionTree 对象。该训练方法接收如下所列参数。

- data
  由 LabeledPoint 组成的 RDD。
- numClasses（仅用于分类时）
  要使用的类别数量。
- impurity
  节点的不纯净度测量；对于分类可以为 gini 或 entropy，对于回归则必须为 variance。
- maxDepth
  树的最大深度（默认值：5）。
- maxBins
  在构建各节点时将数据分到多少个箱子中（推荐值：32）。
- categoricalFeaturesInfo
  一个映射表，用来指定哪些特征是分类的，以及它们各有多少个分类。例如，如果特征 1 是一个标签为 0 或 1 的二元特征，特征 2 是一个标签为 0、1 或 2 的三元特征，你就应该传递 {1: 2, 2: 3}。如果没有特征是分类的，就传递一个空的映射表。

MLlib 的在线文档（http://spark.apache.org/docs/latest/mllib-decision-tree.html）中包含了对此处所使用算法的详细解释。算法的开销会随训练样本数目、特征数量以及 maxBins 参数值进行线性增长。对于大规模数据集，你可能需要使用较低的 maxBins 值来更快地训练模型，尽管这也会降低算法的质量。

train() 方法会返回一个 DecisionTreeModel 对象。你可以使用这个对象的 predict() 方法来对一个新的特征向量预测对应的值，或者预测一个向量 RDD。你也可以使用 toDebugString() 来输出这棵树。这个对象是可序列化的，所以你可以用 Java 序列化将它保存，然后在另一个程序中读取出来。

最后，在 Spark 1.2 中，MLlib 在 Java 和 Scala 中添加了试验性的 RandomForest 类，可以用来构建一组树的组合，也被称为随机森林。它可以通过 RandomForest.trainClassifier 和 trainRegressor 使用。除了刚才列出的每棵树对应的参数外，RandomForest 还接收如下参数。

- numTrees
  要构建的树的数量。提高 numTrees 可以降低对训练数据过度拟合的可能性。

- `featureSubsetStrategy`

  在每个节点上作决定时需要考虑的特征数量。可以是 `auto`（让库来自动选择）、`all`、`sqrt`、`log2` 以及 `onethird`；越大的值所花费的代价越大。

- `seed`

  所使用的随机数种子。

随机森林算法返回一个 `WeightedEnsembleModel` 对象，其中包含几个决策树（在 `weakHypotheses` 字段中，权重由 `weakHypothesisWeights` 决定），可以对 RDD 或 `vector` 调用 `predict()`。它还有一个 `toDebugString` 方法，可以打印出其中所有的树。

### 11.5.4 聚类

聚类算法是一种无监督学习任务，用于将对象分到具有高度相似性的聚类中。前面提到的监督式任务中的数据都是带标签的，而聚类可以用于无标签的数据。该算法主要用于数据探索（查看一个新数据集是什么样子）以及异常检测（识别与任意聚类都相距较远的点）。

#### KMeans

MLlib 包含聚类中流行的 K-means 算法，以及一个叫作 K-means|| 的变种，可以为并行环境提供更好的初始化策略。[6]K-means|| 的初始化过程与 K-means++ 在配置单节点时所进行的初始化过程非常相似。

K-means 中最重要的参数是生成的聚类中心的目标数量 K。事实上，你几乎不可能提前知道聚类的“真实”数量，所以最佳实践是尝试几个不同的 K 值，直到聚类内部平均距离不再显著下降为止。然而，算法一次只能接收一个 K 值。除了 K 以外，MLlib 中的 K-means 还接收以下几个参数。

- `initializationMode`

  用来初始化聚类中心的方法，可以是“k-means||”或者“random”；`k-means||`（默认值）一般会带来更好的结果，但是开销也会略高一些。

- `maxIterations`

  运行的最大迭代次数（默认值：`100`）。

- `runs`

  算法并发运行的数目。MLlib 的 K-means 算法支持从多个起点并发执行，然后选择最佳结果，这也是获取较好的整体模型的一种不错的方法（K-means 的运行可以停止在本地最小值上）。

注 6：最早介绍 K-means|| 的文章是 Bahmani 等人所著的“Scalable K-Means++,” VLDB 2008。

和其他算法一样，当你要调用 K-means 算法时，你需要创建 `mllib.clustering.KMeans` 对象（在 Java/Scala 中）或者调用 `KMeans.train`（在 Python 中）。它接收一个 `Vector` 组成的 RDD 作为参数。K-means 返回一个 `KMeansModel` 对象，该对象允许你访问其 `clusterCenters` 属性（聚类中心，是一个向量的数组）或者调用 `predict()` 来对一个新的向量返回它所属的聚类。注意，`predict()` 总是返回和该点距离最近的聚类中心，即使这个点跟所有的聚类都相距很远。

## 11.5.5 协同过滤与推荐

协同过滤是一种根据用户对各种产品的交互与评分来推荐新产品的推荐系统技术。协同过滤吸引人的地方就在于它只需要输入一系列用户 / 产品的交互记录：无论是“显式”的交互（例如在购物网站上进行评分）还是“隐式”的（例如用户访问了一个产品的页面但是没有对产品评分）交互皆可。仅仅根据这些交互，协同过滤算法就能够知道哪些产品之间比较相似（因为相同的用户与它们发生了交互）以及哪些用户之间比较相似，然后就可以作出新的推荐。

尽管 MLlib 的 API 使用了“用户”和“产品”的概念，但你也可以将协同过滤用于其他应用场景中，比如在社交网络中推荐用户，为文章推荐要添加的标签，为电台推荐歌曲等。

### 交替最小二乘

MLlib 中包含交替最小二乘（简称 ALS）的一个实现，这是一个协同过滤的常用算法，可以很好地扩展到集群上。[7] 它位于 `mllib.recommendation.ALS` 类中。

ALS 会为每个用户和产品都设一个特征向量，这样用户向量与产品向量的点积就接近于他们的得分。它接收下面所列这些参数。

- `rank`

  使用的特征向量的大小；更大的特征向量会产生更好的模型，但是也需要花费更大的计算代价（默认值：`10`）。

- `iterations`

  要执行的迭代次数（默认值：`10`）。

- `lambda`

  正则化参数（默认值：`0.01`）。

- `alpha`

  用来在隐式 ALS 中计算置信度的常量（默认值：`1.0`）。

---

注 7：两篇对网络规模数据的 ALS 算法的研究论文分别是 Zhou 等人撰写的“Large-Scale Parallel Collaborative Filtering for the Netflix Prize”和 Hu 等人撰写的“Collaborative Filtering for Implicit Feedback Datasets,”都发表于 2008 年。

- numUserBlocks，numProductBlocks

  切分用户和产品数据的块的数目，用来控制并行度；你可以传递 -1 来让 MLlib 自动决定（默认行为）。

要使用 ALS 算法，你需要有一个由 mllib.recommendation.Rating 对象组成的 RDD，其中每个包含一个用户 ID、一个产品 ID 和一个评分（要么是显式的评分，要么是隐式反馈；参见接下来的讨论）。实现过程中的一个挑战是每个 ID 都需要是一个 32 位的整型值。如果你的 ID 是字符串或者更大的数字，我们推荐你直接在 ALS 中使用 ID 的哈希值；即使有两个用户或者两个产品映射到同一个 ID 上，总体结果依然会不错。还有一种办法是 broadcast() 一张从产品 ID 到整型值的表，来赋给每个产品独特的 ID。

ALS 返回一个 MatrixFactorizationModel 对象来表示结果，可以调用 predict() 来对一个由 (userID, productID) 对组成的 RDD 进行预测评分。[8] 你也可以使用 model.recommendProducts (userId, numProducts) 来为一个给定用户找到最值得推荐的前 numProduct 个产品。注意，和 MLlib 中的其他模型不同，MatrixFactorizationModel 对象很大，为每个用户和产品都存储了一个向量。这样我们就不能把它存到磁盘上，然后在另一个程序中读取回来。不过，你可以把模型中生成的特征向量 RDD，也就是 model.userFeatures 和 model.productFeatures 保存到分布式文件系统上。

最后，ALS 有两个变种：显式评分（默认情况）和隐式反馈（通过调用 ALS.trainImplicit() 而非 ALS.train() 来打开）。用于显式评分时，每个用户对于一个产品的评分需要是一个得分（例如 1 到 5 星），而预测出来的评分也是得分。而用于隐式反馈时，每个评分代表的是用户会和给定产品发生交互的置信度（比如随着用户访问一个网页次数的增加，评分也会提高），预测出来的也是置信度。关于对隐式反馈使用 ALS 算法，Hu 等人所撰写的 "Collaborative Filtering for Implicit Feedback Datasets," ICDM 2008 中有更为详细的介绍。

### 11.5.6 降维

#### 1. 主成分分析

给定一个高维空间中的点的数据集，我们经常需要减少点的维度，来使用更简单的工具对其进行分析。例如，我们可能想要在二维平面上画出这些点，或者只是想减少特征的数量使得模型训练更加高效。

机器学习社区中使用的主要的降维技术是主成分分析（简称 PCA，https://en.wikipedia.org/wiki/Principal_component_analysis）。在这种技术中，我们会把特征映射到低维空间，让数据在低维空间表示的方差最大化，从而忽略一些无用的维度。要计算出这种映射，我们要构建出正规化的相关矩阵，并使用这个矩阵的奇异向量和奇异值。与最大的一部分奇异值相对应的奇异向量可以用来重建原始数据的主要成分。

注 8：在 Java 中，从一个由 Tuple2 组成的 JavaRDD 开始，需要先对它调用 .rdd() 方法。

PCA 目前只在 Java 和 Scala（MLlib 1.2）中可用。要调用 PCA，你首先要使用 `mllib.linalg.distributed.RowMatrix` 类来表示你的矩阵，然后存储一个由 `Vector` 组成的 RDD，每行一个。[9] 之后，你就可以如例 11-13 所示那样调用 PCA 算法。

**例 11-13：Scala 中的 PCA**

```
import org.apache.spark.mllib.linalg.Matrix
import org.apache.spark.mllib.linalg.distributed.RowMatrix

val points: RDD[Vector] = // ...
val mat: RowMatrix = new RowMatrix(points)
val pc: Matrix = mat.computePrincipalComponents(2)

// 将点投影到低维空间中
val projected = mat.multiply(pc).rows

// 在投影出的二维数据上训练k-means模型
val model = KMeans.train(projected, 10)
```

在这个例子中，投影出的 RDD 包含原始 RDD 中的 `points` 的二维版本，可以用来作图或进行其他 MLlib 算法，比如使用 K-means 进行聚类。

注意，`computePrincipalComponents()` 返回的是 `mllib.linalg.Matrix` 对象，是一个和 `Vector` 相似的表示稀疏矩阵的工具类。你可以调用 `toArray` 方法获取底层的数据。

### 2. 奇异值分解

MLlib 也提供了低层的奇异值分解（简称 SVD）原语。SVD 会把一个 $m \times n$ 的矩阵 A 分解成三个矩阵 $A \approx U\Sigma V^{\mathrm{T}}$，其中：

- $U$ 是一个正交矩阵，它的列被称为左奇异向量；
- $\Sigma$ 是一个对角线上的值均为非负数并降序排列的对角矩阵，它的对角线上的值被称为奇异值；
- $V$ 是一个正交矩阵，它的列被称为右奇异向量。

对于大型矩阵，通常不需要进行完全分解，只需要分解出靠前的奇异值和与之对应的奇异向量即可。这样可以节省存储空间、降噪，并有利于恢复低秩矩阵。如果保留前 $k$ 个奇异值，那么结果矩阵就会是 $U: m \times k$，$\Sigma: k \times k$ 以及 $V: n \times k$。

要进行分解，应调用 `RowMatrix` 类的 `computeSVD` 方法，如例 11-14 所示。

**例 11-14：Scala 中的 SVD**

```
// 计算RowMatrix矩阵的前20个奇异值及其对应的奇异向量
val svd: SingularValueDecomposition[RowMatrix, Matrix] =
  mat.computeSVD(20, computeU=true)
```

---

注 9：在 Java 中，从一个由 `Vector` 组成的 JavaRDD 开始，我们需要对它调用 `.rdd()` 方法把它转为一个 Scala 的 RDD。

```
val U: RowMatrix = svd.U // U是一个分布式RowMatrix
val s: Vector = svd.s    // 奇异值用一个局部稠密向量表示
val V: Matrix = svd.V    // V是一个局部稠密矩阵
```

### 11.5.7 模型评估

无论机器学习任务使用的是何种算法，模型评估都是端到端机器学习流水线的一个重要环节。许多机器学习任务可以使用不同的模型来应对，而且即使使用的是同一个算法，参数设置也可以带来不同的结果。不仅如此，我们还要考虑模型对训练数据过度拟合的风险，因此你最好通过在另一个数据集上测试模型来对模型进行评估，而不是使用训练数据集。

在本书写作时（对应于 Spark 1.2），MLlib 包含一组试验性模型评估函数，不过只能在 Java 和 Scala 中使用。这些函数在 `mllib.evaluation` 包中，根据问题的不同，它们在 `BinaryClassificationMetrics` 和 `MulticlassMetrics` 等这些不同的类中。使用这些类，你可以从由（预测，事实）对组成的 RDD 上创建出一个 `Metrics` 对象，然后计算诸如精确率、召回率、接受者操作特性（ROC）曲线下的面积等指标。这些方法应该运行在一个非训练集的测试集上（比如在训练前先划出 20% 的数据）。你可以使用 `map()` 函数将你的模型应用到测试数据集上，生成由（预测，事实）对组成的 RDD。

在将来的 Spark 版本中，本章末尾所介绍的流水线 API 有望对所有语言引入评估函数。通过流水线 API，你可以定义一个机器学习算法流水线以及一个评估标准，然后系统就可以使用交叉验证自动搜索参数并选择出最好的模型。

## 11.6 一些提示与性能考量

### 11.6.1 准备特征

尽管机器学习演讲中经常着重强调所使用的算法，但切记在实践中，每个算法的好坏只取决于你所使用的特征！许多从事大规模数据机器学习的人员都认为特征准备是大规模机器学习中最重要的一步。添加信息更丰富的特征（例如与其他数据集连接以引入更多信息）与将现有特征转为合适的向量表示（例如缩放向量）都能极大地帮助改进结果。

本书将不会对特征准备作全面讨论，但是我们鼓励你参考其他机器学习书籍以了解更多信息。不过，有以下这些通用的提示值得注意，尤其是对 MLlib 来说。

- 缩放输入特征。像 11.5.1 节的“伸缩”小节中讲解的那样，使用 `StandardScaler` 处理特征来平等对待特征。
- 正确提取文本特征。使用诸如 NLTK（http://www.nltk.org）这样的外部库来提词，在使用 TF-IDF 提取特征时，在有代表性的语料库上使用 IDF。

- 为分类标上正确的标签。MLlib 要求分类的标签是 0 到 *C*–1 之间，其中 *C* 表示分类的总数。

### 11.6.2 配置算法

在正规化选项可用时，MLlib 中的大多数算法都会在正则化打开时表现得更好（在预测准确度方面）。此外，大多数基于 SGD 的算法需要大约 100 轮迭代来获得较好的结果。MLlib 尝试提供合适的默认值，但是你应该尝试增加迭代次数，来看看是否能够提高精确度。例如，使用 ALS 算法时，`rank` 的默认值 10 相对较低，所以你应该尝试提高这个值。确保在评估这些参数变化时将测试数据排除在训练集之外。

### 11.6.3 缓存RDD以重复使用

MLlib 中的大多数算法都是迭代的，对数据进行反复操作。因此，在把输入数据集传给 MLlib 前使用 `cache()` 将它缓存起来是很重要的。即使数据在内存中放不下，你也应该尝试 `persist(StorageLevel.DISK_ONLY)`。

在 Python 中，MLlib 会把数据集在从 Python 端传到 Java 端时在 Java 端自动缓存，因此没有必要缓存你的 Python RDD，除非你在自己的程序中还要用到它。而在 Scala 和 Java 中，则需要由你来决定是否执行缓存操作。

### 11.6.4 识别稀疏程度

当你的特征向量包含很多零时，用稀疏格式存储这些向量会为大规模数据集节省巨大的时间和空间。在空间方面，当至多三分之二的位为非零值时，MLlib 的稀疏表示比它的稠密表示要小。在数据处理代价方面，当至多 10% 的位为非零值时，稀疏向量所要花费的代价也会更小。（这是因为使用稀疏表示需要对向量中的每个元素执行的指令比使用稠密向量表示时要多。）但是如果使用稀疏表示能够让你缓存使用稠密表示时无法缓存的数据，即使数据本身比较稠密，你也应当选择稀疏表示。

### 11.6.5 并行度

对于大多数算法而言，你的输入 RDD 的分区数至少应该和集群的 CPU 核心数相当，这样才能达到完全的并行。回想一下，默认情况下 Spark 会为文件的每个“块”创建一个分区，而块一般为 64 MB。你可以通过向 `SparkContext.textFile()` 这样的函数传递分区数的最小值来改变默认行为——例如 `sc.textFile("data.txt", 10)`。另一种方法是对 RDD 调用 `repartition(numPartitions)` 来将 RDD 分区成 `numPartitions` 个分区。你始终可以通过 Spark 的网页用户界面看到每个 RDD 的分区数。同时，注意不要使用太多分区，因为这会增加通信开销。

## 11.7 流水线API

从 Spark 1.2 起，基于机器学习流水线的概念，MLlib 增加了一套新的高层机器学习 API。这套 API 和 SciKit-Learn（http://scikit-learn.org）中提供的流水线 API 比较相似。简单地说，流水线就是一系列转化数据集的算法（要么是特征转化，要么是模型拟合）。流水线的每个步骤都可能有参数（例如逻辑回归中的迭代次数）。流水线 API 通过使用所选的评估矩阵评估各个集合，使用网格搜索自动找到最佳的参数集。

流水线 API 使用我们第 9 章中介绍过的 Spark SQL 中的 SchemaRDD 作为统一的数据集表示形式。SchemaRDD 中有多个有名字的列，这样要引用数据的不同字段就会比较容易。流水线的各步骤可能会给 SchemaRDD 加上新的列（例如提取了特征的数据）。总体的理念也和 R 中的 DataFrame 有些类似。

为了让你感受一下这套 API，我们把本章之前用过的垃圾邮件分类的例子用这种接口重新实现了一遍。我们也展示了如何通过对 `HashingTF` 和 `LogisticRegression` 的参数使用几组不同值并进行网格搜索，来让这个示例程序更加清晰明了，如例 11-15 所示。

**例 11-15：在 Scala 中使用流水线 API 实现垃圾邮件分类**

```
import org.apache.spark.sql.SQLContext
import org.apache.spark.ml.Pipeline
import org.apache.spark.ml.classification.LogisticRegression
import org.apache.spark.ml.feature.{HashingTF, Tokenizer}
import org.apache.spark.ml.tuning.{CrossValidator, ParamGridBuilder}
import org.apache.spark.ml.evaluation.BinaryClassificationEvaluator

// 用来表示文档的类,会被转入SchemaRDD中
case class LabeledDocument(id: Long, text: String, label: Double)
val documents = // (读取LabeledDocument的RDD)

val sqlContext = new SQLContext(sc)
import sqlContext._

// 配置该机器学习流水线中的三个步骤:分词、词频计数、逻辑回归;每个步骤
// 会输出SchemaRDD的一个列,并作为下一个步骤的输入列
val tokenizer = new Tokenizer() // 把各邮件切分为单词
  .setInputCol("text")
  .setOutputCol("words")
val tf = new HashingTF() // 将邮件中的单词映射为包含10000个特征的向量
  .setNumFeatures(10000)
  .setInputCol(tokenizer.getOutputCol)
  .setOutputCol("features")
val lr = new LogisticRegression() // 默认使用"features"作为输入列
val pipeline = new Pipeline().setStages(Array(tokenizer, tf, lr))

// 使用流水线对训练文档进行拟合
val model = pipeline.fit(documents)

// 或者,不使用上面的参数只对训练集进行一次拟合,也可以
```

```
// 通过交叉验证对一批参数进行网格搜索,来找到最佳的模型
val paramMaps = new ParamGridBuilder()
  .addGrid(tf.numFeatures, Array(10000, 20000))
  .addGrid(lr.maxIter, Array(100, 200))
  .build() // 构建参数的所有组合
val eval = new BinaryClassificationEvaluator()
val cv = new CrossValidator()
  .setEstimator(lr)
  .setEstimatorParamMaps(paramMaps)
  .setEvaluator(eval)
val bestModel = cv.fit(documents)
```

在写作本书时，流水线 API 还属于试验性接口，你可以从 MLlib 文档（http://spark.apache.org/docs/latest/mllib-guide.html）中找到关于流水线 API 的最新文档。

## 11.8 总结

本章概述了 Spark 的机器学习算法库。如你所见，MLlib 与 Spark 的其他 API 紧密联系。它可以让你操作 RDD，而得到的结果也可以在其他 Spark 函数中使用。MLlib 也是 Spark 开发最为活跃的组件之一，它还在不断发展中。我们建议查阅你所使用的 Spark 版本所对应的官方文档（http://spark.apache.org/documentation.html）以了解其中的最新功能。

# 作者简介

Holden Karau 是 Databricks 的软件开发工程师，开源工作积极参与者。她也是早前另一本 Spark 书的作者。在加入 Databricks 之前，她曾在 Google、Foursquare、Amazon 参与过搜索和分类问题方面的工作。Holden 毕业于滑铁卢大学，获得计算机科学专业的数学学士学位。除了软件外，她还喜爱玩火、焊接和呼啦圈。

Andy Konwinski 是 Databricks 的创始人之一。在此之前，他是加州大学伯克利分校 AMPLab 实验室的博士生，接着成为了博士后，研究方向是大规模分布式计算和集群调度。他共同创建了 Apache Mesos 项目，并且是该项目的代码提交者之一。他还与 Google 的系统工程师以及研究员一起致力于 Omega——Google 的下一代集群调度系统的设计。最近，他开展并领导了 AMP Camp 大数据训练营以及 Spark 峰会，并为 Spark 项目作出了贡献。

Patrick Wendell 也是 Databricks 的联合创始人之一，同时他也是一位 Spark 的代码提交者及 PMC 成员。在 Spark 项目中，Patrick 是几个 Spark 发布版本的发行经理，其中包括 Spark 1.0。Patrick 也维护着 Spark 核心引擎的几个子系统。在帮助创办 Databricks 之前，Patrick 在加州大学伯克利分校获得了计算机科学的硕士学位，研究方向是大规模分析类工作负载的低延迟调度。他还拥有普林斯顿大学的计算机学士学位。

Matei Zaharia 是 Apache Spark 的创造者，也是 Databricks 的 CTO。他拥有加州大学伯克利分校的博士学位，并从那里以研究型项目的形式启动了 Spark。他现在也是 Apache 基金会的一名副总裁。除了 Spark 以外，他也对集群计算领域的其他一些项目有所研究，并作出了开源代码共献，其中包括 Apache Hadoop（他是代码提交者之一）和 Apache Mesos（也是他在伯克利时参与启动的项目）。

# 封面介绍

本书封面上的动物是斑点猫鲨（Scyliorhinus canicula），是东北大西洋和地中海中最常见的软骨鱼类之一。这是一种体型小而修长的鲨鱼，头部扁钝，眼睛细长，吻部短圆。背部表面呈灰棕色，混杂着细小的或明或暗的斑点图案。皮肤质地粗糙，和砂纸的粗糙度相似。

这种小鲨鱼以海生无脊椎动物为食，它的食物包括软体动物、甲壳类、头足类，以及多毛类蠕虫。它也会吃一些小的硬骨鱼，偶尔吃体型稍大的鱼。它是一个卵生物种，会把蛋产在靠近海岸的浅水中，由带有长卷须的角质壳保护。

斑点猫鲨在渔场中具有一定的商业价值，但它更适合用来在公共水族馆中展示。尽管它的商业价值已被发现，且大量个体被保留下来供人食用，但这一物种仍然经常被抛弃，而且研究表明抛弃后的存活率较高。

O'Reilly 丛书封面上的许多动物都濒临灭绝，而它们对这个世界来说都很重要。要了解更多你力所能及的事，请访问 animals.oreilly.com。

封面图片来自 Wood 所著 *Animate Creation*。

站在巨人的肩上
Standing on Shoulders of Giants
TURING
图灵教育
iTuring.cn

站在巨人的肩上

Standing on Shoulders of Giants

TURING

图灵教育

iTuring.cn